D0774293

Faire
de l'histoire

★ ★

NOUVELLES APPROCHES

*Sous la direction
de Jacques Le Goff
et Pierre Nora*

Gallimard

PLAN GÉNÉRAL DE L'OUVRAGE

Présentation de Jacques Le Goff et Pierre Nora

PREMIÈRE PARTIE
NOUVEAUX PROBLÈMES

DEUXIÈME PARTIE
NOUVELLES APPROCHES

TROISIÈME PARTIE
NOUVEAUX OBJETS

Deuxième partie

NOUVELLES APPROCHES

L'archéologie*

PAR

ALAIN SCHNAPP

> *Look heah, now, I've got the wuhks of all
> the old mastahs–the gweat ahchaeologists
> of the past. I wigh them against each
> othah–balance the disagweements–ana-
> lyse the conflicting statements–decide
> which is pwobably cowwect–and come to
> a conclusion. That is the scientific
> method.*
>
> I. Asimov, *Foundation.*

L'archéologie est-elle une science? Son image est
encore riche de dépaysement. Comme naguère l'ethnologie, elle signifie souvent une évasion, une fuite
hors de sociétés où l'exotique n'est pas quotidien. Une
solidarité de façade lie ces deux disciplines qui analysent l'une et l'autre des *différences* dans le temps pour
la première, dans l'espace pour la seconde. Cette
ressemblance est cependant plus apparente que réelle,
et l'historien comme l'ethnologue savent que le problème tient précisément dans la définition de ces
concepts contingents et relatifs que sont l'espace et le
temps. Temps longs, temps courts, espace social,
espace politique, ces outils devenus classiques de
l'analyse moderne des sociétés semblent perdre toute vigueur face aux habitudes immuables de l'archéologue

* L'introduction de ce travail est déjà parue dans l'article collectif
« Renouveau des méthodes et théorie de l'archéologie », *Annales*
E.S.C., 1973, I, pp. 35-51.

traditionnel. L'enquête ethnologique ou historique réclame une connaissance relative de la vie des sociétés, l'archéologie telle qu'on la pense au contraire demande avant tout du « flair ». Elle se confond avec l'étude de la « trouvaille » dont « l'antiquité » est à elle seule objet d'étude. L'analyse purement lexicale du vocabulaire archéologique serait à cet égard riche d'enseignement : « nouvelles fouilles à..., nouveaux documents sur... »; l'objet est d'abord défini comme accumulation, agglomération à un savoir préexistant. Aussi le champ de la connaissance est-il *infini* (on trouvera toujours de nouveaux objets) et *indéfini* (on ne sait pas ce que représente une trouvaille). Une ville, un monument, un objet isolé ne sont que les témoignages résiduels d'une culture. Cette richesse documentaire (l'infinité des objets archéologiques) et cette libéralité intellectuelle (puisque l'on ne peut tout savoir, on ne peut connaître que des faits partiels et toutes les hypothèses sont également légitimes et invérifiables) sont une des raisons de la crise actuelle, abondamment illustrée par une foule d'ouvrages (Heizer-Cook, 1960; Chang, 1967; Deetz, 1968; Clarke, 1968; Moberg, 1969[1]). L'archéologue est condamné de ce fait à un savoir fragmentaire et parcellaire. Cet axiome est en quelque sorte la profession de foi de la « majorité silencieuse » des archéologues contemporains. Il satisfait à la fois le spécialiste qui est maître d'un savoir propre – les objets, la culture matérielle – et l'historien dont le génie littéraire viendra habiller à point nommé la froideur des faits archéologiques. « L'archéologie nouvelle » se développe précisément en réaction contre cette idéologie et cette répartition du travail.

I. L'ARCHÉOLOGIE MODERNE
ET SES TENDANCES

C'est dans la collecte des « données », dans le statut ambigu du terrain que s'exprime le plus fortement l'originalité de l'archéologie : c'est là aussi que l'évolution des méthodes est la plus apparente. L'archéologie moderne tend à se débarrasser des habitudes de la collection, de la quête hasardeuse d'objets isolés au profit de recherches organisées. Si le concept de stratification a été élaboré au XIXᵉ siècle il n'est malheureusement devenu habituel que depuis la Seconde Guerre mondiale (Leroi-Gourhan, 1950; Wheeler, 1954; Courbin, 1963). L'étude de la stratification, c'est-à-dire l'étude des vestiges laissés par les groupes humains dans leur cadre géologique a amené la définition d'une méthode générale appelée stratigraphie. La fouille stratigraphique tend à la reconstitution aussi fidèle que possible des accidents qui ont affecté les différents niveaux d'occupation du « sol » : abandons, destructions, remplois, etc. Autrement dit, il s'agit non pas d'isoler des collections d'objets, mais, bien au contraire, d'étudier les *relations* entretenues par les objets. Ces relations sont considérées comme autant d'éléments analysables, tranchées de fondation, fosses, pièces d'habitation qu'il s'agit de mettre en évidence par la fouille. La coupe verticale qui résume la succession des couches est complémentaire des dégagements horizontaux qui permettent de comprendre la fonction des ensembles rencontrés. Le but ultime de la stratigraphie consiste à mettre en évidence la succession dans l'espace de structures successives dans le temps. Malgré un accord quasi général sur l'intérêt de ces techniques, il faut bien dire qu'elles sont inégalement mises en œuvre par les archéologues. En outre la diversité des règles de publication ne permet pas toujours d'avoir une idée exacte de la méthode suivie. Les rapports de fouilles n'ont pas encore su trouver la précision, sinon la simplicité des références d'archives habituelles aux historiens. Le développement des méthodes stratigraphiques, d'autre part, a entraîné une explosion technique (Brothwell-Higgs, 1963; Goodyear, 1971) qui affecte toutes les étapes de la fouille et de son interprétation : identification des sites par prospection géophysique et photographie aérienne, étude de la faune et de la flore avec l'aide du naturaliste, détermination scientifique des processus géologique et pédologique, datation par des procédés physico-chimiques. Ce renouvellement de l'étude du milieu a pour conséquence le développement d'un mirage scientifique où la technicité des opérations tient lieu à bon compte de stratégie de recherche.

Sollicités par la diversité des techniques qui les entraînent de plus en plus loin, les archéologues sont saisis au même moment des inquiétudes que l'histoire nouvelle communique aux historiens : histoire géographique, histoire de la vie matérielle, histoire écologique, autant de points de rencontre, de zones de contact. La constitution de nouveaux champs historiques n'est pas seulement ouverture de voies nouvelles, elle remet en cause les itinéraires de l'histoire classique (Furet, 1971)[2]. La rencontre entre l'histoire et l'archéologie moderne se définit là aussi dans la relecture des iconographies, dans l'étude des ensembles architecturaux considérés comme des foyers sociologiques, dans la redéfinition de personnages et de paysages classiques comme l'homme antique ou la

France d'Ancien Régime (G. et M. Vovelle, 1969; *Annales,* 1970; Bérard, 1969). L'histoire agraire moderne (*Archéologie du village déserté,* 1970), l'histoire de l'écologie (J. Bertin et autres, 1971) bénéficient au premier chef de ces échanges qui par-delà un messianisme un peu naïf en une science totale témoignent de l'ampleur du renouvellement. Mais ces audaces ont aussi leur revers, et la complexité des procédés, la minutie des techniques laissent toujours moins de latitude au passage d'un secteur de recherche à un autre. La croissance infinie des classifications archéologiques rend à peu près impossibles la vérification des documents, le contrôle des chronologies, la discussion et la critique des données (Finley, 1971). La distance s'élargit entre une archéologie descriptive sans cesse plus technique et une archéologie historique toujours plus ambitieuse.

Rien d'étonnant à ce qu'une nouvelle étape de la recherche, complémentaire des deux autres, s'interroge sur le passage de la description à l'interprétation, sur le coût et la fiabilité logique des opérations habituelles à l'archéologie, décrire et classer (Gardin, s.d., 1963, 1965, 1971; Binford et Binford, 1968). Qu'est-ce qu'une typologie, quels sont les critères qui permettent d'attribuer tel objet à tel groupe, quelle est la rigueur de ces notations élémentaires : ressemblance, différence, homologie et analogie? Cette hygiène conceptuelle n'est pas innocente, elle conduit à expliciter objectifs et résultats. Autrement dit, quelle est la place de l'archéologie comme source historique?

II. ARCHÉOLOGIE
ET RECONSTRUCTION HISTORIQUE :
LIMITES DE SOURCES
OU LIMITES DE MÉTHODES?

La triple évolution technique, idéologique et épistémologique que nous venons de décrire est plus vir-
tuelle que réelle. D'élégantes reconstructions historiques masquent parfois l'imprécision des méthodes de
fouille, le calcul et les procédures de classification
automatique sont souvent utilisés comme des alibis
qui cachent la pauvreté des hypothèses historiques et
anthropologiques; le renouvellement est plus un programme qu'un bilan. Et pourtant les « nouvelles
perspectives » partent d'une évidence banale : la spécificité de l'archéologie, la nature particulière de la
culture matérielle. Si l'ambition de l'archéologue est
grosso modo la même que celle de l'historien ou de
l'ethnologue, ses moyens sont *a priori* plus réduits. Il
ne dispose ni d'archives ni d'interlocuteurs, et le
langage ne peut l'aider à comprendre les faits. L'archéologue au travail qui examine un vase raisonne
comme suit : le profil et le décor du vase indiquent
une date précise, la forme une destination, le mode de
fabrication une certaine organisation de la production.
L'ensemble de ces éléments considérés dans leurs
rapports mutuels précise ces premières constatations.
Décor et destination (par exemple, vase à boire)
en font un *vase marchandise* différent d'un récipient
de taille plus importante et dont la forme (une amphore) et l'absence de décor le désignent comme *vase
récipient* (Vallet-Villard, 1963). A partir de cette
distinction, le spécialiste peut déduire une politique

commerciale (produits de luxe/produits courants), des circuits commerciaux, des modes d'acheminement opposés (emballage, stockage). On voit le réseau de relations que l'inférence archéologique permet de tisser. On voit aussi la place laissée à l'arbitraire.

Les propriétés physiques des objets étudiés, taille, texture, permettent de construire un système d'opposition : récipients petits et moyens opposés à des grands, céramique grossière et résistante opposée à une céramique fine et fragile. Mais ces oppositions n'ont pas de conséquences économiques univoques, on peut fort bien imaginer la distribution de produits différents par les mêmes agents commerciaux, il est également possible de distinguer entre circulation et distribution, etc. La route d'exportation d'une amphore et d'un vase à boire est-elle la même? L'importateur est-il différent? L'opposition entre les deux types de marchandises est-elle commerciale (vendeurs différents), sociale (acheteurs différents), fonctionnelle? Cet exemple limité pose cependant la question de fond : comment passer de la description de propriétés perceptuelles des objets à la restitution de leurs caractéristiques sociales? La réponse de l'archéologie traditionnelle est cruellement résumée par Binford et Binford (1968, p. 16) : « La reconstruction des modes de vie est restée un art dont on ne peut juger que par l'estime qu'on a pour la compétence et l'honnêteté de la personne responsable de la reconstruction. » L'argument majeur invoqué en faveur de cette opinion courante est celui des limites de l'information. Le vestige archéologique est par nature résiduel et lacunaire. Les groupes d'objets analysés par l'archéologue ont subi deux altérations successives :

1º Les traces laissées par une population ne représentent qu'une partie de ce que les hommes ont produit et utilisé;

2° L'évolution géologique et les accidents divers ne laissent subsister qu'une part de ces vestiges. Depuis le Suédois Montelius (1885), on a fort bien démontré que ces évidences admettaient quelques restrictions, en opposant en particulier les trouvailles définies exclusivement par le premier point (vestiges non remaniés) à celles qui satisfont aux points 1° et 2° (vestiges bouleversés). Il est courant de distinguer entre objets provenant d'ensembles *clos* comme les tombes ou les fosses à détritus et les objets trouvés dans des ensembles *ouverts,* sols d'habitat, par exemple. Ces notations appuyées sur des stratigraphies précises (remplois, viols de tombes, incendies) permettent de mesurer la représentativité du matériel récupéré : une tombe pillée ne forme plus un ensemble clos, mais un sol d'habitation brusquement incendié peut donner l'expression quasi photographique d'un ameublement intérieur. Pour peu qu'on s'y arrête, ces séries d'informations inégalement lacunaires ne sont guère différentes de celles qu'étudient les historiens, du moins jusqu'à l'époque moderne. Les comptabilités d'Ancien Régime sont habituellement discontinues, même si elles sont éclairées par le caractère fermé de certaines séries, fonds notariaux ou registres de paroisses. Le procédé méthodologique qui permet de reconstituer une circulation économique par la cartographie des trouvailles céramiques n'est pas différent des enquêtes qui permettent de cerner la diffusion de la philosophie des Lumières au travers des fonds de bibliothèques mentionnés dans les actes d'héritage : l'information archéologique n'est pas plus fragmentaire que l'information historique avant la période statistique.

Prenons l'exemple de la céramique grecque massaliote du IVe siècle au Ve siècle avant Jésus-Christ. Le comptage effectué par François Villard (1960) indique une forte diminution des importations attiques à la fin du VIᵉ siècle. Ce seuil est mis en évidence par l'étude de la totalité des vases trouvés dans les fouilles de Marseille. Il va de soi que la population considérée n'est pas exhaustive mais cette rupture (qui ne coïncide pas avec un fléchissement du commerce athénien comme des comptages similaires en Italie le prouvent) correspond à une évolution de la politique commerciale de Marseille. La comparaison avec d'autres séries, vases de bronze, monnaies, permet de préciser cette analyse. Il est donc possible, à partir d'un ensemble résiduel, de mettre en évidence un fait d'ordre statistique et d'en proposer des explications pertinentes.

Mais une autre critique plus radicale surgit alors. Même considérée comme représentative d'une culture, une série archéologique ne permettrait pas de comprendre cette culture en terme de processus. L'archéologie serait par essence une discipline descriptive qui ne pourrait conduire à la reconstitution d'une société passée; quand bien même on connaîtrait, par extraordinaire, la totalité de la culture matérielle de cette société. Dans la perspective traditionnelle les relations entre la culture matérielle et le processus social ne sont intelligibles qu'à l'aide de sources d'informations différentes : textes littéraires, témoignages ethnographiques. Autrement dit, on considère que l'archéologie doit chercher ailleurs les informations qu'elle est incapable de trouver par elle-même. La conséquence tacite de ce postulat est d'affirmer qu'il n'y a pas de connaissance réelle du phénomène social autrement que par l'intermédiaire du langage. Les objets matériels ne permettent qu'une approche lacunaire et imparfaite de la réalité sociale. Ainsi justifie-t-on la pauvreté des reconstructions permises par l'archéologie, la tautologie des classifications.

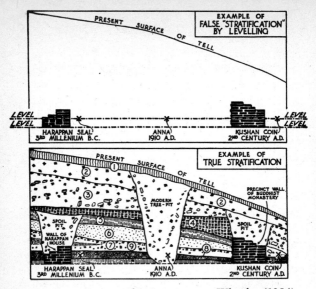

FIGURE 1. – *La stratification vue par Wheeler (1954), fig. 11, p. 71.*

La définition de la stratification comme une série d'événements historiques inscrits dans des couches successives n'est pas évidente : les archéologues du XIXᵉ siècle (et malheureusement une partie d'entre eux au XXᵉ) ont été littéralement obsédés par les structures *en dur* (murs, etc.) d'où le fameux impératif : « suivre les murs », que Wheeler dénonce dans ce schéma.

FIGURE 2. – *La stratification vue par Chang (1967), fig. 1, p. 21.*

Appliquée de manière compréhensive, la méthode stratigraphique permet non seulement de mettre en évidence des successions d'événements, mais aussi d'en proposer des explications fonctionnelles. Prenant comme exemple une épée et un vase dont la position dans l'espace ne varie pas, l'archéologue américain Chang suggère une sorte de stratigraphie à choix multiples, qui tient compte pour chaque situation des variations de l'environnement :

A. L'épée et le vase sont séparés par une couche qui indique leur appartenance à deux horizons différents.

B. L'épée et le vase sont associés à une tombe en tant qu'objets rituels.

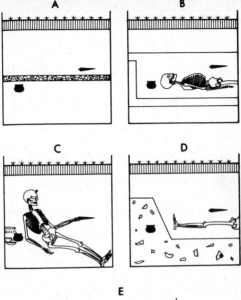

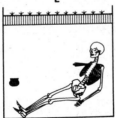

C. L'association fortuite des deux objets est liée à la mort brutale du guerrier (par arme de jet). Cet événement brusque n'a pas été suivi d'inhumation.

D. L'un des objets (l'épée) a une fonction rituelle tandis que l'autre a été jeté après usage dans une fosse dépotoir.

E. La situation est presque identique à C. Mais l'analyse de la position du mort permet de préciser que l'épée est la cause du décès.

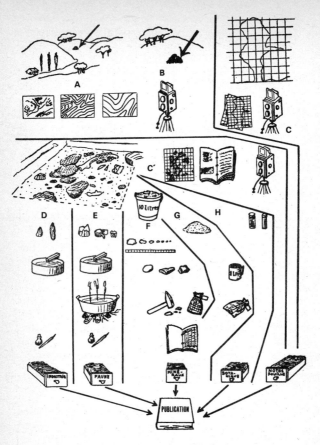

FIGURE 3 et 4. – *L'enquête archéologique vue par Leroi-Gourhan (1950), p. 86, et par Clarke (1968), p. 526.*

La comparaison des deux schémas de Leroi-Gourhan et de Clarke est significative du déplacement d'intérêt des archéologues dans les vingt dernières années. La démarche de Leroi-Gourhan est tout entière tournée vers les problèmes d'enregistrement et n'accorde que peu de place aux questions de manipulation; la perspective de Clarke au contraire s'attache exclusivement à la description et à l'analyse combinatoire des données.

A FLOW CHART OF NUMERICAL TAXONOMY

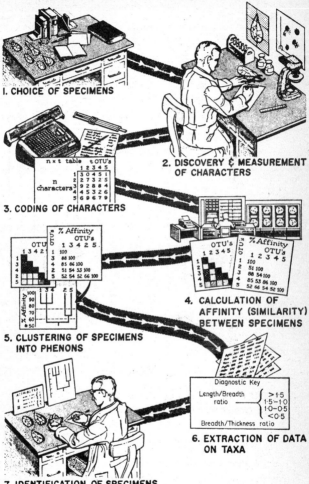

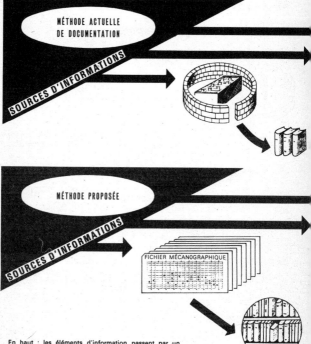

En haut : les éléments d'information passent par un
cycle sans fin d'analyses et de synthèses, chaque auteur
décomposant les données assemblées dans les ouvrages
de ses prédécesseurs, pour les « relier » à son tour dans
ses propres publications, qui, elles-mêmes, seront dis-
séquées, et ainsi de suite.

FIGURE 5. – *La documentation en archéologie d'après
Gardin (s.d.), pp. 10-11.*

Le schéma ci-contre de Gardin est sans doute la première esquisse
d'une « banque de données » appliquée à l'archéologie. Avec un
support matériel différent (les ordinateurs remplacent les cartes
perforées), plusieurs entreprises de ce type ont déjà commencé à
fonctionner (Gardin, 1971).

LES PROBLÈMES DE LA RECHERCHE DOCUMENTAIRE ET LEUR SOLUTION, DU POINT DE VUE DYNAMIQUE

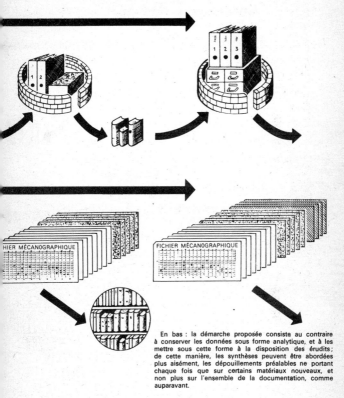

En bas : la démarche proposée consiste au contraire à conserver les données sous forme analytique, et à les mettre sous cette forme à la disposition des érudits ; de cette manière, les synthèses peuvent être abordées plus aisément, les dépouillements préalables ne portant chaque fois que sur certains matériaux nouveaux, et non plus sur l'ensemble de la documentation, comme auparavant.

ARKEOGRAFI
(ARCHÉOGRAPHIE)

archéométrie

archéoscopie

organiser
classifier
sérier
généralis

?

QUESTIONNER OBSERVER DÉCRIRE

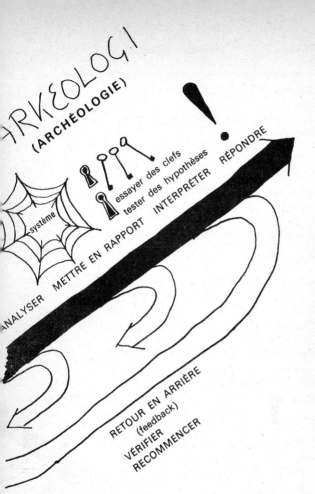

FIGURE 6. – *Les étapes de l'enquête archéologique d'après Moberg (1969), pp. 42 et 43.*

Le croquis de Moberg est en quelque sorte le résumé des deux attitudes évoquées plus haut : enregistrement privilégié des données de terrain ou calcul des propriétés. Il témoigne de la première tentative de synthèse pour fonder une épistémologie scientifique de l'archéologie.

A l'inverse, l' « archéologie nouvelle » (Binford et Binford, 1968) refuse la distinction entre éléments matériels et non matériels d'une culture. De ce point de vue les informations sociales sont inscrites aussi bien dans les objets que dans le langage. Les limites de l'archéologie sont le fait des méthodes utilisées et non de la nature du matériel : « Les limites pratiques de notre connaissance du passé ne sont pas inhérentes à la nature de l'information archéologique. Ces limites tiennent à notre naïveté méthodologique et au manque de principes permettant d'évaluer, par rapport aux vestiges archéologiques, la pertinence de propositions sur les processus et événements du passé » (Binford et Binford, 1968, p. 23). Il est tout à fait remarquable qu'on n'ait jamais tenté d'évaluer la représentation que la culture matérielle nous donne d'une société : l'expérimentation pourrait avoir lieu en analysant de façon typologique un produit industriel (voiture, par exemple) pour tenter d'en induire des propositions sur le mode de fabrication, quantités produites, réseaux de distribution, etc. Une telle enquête serait en quelque sorte symétrique des études menées par les préhistoriens qui cherchent à expliquer une technique quelconque (taille du silex, par exemple) en observant la façon dont procède une population contemporaine de niveau culturel comparable.

Les critiques avancées jusqu'ici définissent de « nouvelles perspectives » qui nécessitent des outils nouveaux. Pour forger ces instruments, les archéologues se sont attaqués aux concepts les plus établis de leur spécialité et en particulier aux principes de la classification appuyée sur les notions banales de ressemblance et de dissemblance.

III. OUTILS ET MOYENS
DE L' « ARCHÉOLOGIE NOUVELLE »

Si intuitivement la dissemblance[3] ne semble poser aucun problème, la définition de la ressemblance et la distinction entre homologie et analogie est au centre de tout essai de classification. Comment choisir lorsque deux séries comportent un ou plusieurs traits communs, entre une explication *homologique* (il s'agit des mêmes objets) ou *analogique* (il s'agit d'imitation)? L'archéologue s'appuie pour décider sur la distribution des critères, sur leur répartition géographique. Il va de soi cependant que le choix est toujours discutable et que le problème n'a pas de solution obligatoire. Bien plus, on peut montrer que l'analyse traditionnelle qui s'appuie sur une classification intuitive du matériel est très largement arbitraire et qu'il existe des multiplicités de classification justifiant des multiplicités d'inférences. Soit à considérer une population d'objets, la classification opérée par l'archéologue évolue entre deux termes opposés :

1º Chaque objet définit une classe;

2º Tous les objets considérés définissent une classe.

La typologie n'est que le choix opéré à l'intérieur de ces limites selon l'intuition du spécialiste. On voit la relativité des typologies et l'effort nécessaire non pas pour trouver la meilleure (?) typologie possible, mais pour rendre explicite et démontrable ce qui était implicite et intuitif. C'est la voie suivie par les différentes tentatives de formalisation du raisonnement archéologique appuyées sur les principes de la classification automatique (Gardin, 1970). Il s'agit de substituer à la pratique empirique un ensemble d'opérations définies. Le but visé n'est ni la clarté ni l'élégance mais l'établissement d'une démarche rigoureuse :

Il s'agit d'une approche dans laquelle la démonstration relaie l'intuition et la complète, dans laquelle chaque proposition n'est tenue pour valide que « si elle est accompagnée de toutes les données dont elle procède et des calculs qui la justifient et qui permettent à chaque savant d'apprécier cette justification puisqu'il possède réellement les éléments qui ont fondé la décision » (Borillo, 1969, p. 21). La question n'est pas de savoir quelle est l'utilité du calcul en archéologie, mais quelles sont les conditions qui autorisent son emploi; comment passer d'une formulation discursive des problèmes archéologiques à une formulation calculable?

L' « archéologie nouvelle » a donc essentiellement une fonction thérapeutique. Elle s'efforce de démonter les paralogismes des procédures traditionnelles, de rendre explicite ce qui était implicite. L'ascèse logique qu'elle réclame n'est cependant pas sans résultats tangibles; un exemple précis, l'étude menée par B. Soudsky du village néolithique de Bylany (Tchécoslovaquie), permettra de mieux s'en rendre compte. La fouille classique d'un habitat néolithique débouche traditionnellement sur une publication qui présente successivement la situation des structures découvertes, l'examen typologique du matériel, une conclusion culturelle sur la civilisation étudiée. Voici comment s'achève un ouvrage récent consacré à un site allemand de cette époque :

« Il semble que pour différencier les complexes, l'analyse qualitative des traits distinctifs opérée jusque-là ne soit pas à elle seule suffisante : au contraire,

les rapports quantitatifs des différents éléments paraissent significatifs. Seuls l'analyse globale du matériel et
le recensement systématique de tous les traits distinctifs pourraient conduire à des hypothèses plausibles
sur la microtypologie de la céramique rubanée. Dans
l'état actuel de la recherche, nous avons simplement la
possibilité d'attribuer de façon générale le matériel
de Müddersheim à la céramique linéaire rubanée
récente » (K. Schietzel, 1965, p. 126).

Ainsi :

1° La typologie demande à être précisée;

2° Il n'est pas possible de se livrer à des inférences
historiques à partir de la fouille en l'état actuel;

3° Il faudra donc de nouvelles fouilles.

A partir d'un site de même type, la stratégie développée par B. Soudsky conduit à un résultat radicalement différent. L'auteur considère l'ensemble des
structures que la fouille met en évidence comme des
groupes d'information possédant chacun des propriétés définies. Les trous de poteaux associés aux fosses
remplies de vestiges d'habitat délimitent des ensembles de base définis comme des unités d'habitation.
Ces unités d'habitation possèdent des propriétés physiques (forme, taille, etc.) et des propriétés structurales
qui sont l'ensemble des critères attestés sur le matériel
céramique (et autres) qu'elles recèlent. Les caractéristiques de ce matériel sont étudiées par rapport à
l'espace et au temps dans leur liaison avec la stratigraphie verticale et horizontale. L'auteur expérimente
ainsi un certain nombre d'hypothèses :

Proposition : le décor céramique varie d'une maison à l'autre;

Induction : la maison correspond à une unité de
production céramique.

La méthode procède par une série de feed-back qui
associent constamment l'ensemble des relations attes-

tées sur le site aux critères retenus sur le matériel. A chaque relation est associée une fonction :

- une variable *a* du décor signifie la fonction maison (décor familial);
- une variable *b* la fonction village (groupe de maisons, décor villageois);
- une variable *c* la fonction temps. Là encore le raisonnement procède en trois étapes :
- proposition : une partie du décor céramique varie dans le temps;
- induction : on peut donc calculer la place d'une maison (d'un groupe de maisons) dans le temps;
- validation : les successions verticales (maison coupant une autre maison) ou horizontales (la proximité entre deux maisons empêcherait l'accessibilité) doivent confirmer ces classements.

En intégrant progressivement des paramètres externes (écologiques, biologiques), l'auteur arrive à reconstituer la physionomie économique du village néolithique et à démontrer la nature cyclique des façons culturales.

Le résultat de la démonstration est donc double :

1° Il rend répétable et démontrable chacune des étapes de l'opération.

2° Au lieu de proposer une typologie nouvelle de la céramique néolithique, il permet d'induire de manière *déductive* les traits sociologiques d'une culture néolithique.

Quels que soient les niveaux où elles s'exercent, les méthodes de calcul transforment donc radicalement le paysage de l'archéologie. Les applications statistiques, la classification automatique, les applications documentaires, la simulation, pour reprendre un ordre proposé par J.-C. Gardin (1970 *b*), interviennent désormais à tous les stades de la recherche. Il s'ensuit que la réflexion et la critique de l'archéologie nouvelle s'exercent de plus en plus dans deux directions complémentaires. La première se situe en aval de la recherche et concerne plus particulièrement les rapports des archéologues avec les mathématiciens, à savoir « si l'on peut trouver des problèmes dans les préoccupations des archéologues qui relèveraient d'une étude ou d'un exercice mathématique » (B. Jaulin, *in* Gardin, 1970 *a,* p. 364). La seconde surgit plutôt en amont et porte sur la nature des opérations linguistiques et sémantiques menées par l'archéologue. Choix des données, choix des variables descriptives, formulation : c'est là que va résider tout l'effort de renouvellement. Pour savoir *de quoi* il parle, l'archéologue doit comprendre *comment* il parle, mettre en évidence les règles de son langage, « dans la mesure où le seul discours des spécialistes, fût-il formalisé, ne suffit généralement pas à communiquer une science qui pour l'essentiel se transmet et s'acquiert encore par l'*image,* qu'il s'agisse de la compétence de l'expert en matière de diagnostic... ou de l'art du faussaire en matière de simulation » (Gardin, 1971, p. 216).

Avec l'aide du calcul (et du calculateur), l'archéologie se propose non seulement de poser des questions, mais d'y répondre de façon démontrable. Elle privilégie l'analyse et l'élaboration des concepts là où les faits étaient (sont encore) écrasants. Ce faisant elle semble s'éloigner de l'histoire pour devenir un gigantesque appareil de techniques parmi lesquelles l'expression mathématique joue un rôle de plus en plus considérable. Cette évolution, qui affecte aussi les autres sciences de l'homme, n'a rien d'arbitraire puisqu'elle permet de préciser et de légitimer les opérations que mène l'archéologue quand il décrit et quand il classe. Refuser sa place au calcul en archéologie reviendrait à nier l'apport respectif de l'économétrie à l'économie et de l'histoire statistique à l'histoire. Mais la formalisation du raisonnement ne résout rien, elle permet seulement des *choix* explicites, vérifiables et démontrables, sans constituer une méthode d'interprétation : le calcul permet d'élaborer une méthodologie, il n'en tient pas lieu.

Alors que l'histoire a progressivement, mais définitivement, abandonné le culte de l'événement et du fait singulier, il était normal de chercher dans l'archéologie le dernier refuge des faits bruts et de l'humanisme traditionnel. L'archéologie conçue comme une histoire intuitive et inspirée de l'art devenait le symbole « de cette forme d'histoire qui était secrètement mais tout entière référée à l'activité synthétique du sujet » (Foucault, 1968, p. 12). Le lent mais décisif renouvellement que nous venons de décrire met un terme à ces espoirs. Après l'histoire, l'archéologie découvre à son tour des structures et des discontinuités là où elle attendait des conjonctures et des continuités. Si « l'historien est comme l'Ogre de la légende », l'archéologue n'est plus, comme le savetier de la fable, hanté par son trésor.

NOTES

1. Pour l'essentiel de son information, ce travail est très largement redevable à l'enseignement de M. Borillo et J.-C. Gardin, à l'Institut d'Archéologie de l'Université de Paris I.

2. F. Furet, 1971, p. 68 : « ... l'habitat rural, la disposition des terroirs, l'iconographie religieuse ou profane, l'organisation de l'espace urbain, l'aménagement intérieur des maisons, la liste serait interminable de tous les éléments de civilisation dont l'inventaire et le classement minutieux permettraient la constitution de séries chrono-

logiques nouvelles et mettraient à la disposition de l'historien un matériau inédit que réclame l'élargissement conceptuel de la discipline. »

3. Suivant le vieux principe scolastique : « *Per genus proximum et differentiam specificam.* »

BIBLIOGRAPHIE

Annales E.S.C., « Histoire et urbanisme », XXV, 1970, n° 4, pp. 1091-1120, « *Archéologie du village déserté* » (ouvrage collectif), Paris, 1970.

BÉRARD (C.) : *Eretria III; l'Hérôon de la porte de l'ouest,* Berne, 1969.

BERTIN (J.), HÉMARDINQUER (J.-J.), KEUL (M.), RANDLES (W.-G.-L.): *Atlas des cultures vivrières,* Paris, 1971.

BINFORD (S.R.) et BINFORD (L.R.), édit. : *New perspectives in Archaeology,* Chicago, 1968.

BORILLO (M.) : *Techniques de traitement et procédures formelles en archéologie,* brochure ronéotypée, Marseille (C. A. D. A.), 1969, parue sous le titre « Formal procedures of the use of computers in archaeology », in *Norvegian archaeological Review,* IV, 1971, n° 1, pp. 2-27.

BROTHWELL (D.) et HIGGS (E.) : *Science in archaeology,* New York, 1963.

CHANG (K. C.) : *Rethinking archaeology,* New York, 1967.

CLARKE (D. L.) : *Analytical archaeology,* Londres, 1968.

COURBIN (P.), édit. : *Etudes archéologiques,* Paris, 1963.

DEETZ (J.) : *Invitation to archaeology,* New York, 1968.

FINLEY (M. I.) : « Archaeology and history », in *Daedalus,* 1971, pp. 168-186.

FOUCAULT (M.) : « Réponse au Cercle d'épistémologie », in *Cahiers pour l'analyse,* IX, 1968, pp. 9-10.

FURET (F.) : « L'Histoire quantitative et la construction du fait historique », in *Annales E.S.C.,* XXVI, 1971, n° 1, pp. 63-75, repris dans cet ouvrage.

GARDIN (J.-C.) : « Le centre d'analyse documentaire pour l'archéologie », Paris, s. d.
– « Problèmes d'analyse descriptive en archéologie », in *Etudes archéologiques,* 1963, pp. 133-150.
– « On a possible interpretation of componential analysis in archaeo-

logy », in *American Anthropologist,* vol. LXVII, 1965, n° 5, part 2, pp. 9-22.

– *Archéologie et calculateurs, problèmes sémiologiques et mathématiques,* Paris, 1970.

– « Archéologie et calculateurs : nouvelles perspectives », in *Revue internationale des sciences sociales,* vol. XXIII, 1971, n° 2, pp. 204-218.

GOODYEAR (F. H.) : *Archaeological site science,* Londres, 1971.

HEIZER (R. F.), COOK (S. F.), édit. : *The application of quantitative methods in archaeology,* Chicago, 1960.

LEROI-GOURHAN (A.) : *Les Fouilles préhistoriques (techniques et méthodes),* Paris, 1950.

MOBERG (C. A.) : *Introduktion till Arkeologi,* Stockholm, 1969.

SCHIETZEL (K.) : *Müddersheim. Eine Ansiedlung der jüngeren Bandkeramik im Rheinland,* Cologne, 1965.

SOUDSKY (B.) : « Le problème des propriétés dans les ensembles archéologiques », in *Archéologie et calculateurs,* Paris, 1970, pp. 45-53.

VALLET (G.), VILLARD (F.) : « Céramique grecque et histoire économique », in *Etudes archéologiques,* 1963, pp. 45-53.

VILLARD (F.) : *La Céramique grecque de Marseille,* Paris, 1960.

VOVELLE (G. et M.) : « La mort et l'au-delà en Provence d'après les autels des âmes du Purgatoire (XVe-XXe siècle) », in *Annales E.S.C.,* XXIV, 1969, n° 6, pp. 1602-1634.

WHEELER (R. E. M.) : *Archaeology from the earth,* Londres, 1954.

L'économie
– Les crises économiques
Problématique des crises économiques du XIXe siècle et analyses historiques : le cas de la France

PAR

JEAN BOUVIER

Dans un bref mais dense ouvrage récent retraçant l'histoire des crises économiques dans les grands pays industriels depuis le début du XIXe siècle jusqu'à notre époque, deux économistes français bien connus déclarent s'être attachés à « des faits, non des théories[1] » et observent que « peut-être, mis en présence de la grande diversité des accidents étudiés, le lecteur tombera-t-il d'accord avec nous sur la prudence qu'appellent, en tout cas, la construction et l'usage de schémas abstraits[1] ». Le lecteur *historien* de telles lignes approuvera sans doute, mais sans tomber dans la redoutable erreur de la méconnaissance des « théories » : pas de science sans concepts, de recherche sans hypothèses, d'histoire économique sans connaissances économiques. Le même lecteur n'en sera pas moins étonné de ne trouver, dans la « bibliographie sommaire » dudit ouvrage, *aucune* des études récentes dues à des historiens français de l'économie – on pourrait compter au moins huit de ceux-ci – et traitant des crises économiques en France au XIXe siècle. Certes, il faut rendre à César ce qui appartient à Aftalion ou à Lescure, qui ont bercé nos adolescences d'apprentis historiens de l'économie. Mais nous avons grandi et travaillé, et nos confrères économistes sont trop nombreux qui ne nous ont pas lus, alors que nous

nous efforçons, vraiment, de les lire. Cela n'est pas une querelle, puisque nous avons besoin les uns des autres. Il est vrai que l'économiste et l'historien de l'économie (entendons celui qui n'a pas été d'abord un économiste de formation) n'ont pas le même regard, qu'ils n'utilisent pas les mêmes approches. Il est sans doute superflu d'expliquer ici comment et pourquoi. Qu'il suffise de dire que le premier s'occupe de *la crise*, et le second *des crises*. Quand il arrive au premier de traiter de « faits et non de théories » – et cela est heureux et fréquent – encore conserve-t-il ses « présupposés » particuliers, insolites parfois aux yeux de l'historien. Les économistes cités plus haut ont consacré leur ouvrage aux crises économiques du temps de la croissance industrielle et du développement capitaliste. Ils ont laissé de côté, et c'est leur entier droit, ce qu'ils nomment les « difficultés nombreuses et variées : guerres, épidémies, famines, pénuries ou surabondance du numéraire, etc.[2] » des siècles antérieurs. Mais la justification qu'ils donnent de leur choix est significative (aussi bien que le vocabulaire même des formules citées à l'instant), d'une certaine démarche, de certaines habitudes, et, redisons-le, de lacunes certaines dans la connaissance des célèbres « faits » : « Il nous a toutefois semblé, écrivent-ils, que les crises n'ont eu tout leur sens qu'avec l'industrialisation et l'extension des marchés, telles qu'elles ont caractérisé les pays capitalistes depuis cent cinquante ans[3]. » L'expression « tout leur sens » paraît n'avoir que peu de sens, pour un historien. A telles structures globales de l'économie, tel type de crise. « Les économies ont les crises de leurs structures » (E. Labrousse). Les crises de l'ancien régime économique, préindustriel, précapitaliste, n'ont pas moins de « sens » que les crises du système économique postérieur. Elles sont différentes. Les « disparités » qui leur donnent naissance, les indices de leur apparition, les mécanismes de leur développement, les répercussions qu'elles entraînent dans le corps social ont d'autres causes, une autre allure, que les éléments de la crise dite de « surproduction ». Le « modèle » de la crise de l'ancien régime économique est connu, classique, éprouvé. Il a été établi de main de maître par Ernest Labrousse; il a été confirmé, affiné, enrichi par nombre de ses élèves, qui ont publié des travaux de renommée internationale. A l'ignorance de certains économistes concernant cette masse de recherches et concernant la problématique remarquablement opérationnelle qu'elles proposent, on mesurera la hauteur des murailles de Chine qui séparent encore économistes et historiens (dits « littéraires ») de l'économie.

On dira que c'est beaucoup écrire à propos de quelques lignes d'un ouvrage. Mais ce n'est pas le seul exemple[4].

*

La multitude des théories des crises peut donner « une impression de vertige » (Henri Guitton). C'est pourtant auprès d'elles que l'historien apprendra quelles questions doivent être posées, au niveau de la recherche, à telle ou telle crise déterminée, circonscrite, datée.

Toutes les théories (y compris les théories marxistes) ont permis de mettre en lumière quelques traits forts du développement économique industriel-capitaliste : d'une part, son caractère profondément dynamique, où jouent en permanence des « processus cumulatifs » (selon l'expression de Wicksell), grâce auxquels tout mouvement commence, se poursuit, s'élargit, par son propre entraînement, selon sa propre pente.

La hausse entraîne la hausse, comme la baisse approfondit la baisse. Mais les processus cumulatifs, rencontrant des obstacles à leur développement indéfini, du fait même de leur diversité et de leur simultanéité imparfaite, atteignent dans un sens ou dans un autre, dans la hausse comme dans la baisse, des limites qu'ils ne peuvent excéder. Il y a alors rupture d'équilibre, passage de la hausse à la baisse, ou de la baisse à la hausse, désamorçage ou réamorçage du processus selon une pente autre que la précédente; les changements de pente des processus s'appelant « crise » et « reprise ». En phase cumulative d'expansion il existe des réserves de facteurs disponibles dans lesquelles on puise : réserves de capitaux, de main-d'œuvre, de pouvoir d'achat. Mais à mesure de l'utilisation de ces réserves grandit la « vulnérabilité du système en croissance » (Henri Guitton) car les marges de réserves diminuent. Le développement perd de son élasticité, de sa capacité d'adaptation. En phase cumulative de dépression le très célèbre « assainissement » – c'est-à-dire le progressif dégonflement des stocks, la disparition des entreprises les plus faibles, l'effort de productivité entrepris pour lutter contre la baisse du prix de vente par l'abaissement du prix de revient, etc. – va permettre la reconstitution des réserves des facteurs de production; le système économique devient progressivement plus élastique et plus disponible pour de nouveaux efforts.

C'est le phénomène des « disparités » économiques (les marxistes disent les « contradictions ») qui rend compte des retournements des processus cumulatifs dans un sens ou dans l'autre. La croissance ou la décroissance économique, dans le cadre du cycle, ne sont pas à l'image d'un courant homogène, coulant d'un bloc, à vitesse uniformément égale à l'intérieur de lui-même. Les fleuves nous offrent eux-mêmes les images des disparités : leur vitesse est plus grande à la surface et au milieu du courant, qu'en profondeur et sur les rives; des tourbillons, des contre-courants s'y forment d'ailleurs : et cependant se déplace vers l'aval l'ensemble de la masse des eaux. Il en va ainsi des divers processus économiques : à la fois interdépendants et autonomes, ils ne marchent pas à la même vitesse : on l'observe à propos des prix (prix agricoles, prix industriels; prix de gros, prix de détail; prix de revient, prix de vente); des divers types de revenus (rentes, profits, salaires); des taux d'intérêt (taux du marché monétaire, taux du marché financier)... Il y a plusieurs rythmes du temps dans le temps économique cyclique. D'où des décalages *dans le temps* qui pourront se traduire par des désaccords, des contradictions entre les diverses composantes du mouvement. D'où des décalages *dans les ordres de grandeur*, dans l'intensité et l'amplitude des phénomènes économiques, qui pourront aboutir à des résultats identiques. Le résultat, c'est l'apparition d'éléments de freinage (si l'on se place en processus d'expansion) dans des zones où se dessinent alors les célèbres « goulots d'étranglement » : pénurie de fournitures de base, de moyens monétaires intérieurs, de devises pour les échanges extérieurs, de main-d'œuvre...

C'est au niveau du choix *entre disparités fondamentales* que les théories des crises et du cycle se partagent. « Les théories sont aussi nombreuses que les disparités » (Henri Guitton). Les unes privilégient les disparités *monétaires :* l'*or*, puis les *billets de banque*, puis le *crédit bancaire*, puis les divers « *prix de l'argent* » (les taux d'intérêt) ont été successivement étudiés sous cet angle. Les autres théories considèrent les disparités *non monétaires* comme plus particulièrement responsables : structures des *revenus*, structures des *prix*, structures des *investissements*, « type de

disparité le plus profond, le plus inéluctable », dit
Henri Guitton de ces dernières, rejoignant au moins
sur ce point – celui du rôle fondamental de la
distribution du capital entre les grands secteurs – les
développements de Marx... « Au fond, écrit le même
auteur, il n'y a pas en face du réel à choisir d'une
manière exclusive telle ou telle explication. La monnaie, les prix, les investissements, ont chacun leur
part : leurs influences se conjuguent dans un milieu
qui facilite plus ou moins leur action... Les facteurs
monétaires et les facteurs économiques s'entrelacent
dans la réalité pour rendre compte de l'évolution
cyclique[5]. »

Il ne serait pas de bonne méthode d'ignorer Marx.
Une partie (non négligeable) de la problématique
marxiste des crises a été sans doute rendue stérile par
les faits eux-mêmes : sa partie apocalyptique, qui
consistait à affirmer que l'approfondissement et l'ag-
gravation des crises ne pouvaient que conduire à la
crise majeure du capitalisme, c'est-à-dire à sa disparition. Mais il est utile de remarquer que si le mot de
« disparités » n'existe pas chez Marx, l'analyse des
disparités du capitalisme, accapare bien sa pensée. Sa
vision ne manquait pas d'acuité. Il se range du côté
des partisans des crises endogènes, à base non monétaire et, tout en se servant du formalisme mathématique, l'emploie avec mesure, en utilisant successivement le mode rationnel et le mode expérimental
d'analyse. Marx joue donc sur plusieurs registres
méthodologiques, a des vues particulièrement amples
(il n'ignore pas du tout, par exemple, les phénomènes
monétaires) et possède un sens aigu de la dialectique
(interactions) dans les phénomènes économiques. Il
était donc en mesure de fournir un exposé substantiel
sur les crises : or cet exposé, il ne l'a pas systématiquement rédigé, et n'a pas laissé un « corpus » sur les

crises – ceci étant explicable en partie par l'inachève-
ment du manuscrit du *Capital* au moment de sa mort.
Marx a donc été tiré à hue et à dia puisque des
éléments sur l'étude de la crise, éléments distincts et
non raccordés, parsèment ses travaux. Il a pu fournir
des arguments aux partisans de la thèse de la « *sous-
consommation* » à l'origine des crises et à ceux de la
thèse de la « *surproduction* », thèses qui ont partagé
les marxistes eux-mêmes, – la première mettant l'ac-
cent sur la limitation de la demande effective (rigidité
de la masse salariale, elle-même produit de l'exploitation économique des salariés); la seconde voyant
surtout la cause majeure de la crise dans l'existence
d'une propension à la surproduction, propension liée
à la lutte de producteurs qui s'opposent à la tendance
à la baisse du taux de profit, en cherchant à gagner sur
les quantités vendues ce qu'ils « perdent » par unité :
d'où l'hypertrophie de l'appareil producteur et la
surabondance des marchandises.

*

Quoi qu'il en soit des théories, de leurs accords et de
leurs divergences, elles éclairent la route de la recherche historique. Mais elles ne la remplacent pas. Peut-
on définir une problématique des crises – des crises de
l'économie capitaliste contemporaine – qui serait propre aux historiens? Et les travaux de ceux-ci sont-ils
susceptibles d'apporter à l'économie politique des
crises, d'une part des matériaux nouveaux, des
« faits » élaborés, c'est-à-dire décrits, classés, expli-
qués dans leurs apparents enchaînements; d'autre
part, *et par là même*, une incitation à la reconsidéra-
tion critique des « schémas abstraits » dont s'habillent
généralement les théories des crises?
   L'historien des crises analyse des éléments *concrets :*

grandeurs économiques, éléments démographiques, et forces dirigeantes de l'économie (entreprises et « groupes »). Mais des éléments soigneusement *datés* dans le temps, *situés* dans l'espace (économique, social, géographique); des éléments *comparés* entre eux et étudiés dans leurs interactions possibles; enfin (et peut-être surtout) des éléments *rapportés à l'ensemble de leur environnement* économique, social, politique. Les crises n'ont jamais été simplement « économiques »; elles n'ont pris, chacune d'entre elles, leurs couleurs spécifiques, originales, qu'en fonction *aussi* du climat social et des événements politiques qui les ont accompagnées, c'est-à-dire qui en ont été influencés, et qui ont pu, eux-mêmes, les influencer.

Dans une thèse récente sur *Les Charbonnages du Nord de la France au XIXe siècle*[6], Marcel Gillet remarque, par exemple, que les fluctuations courtes de la production charbonnière doivent autant aux grèves à partir des années 1880, qu'à la conjoncture économique. C'est une vue familière aux historiens que les indices de l'activité économique gagnent parfois à être socialement perçus, donc éclairés. Faute de quoi on rapportera à la conjoncture ce qui ne lui appartient pas toujours. En sens inverse l'historien trouve légitime, comme relevant de sa problématique propre, de lire la crise à travers ses retentissements sociaux : sur les prix des denrées, sur l'emploi des hommes; et de rechercher si les répercussions sociales de la crise ont influencé, à tel moment, l'évolution des conflits politiques. C'est l'objet même que s'était fixé Jacques Néré dans sa thèse sur *La Crise industrielle de 1882 et le mouvement boulangiste*[7] : « Le boulangisme a été l'expression d'un mouvement populaire sérieux et profond[8] », et celui-ci prend sa source dans la longueur d'une crise marquée surtout par un grave chômage total et partiel.

Il est aisé d'établir un programme d'intentions. Mais l'historien sait qu'il demeure sous la dépendance de la quantité et de la qualité de ses sources. Si les travaux des historiens de l'économie sont, à leurs propres yeux, insatisfaisants, et si les études qu'ils ont consacrées aux crises économiques (françaises) du XIXe siècle peuvent être jugées fort incomplètes par les économistes, ce n'est pas seulement en raison de l'indigence théorique congénitale des historiens (indigence qui est faiblesse); mais parce qu'il leur est difficile de donner réponse à des questions dont les éléments de solution n'ont pas été effectivement trouvés dans ce matériau de l'histoire que l'historien est le plus communément *seul* à traiter sans intermédiaire : les archives, les « sources ». Une grande partie de la méthodologie de l'historien consiste alors, quant aux crises économiques, à repérer la documentation primaire, ou semi-élaborée disponible, et à établir quelles questions poser à telle ou telle documentation. Mais, *en même temps*, il ne peut établir ces questions que s'il a pu acquérir une connaissance suffisante des éléments des théories des crises, si disparates que puissent lui apparaître les théories. En bref, il lui faut rechercher des disparités, mais savoir de quelles disparités il doit se mettre en quête, même s'il hésite fort légitimement à décréter d'entrée de jeu que telles disparités, et non telles autres, lui apparaissent dominantes, fondamentales. C'est ici précisément que sa démarche est originale. Pour lui, au cours de sa recherche, les jeux ne sont pas faits d'emblée. La théorie ne saurait lui apporter, dès l'introduction de son travail, les conclusions généralisatrices auxquelles il tendra à aboutir finalement, s'il ne veut pas être seulement le photographe savant d'*une* crise. Au minimum il lui reviendra de comparer les crises entre elles, et d'en souligner les aspects communs, majeurs, dominants, explicatifs, et les traits spécifiques distinguant historiquement chaque crise.

Relisons ce que les historiens français ont récemment dit des crises du XIXᵉ siècle au niveau strict de leurs recherches. Il faut rappeler ce qui s'est tout naturellement trouvé au centre de leurs travaux : le passage de la crise d'ancien type à la crise contemporaine, l'apparition au cœur des structures économiques anciennes de structures nouvelles, donc la transition d'un certain type à un autre type de disparités fondamentales. Ce qui revient à rechercher les cheminements du déclin des mécanismes de la crise agricole ancienne dans les trois premiers quarts du XIXᵉ siècle, et ceux de l'extension des éléments nouveaux des crises « industrielles », avec leurs chapelets de secousses « commerciales », leurs paniques de Bourse et leurs « runs » bancaires, et, les dominant en dernière analyse en raison de ses causes profondes et de ses retentissements sociaux, la paralysie ou la langueur des forces productives de l'industrie proprement dite.

Le trait général des crises économiques françaises jusqu'aux années 1870 est précisément qu'elles sont et ne peuvent être que « mixtes », c'est-à-dire mêlant aspects anciens et aspects nouveaux des crises, en raison de la place que continue à tenir l'agriculture dans les structures démographiques et économiques. D'où les différences d'appréciation des historiens qui, dans la plupart des cas, selon la pente principale de leurs travaux respectifs, ont eu tendance à mettre en valeur dans leurs recherches – donc à proclamer dominants – soit les mécanismes traditionnels, soit les éléments nouveaux des crises. Naturellement la difficulté consiste à mesurer les influences respectives et à démêler le degré d'autonomie en même temps que les relations, au cœur des crises mixtes du XIXᵉ siècle, des éléments anciens et des éléments nouveaux de la crise. Les antécédents agricoles de la crise industrielle n'ont certes pas disparu; on les voit effectivement présents jusque dans la décennie 1860. Georges Dupeux en a fait la démonstration pour le Loir-et-Cher[9] en particulier au moment de la crise de 1866-1867, toujours accompagnée de ce signe caractéristique des temps anciens : la montée du *prix* des céréales. C'est en plein Second Empire, en 1855, que, dans ce département, le prix du froment a atteint sa déviation cyclique annuelle la plus forte. Dans ce département? En fait, comme l'indique clairement l'un des graphiques de l'auteur (p. 183), les prix Loir-et-Cher fluctuent à peu de chose près aux mêmes dates, et selon les mêmes amplitudes que les prix du froment sur le marché national. D'où l'intérêt de cette conclusion que l'auteur avance d'abord tout au moins à titre d' « hypothèse[10] » : « Les crises de subsistance de l'ancien type (type du XVIIIᵉ siècle) ne se reproduisent plus après 1867[11] ». Mais qu'elles se soient fait sentir jusqu'à cette date montre assez la lenteur de l'évolution structurelle de l'économie, donc la lenteur des changements d'équilibre à l'intérieur des crises « mixtes ». Dans ses développements ultérieurs concernant l'évolution de la *production* céréalière, l'hypothèse devient certitude : à travers des fluctuations courtes, qui atteignent de très fortes amplitudes encore dans les années 1900, la production totale double de 1850 à 1913. A dater de la décennie 1870 il ne peut plus y avoir de « crise de subsistance » : « Le problème principal n'est plus d'assurer la subsistance des consommateurs, mais d'écouler dans les meilleures conditions possibles une production sans cesse croissante[12]. » Dans le cadre géographique de l'Est aquitain, et pour la période 1845-1871, André Armengaud aboutit à d'identiques conclusions[13]. Les « variations bruta-

les » des prix agricoles sont un « facteur essentiel »
(p. 169) de la conjoncture jusqu'à la crise économique
de 1857-1858. Au-delà elles s'atténuent, progressivement; en particulier l' « antique mécanisme »
(p. 303) s'enraie qui voyait augmenter proportionnel-
lement davantage, dans la « crise des subsistances »,
les prix des denrées les moins considérées – ici, le
maïs, par rapport au blé – parce que la consommation
populaire se rejetait « automatiquement sur le produit
le moins cher ». De même s'atténue, à partir des
années 1860, et semble disparaître dans la décennie
1870, « l'ancienne dépendance des phénomènes
démographiques à l'égard des crises agricoles, des prix
des subsistances » (p. 307). Le taux de natalité est de
moins en moins visiblement en corrélation avec le
prix des céréales. Mais en Aquitaine, comme en
Loir-et-Cher, et comme en d'autres régions, ce n'est
pas toujours la cherté des denrées qui accompagne et
explique la crise agricole; celle-ci peut naître aussi –
c'est le cas des années 1848-1850 – de l'effondrement
des prix agricoles. Y a-t-il là une nouvelle allure des
crises annonçant de futures et permanentes pléthores?
Mais les poussées de bonnes récoltes ont toujours dans
le passé alterné avec l'effondrement des productions
alimentaires, et les prix ont toujours été sollicités dans
des sens opposés. Tout dépend en vérité de la position
de l'agriculteur (dans quelle mesure est-il vendeur?) –
donc des structures de l'exploitation, et de la part de la
production disponible pour le marché. Le fait
demeure de l'importance longtemps maintenue de
l'évolution des revenus agricoles pour la conjoncture
de l'industrie, en tous les cas de l'industrie légère, celle
qui vend des produits de consommation. La liaison
conjoncture agricole-conjoncture industrielle paraît
nette à André Armengaud pour la crise de 1844-1847;
mais beaucoup moins évidente pour les années de

1854-été 1857, pendant lesquelles cherté des grains et
« vive activité de l'industrie » (p. 193) coexistent.
L'industrie commence alors à échapper « à sa dépendance traditionnelle à l'égard de la conjoncture agricole » (p. 194).

Ainsi l'importance des antécédents agricoles, en tant
que facteurs d'entraînement des crises, a été progressivement éclipsée par les phénomènes relevant des
modes particuliers de la croissance bancaire-indus-
trielle. Dans un large cadre régional – le Dauphiné –
Pierre Léon date de la crise dite, par commodité, « de
1848 », « la séparation entre le facteur alimentaire et
le facteur commercial et bancaire »[14] et voit désormais non *une* crise, mais *deux* crises parallèles –
l'ancienne et la nouvelle – surajouter leurs effets, en
repérant entre elles certains décalages chronologiques.
Il est possible que nous ayons, dans ces exemples,
deux variantes régionales d'un processus identique :
en Loir-et-Cher et en Aquitaine orientale où domine
l'agriculture, la crise d'ancien type a des traits accusés
jusques assez avant dans le Second Empire. En Dauphiné, où l'industrie et la banque ont une tout autre
ampleur, la domination des mécanismes nouveaux de
la crise apparaîtrait plus tôt. Mais, dans les deux cas,
la marche des crises va dans le même sens; elles
changent de nature en changeant de structures.

On sait que, confondant dans le vocabulaire ce qui
n'était pas clairement distinct dans la réalité, les
contemporains et les économistes des deux premiers
tiers du XIXᵉ siècle, ont appelé crises « *commerciales* » ce que leurs successeurs, à dater des années
1870, prendront coutume d'appeler crises « *économiques* », étant entendu que les mécanismes bancaires-
industriels des fluctuations étaient alors fondamentalement mis en lumière. L'industrie, dès le premier quart
du XIXᵉ siècle, commence à prendre en France son

propre rythme avec sa propre logique. Il en va de même de la circulation du capital dans le processus industriel. Les historiens ont enregistré, au ras des archives, les nouveautés de la crise nouvelle : excédents d'investissements mal calculés, que l'épargne ne suffit plus à alimenter; grippage des industries légères, puis du secteur de fabrication des biens de production, alourdi par la masse de ses investissements, de ses installations, de ses emprunts; grippage qui paralyse des industries dépendantes de plus en plus nombreuses : l'arrêt de la construction ferroviaire conduit à la léthargie industrielle; allure désordonnée du marché financier qui enregistre à travers la hausse des cours la fièvre prospective du profit et la spéculation sur la hausse; mécanismes propres des krachs de Bourse, dont les baisses accélérées s'inscrivent logiquement à la suite des « vertiges de hausse » (F. Simiand), et qui se prolongent en secousses bancaires.

D'importantes nuances séparent ici les historiens. Pour Bertrand Gille [15] dès avant 1848 les crises frumentaires n'ont plus de rôle moteur et la disparité essentiellement responsable des crises est l' « excès des investissements [16] » entraînant une pénurie relative des « capitaux de circulation [17] », donc des fonds de roulement des firmes. « Ce sont les investissements en chaîne qui vont provoquer l'excès et la rupture de l'équilibre [18]. » La crise arrive lorsque « les investissements cessent [19] », et cette issue est inévitable : « Les investissements cessent parce que l'accumulation du capital est détruite et qu'il n'y a plus de disponibilités; ils cessent parce que la rareté de l'argent circulant en a fait remonter le taux; parce que certaines affaires se sont révélées mauvaises ou spéculatives [20]. » Bertrand Gille ne croit voir dans ces conditions, que peu de liens entre difficultés industrielles et conjoncture agricole et, dans le cours de son étude conjoncturelle des crises de 1818 à 1847, ne manque pas de revenir sur ce thème par différents biais. Les choses sont-elles allées cependant – avant 1848 – jusqu'à ce degré d'autonomie des mécanismes nouveaux des crises – du moins pour les industries légères de biens de consommation? L'auteur n'a-t-il pas parfois forcé les traits de son propre modèle? La conception des crises « mixtes » doit-elle céder la place à une vue en quelque sorte précocement moderniste des accidents économiques? Trois ans avant la parution de la thèse de Bertrand Gille, en préfaçant un recueil collectif de douze études régionales d'historiens sur la crise et la dépression en France de 1840 à 1851[21], Ernest Labrousse avait simplement écrit : « On appréciera dans quelle mesure les présentes recherches sur les convulsions d'une économie déjà intermédiaire révèlent, ou non, la liaison de la crise des grains à la crise textile[22]. » Dans le modèle laboussien en effet, c'est la crise *industrielle d'ancien type* qui est d'abord en cause, la crise d'une structure industrielle où dominent les textiles, et non la métallurgie. Serait-il, dans ces conditions, de mauvaise problématique de distinguer nettement dans les aspects industriels des crises « mixtes », intermédiaires, de la première moitié du XIXᵉ siècle en France, ce qui détermine l'évolution conjoncturelle de la « section I » et celle de la « section II », pour reprendre ici le vocabulaire de Marx? Les divergences d'interprétation n'en seraient-elles pas alors, sinon supprimées, du moins, aplanies? Les pages que Maurice Lévy-Leboyer a consacrées dans sa thèse[23] aux « crises du textile » de 1833 à 1843 autoriseraient une telle démarche, quoique l'auteur n'ait pas déterminé très clairement sa position dans les divergences d'interprétation auxquelles nous venons de faire allusion. A le lire il apparaît qu'il serait difficile, pour comprendre la conjoncture textile, de ne pas tenir compte du « marché des céréales[24] » – et d'un marché qui n'est pas seulement national : c'est à ce thème qu'il consacre d'ailleurs les premières pages de son étude. Si de 1832 à 1836 « l'activité des affaires repose sur une base solide » c'est que « l'Europe bénéficie de récoltes abondantes[24] »; alors que la montée des prix céréaliers en Europe à partir de 1836 jusqu'à 1840, « est le signe d'une situation rurale malsaine, et l'annonce d'une crise industrielle[25] ». Mais la prospérité textile a détruit elle-même certains de ses points d'appui : la hausse des matières premières, celle des produits fabriqués ont conduit à des « excès[26] » : le consommateur n'a pu suivre; et d'abord le consommateur paysan qui, pour des raisons que les historiens connaissent bien depuis les analyses d'E. Labrousse, ne bénéficie qu'exceptionnellement de la hausse des céréales. Mais le fabricant de textiles n'a pu suivre non plus, qui épuise sa trésorerie à constituer des stocks spéculatifs. L'auteur a donc retrouvé la liaison laboussienne pour la branche industrielle des textiles encore essentielle à cette époque en France. Mais dans d'autres pages il montre que l'investissement – ferroviaire, métallurgique – jouait un rôle majeur dans le cycle des industries lourdes. Il apparaît que les développements de Maurice Lévy-Leboyer vont dans le sens de la conception « mixte » des crises de la première moitié du XIXᵉ siècle, et d'une certaine séparation, pour la compréhension des aspects industriels des crises de cette époque, entre mécanismes anciens jouant encore au niveau des industries légères, et mécanismes nouveaux, qui interviennent en force dans la conjoncture des industries lourdes.

Cette distinction se retrouve-t-elle quelque vingt ans plus tard? Claude Fohlen, dans sa thèse sur l'industrie textile sous le Second Empire[27], ne le pense pas. Dans les années 1860, en particulier en 1867-1868, la mauvaise récolte de blé « a contribué à accentuer le malaise » (p. 409) de l'industrie cotonnière, mais sans en être la « cause unique ». Si en 1861 la liaison hausse du blé-mévente du textile est soulignée par les observateurs comme encore dominante, il n'en va plus de même par la suite. La crise textile elle-même acquiert une certaine autonomie par rapport à la conjoncture agricole. En 1867-1868 il y a « en gros » (p. 408) concomitance entre crise industrielle et crise alimentaire, et la seconde a certainement pesé sur la première, puisque « le pouvoir d'achat des consommateurs était limité par la cherté de la vie ». Mais la crise du textile s'est déclarée, et s'est étendue, selon des mécanismes propres, ceux de la double « surproduction » du coton brut et des produits fabriqués, au lendemain de la fin de la guerre de Sécession.

On suivrait donc assez nettement par la comparaison des crises textiles des années 1830 et de celles des années 1860 l'évolution structurelle fondamentale de l'économie. Le glissement des crises économiques « mixtes » aux crises proprement contemporaines pendant cette période paraît démontré.

*

A partir des années 1870 les crises d'ancien type ne sont plus, ne peuvent plus être. L'effacement des vieux mécanismes de liaison entre prix agricoles et crises textiles est définitif. Les pénuries alimentaires cèdent la place aux « surproductions » relatives. Le premier indice fondamental des changements structurels est bien là. Pendant les crises désormais, les prix des denrées, *aussi*, vont glisser vers le bas, comme ceux des produits de l'industrie. Dans ses calculs concernant le mouvement cyclique des prix du froment en Loir-et-Cher, Georges Dupeux a montré que l'amplitude moyenne de ce mouvement diminue de moitié, entre 1873 et 1895, et « s'atténue encore un peu » de 1896 à 1913[28]. « A partir de 1873, la stabilité relative des prix fait pressentir l'entrée dans un monde économique nouveau[28]. » Le fait nouveau de la baisse des prix agricoles pendant la crise et la dépression (nouveau par sa généralisation, sa régularité, sa massivité) a été étudié minutieusement et tout à fait confirmé par Jacques Néré pour les années 1880[29] dans de nombreuses régions françaises, à travers les exemples du pain, de la viande, des pommes de terre, qui le conduisent à observer pour 1880-1890 « une certaine baisse d'ensemble du coût de la vie[30] ». On connaît par ailleurs les mouvements généraux des prix agricoles qui ont servi à reconstituer le célèbre indice des « prix de gros de 45 articles[31] », et ces mouvements sont conformes aux conditions nouvelles de la conjoncture agricole. A partir de la fin des années 1870, jusqu'au milieu des années 1890, la baisse de fond des prix agricoles se surimpose aux baisses cycliques, comme si les deux mécanismes s'alimentaient l'un l'autre.

Mais observons une évidence : la conjoncture agricole – à travers celle des revenus agricoles – ne va pas disparaître du paysage économique pour autant. Elle influence désormais en moyenne durée, semble-t-il, plus qu'en courte durée, la conjoncture économique. Si elle n'est plus décisive et dominante dans le cycle court, elle apparaît être *l'un* des éléments essentiels d'explication de la succession des phases A et B dans le cadre du Kondratief : l'étude macro-économique de Jean Marczewski sur l'évolution du « produit physique » de la France au XIXe siècle a mis sans doute avec raison en lumière ce mode d'influence[32]. A l'échelle du Loir-et-Cher, Georges Dupeux avait de son côté repéré la réalité des mouvements longs dans les divers revenus agricoles de 1851 à 1913[33].

Un second indice des modifications structurelles à partir du dernier quart du XIXe siècle, à propos duquel les connaissances historiques sont balbutiantes, il faut l'avouer, c'est le changement radical des conditions des moyens de paiement par rapport aux périodes antérieures du siècle. Il semble que l'on puisse affirmer que c'en est alors fini des *pénuries monétaires* anciennes. La diversification et l'augmentation de la masse monétaire en sont naturellement responsables. Même si la masse monétaire, en France, conserve comme une sorte de rigidité métallique (place des « espèces » dans les paiements) encore à la veille de 1914[34], la diffusion du billet de banque, et surtout celle de la monnaie de banque, modifient substantiellement les conditions monétaires du développement économique : les *réseaux* bancaires, en particulier, prennent un essor rapide à dater des années 1870. Il n'y a plus « resserrement des espèces », ni pénurie des moyens de paiement. Cela ne signifie pas que la croissance se fasse sous le signe de l'abondance monétaire : l'inflation style XXe siècle n'est pas encore née. Les périodes d' « argent cher » (hausse du taux d'escompte et des taux d'intérêt) jalonnent les cycles économiques à la veille même des crises, au moment du retournement de la conjoncture, lorsque les périodes d'essor arrivent à leur terme. Mais l'on peut se demander si les modifications quantitatives et qualitatives dans les moyens de paiement ont eu une influence décisive sur le cycle. Il ne le semble pas. Certains banquiers de la première moitié du XIXe siècle – et encore plus tard – tels Laffitte ou, surtout, les frères Pereire avaient cru, et dit, que les progrès du système bancaire, en alimentant les paiements et les crédits, alimenteraient la croissance et permettraient d'éviter les à-coups des crises dites « commerciales ». Les faits démentirent en partie leur optimisme. La promotion de la banque et des formes modernes de la monnaie n'a pas effacé les cycles. Elle a, au contraire, fourni un aliment à des disparités nouvelles : accélération de l'essor par l'expansion du crédit, et confirmation de la dépression par le reflux des opérations des banques. Au « resserrement des espèces » qui accompagnait l'ancienne crise a succédé, dans la nouvelle, le resserrement des crédits bancaires.

*

La connaissance historique des crises économiques françaises à partir des années 1870 est bien moins avancée que celle des décennies antérieures. Seule celle dite « de 1882 » a été l'objet de recherches, mais de recherches partielles, et en ordre dispersé : d'une part sur certains aspects bancaires et boursiers à l'origine de la crise; d'autre part sur la mesure de la dépression des années 1880, étudiée région par région, à travers l'emploi, les salaires et les prix de certaines denrées[35]. Nous voudrions revenir sur quelques questions de méthode soulevées par ce type de recherches, étant entendu qu'en particulier l'histoire même des prémices de la crise et de son extension, dans les années décisives 1881-1882, reste à faire : d'une part, dans leur déroulement sur le marché national; d'autre part, dans leurs rapports avec la conjoncture internationale.

Il est fréquent qu'un krach boursier coïncide avec le retournement d'une conjoncture de l'essor à la crise; on sait que c'est le cas du plus célèbre de tous (octobre 1929). Il en est allé ainsi, *en France*, en janvier 1882. Que le bruit du krach ait alors été plus retentissant à Lyon qu'à Paris s'explique par certains traits locaux du comportement des milieux bancaires et boursiers de la place de Lyon : ils dépassèrent toute mesure dans la spéculation. Le krach n'en fut pas moins commun à toutes les places financières de province – et à celles de Paris. Les fluctuations de leurs cours sont à peu près synchrones, et les dépêches télégraphiques n'en sont pas les dernières responsables.

L'étude historique d'un krach doit s'accompagner, semble-t-il, de deux types de questions : les unes touchant aux éléments du krach; les autres, aux liaisons entre krach boursier et retournement de la conjoncture vers la crise.

Quant aux éléments de la crise boursière, la problématique historique est doublement sollicitée. Son attention est attirée d'abord par les composants en quelque sorte *mécaniques* de toute tempête boursière : entendons le caractère inéluctable de la tempête, puisque l'effondrement des cours des valeurs n'apparaît que comme la sanction logique de leur hausse antérieure démentielle. Traiter aux prix de 2 000 à 3 000 francs sur le marché une action dont la valeur au bilan peut être évaluée à trois ou quatre fois moins est le signe d'un dérèglement absolu, de contradictions insupportables au niveau du marché financier. Le propre de la hausse spéculative est qu'elle accumule les éléments de sa fin. De la même apparence mécanique des phénomènes relève la tension du prix de l'argent concernant les prêts à très court terme (les « reports »), qui alimentent la spéculation. Cette tension qui est apparue fort vive à partir du printemps de 1881 faisait écrire dès août à un économiste : « Le marché français est à la merci de l'imprévu[36]. » Les reports se traitaient à Paris à 4 %-5 % à la fin de 1880; à 10 %-12 % dans l'automne de 1881... Plus la spéculation s'enfièvre, plus les paris à la hausse se multiplient, plus le cours des valeurs s'élève, plus grandit la demande en crédits de reports – demande qui s'adresse aux officines d'affaires (les « caisses de reports ») apparues avec l'essor, mais aussi aux banques en place, qui depuis les années 1850 ont toujours employé des sommes considérables en prêts à court terme au marché des valeurs. Celui-ci joue alors le rôle d'un énorme centre attirant à lui les « épargnes » – des épargnes qui ne sont pas toujours des épargnes vraies, puisqu'il apparaît que nombre d'entreprises de négoce et d'industrie, à Lyon en tout cas, ont placé en reports une partie de leurs fonds de roulement. Le rôle d'attraction du marché financier est alors double : par les émissions de titres, évaluées pour 1881 à l'énorme chiffre de 7 milliards par Léon Say[37]; et par les prêts en reports, évalués de 1,5 à 2 milliards pour le seul marché de Paris dans l'été 1881[38]. A travers les soubresauts et les spasmes antérieurs au krach lui-même – le plus grave s'était produit en province en octobre 1881, en touchant à la fois la Bourse et la banque[39] – le marché financier se dirige alors comme *mécaniquement* vers son dérèglement ultime : celui de Lyon en janvier 1882 s'effondre absolument (arrêt des transactions et faillites d'agents de change); celui de Paris, aux mêmes jours, ne doit le maintien de ses activités qu'à une aide concertée de la Banque de France et des grands « établissements de crédit ».

Mais à travers les mécanismes agissent les hommes, c'est-à-dire les entreprises et les groupes qui, à la fois, subissent les mécanismes – en enregistrant les illogismes du marché – et les utilisent dans leur sens, le sens de la défense de leurs intérêts propres. La recherche historique découvre alors, et explique, par la réaction à la conjoncture de groupes ayant un grand pouvoir d'influence, le rôle décisif, à un instant que l'on peut dater, du comportement de certaines firmes sur le marché financier. Ce comportement va directement

influencer le retournement de la conjoncture boursière : les grandes banques, entièrement maîtresses de
la distribution des reports, décident d'en diminuer
puis d'en tarir l'approvisionnement, ce qui accélère la
tension de leur prix et entraîne obligatoirement la
chute de la pyramide spéculative dont la démesure
n'était alimentée jusque-là que par les placements
lucratifs des « reporteurs ». La presse et les revues
peuvent alors parler de « disette factice » ou de
« grève des capitaux[40] ». Les grandes banques, au
nom de leur propre sécurité (et qui irait les en
blâmer?), retirent leur épingle du jeu boursier au
moment où elles ont compris que le jeu devenait
dangereux. Celles d'entre elles qui ne l'ont pas compris, ou qui n'ont pas pu se dégager, périront de belle
mort.

Mais le comportement des grandes banques va plus
loin puisque, *dès avant le krach*, à la fin de l'été de
1881, c'est une révision de toute leur politique qui est
mise en œuvre : elles donnent un coup de frein à leur
volonté d'affaires; elles suspendent les grandes opérations en cours de gestation (en particulier les affaires
de créations de firmes et de prises de participations).
Elles ralentissent l'offre de leurs crédits à court et
moyen terme. Pour employer leur propre langage,
elles « carguent les voiles » à l'approche de la tempête, car la crise boursière, prévue par elles, va
d'abord se traduire pour elles par l'effondrement de la
valeur de leur portefeuille-titres : ce sera l'un des
éléments de la chute de leurs profits, une fois la crise
effectivement déclenchée.

Il s'est donc passé quelque chose, du côté des grands
investisseurs, qui a *précipité* le renversement – par
ailleurs inéluctable – de la conjoncture spéculative.
L'historien, par la grâce des archives bancaires, peut,
là, donner ses preuves. C'est dès août 1881 que le

puissant « syndicat des établissements de crédit » (dont le Crédit lyonnais, la Société générale, la Banque de Paris et des Pays-Bas, le Crédit foncier), né dix ans auparavant pour disputer à la « haute banque » les affaires lucratives et d'envergure tant d'Etat que privées, décide de « s'abstenir de toute affaire nouvelle », selon l'expression du directeur général du Crédit lyonnais[41]. « C'est le sentiment des autres grands établissements de notre groupe[41]. » Et pourquoi? Parce que « le moment actuel nous en fait un devoir[41] ». Le moment actuel, c'est-à-dire l'emballement du marché financier, et les dangers prévisibles qu'il recèle.

C'est alors que, pour l'historien, les mécanismes économiques prennent leur sens et prennent vie. La marche vers la crise ne lui apparaît plus comme simplement aveugle et inéluctable. Des forces conscientes de décision et d'influence sont intervenues, qui, dans le contexte d'une conjoncture dont elles ont été les artisans à l'époque de son emballement, interviennent désormais à contre-courant, en inaugurant ainsi l'époque de son écroulement. En bref les crédits bancaires vont refluer en raison du comportement défensif des banques; et ce refus, que la crise une fois déclenchée accélérera encore, précipitera la conjoncture économique tout entière vers sa pente descendante. Significatifs de ce point de vue sont les efforts que fait le *Crédit lyonnais*, dès la mi-octobre 1881 pour augmenter ses liquidités. Alerté par le « run » marseillais qui lui a coûté une part importante de ses dépôts à vue, il donne un coup de frein brutal à l'expansion de ses crédits aux entreprises, en diminuant le volume des crédits en cours, et en augmentant leurs prix.

Quant aux liens entre prodromes du krach de Bourse et conjoncture économique, puis entre crise boursière et crise économique, ils n'ont été abordés que fort superficiellement par les études historiques en cause.

La chronologie n'est pas faite (il faudrait qu'elle fût, au minimum, *mensuelle*) de l'évolution des indices de la conjoncture *en 1881*, avant le krach de Bourse. Les éléments d'information réunis sont trop globaux ou trop partiels. Cela ne signifie pas qu'une recherche soit impossible. Simplement, elle est à faire. Le taux d'escompte Banque de France de 3,5 % (14 octobre 1880) passe à 4 % le 25 août 1881, à 5 % le 20 octobre : l'argent renchérit pour toutes les opérations du marché monétaire. Mais ce mouvement ne fait que *suivre* le taux de la Banque d'Angleterre. Sous l'impulsion (peut-être ?) du déséquilibre des paiements à ce moment, entre les Etats-Unis et l'Europe occidentale. Que font les prix ? En moyenne durée les prix de gros *industriels* sont à la baisse depuis 1874; les prix de gros *alimentaires* depuis 1877[42]. Pour les deux catégories, dans le court terme, 1881 est une année de *prix en baisse* par rapport aux deux années antérieures, et cette baisse, dès lors amorcée, se prolongera jusqu'en 1887, pendant de longues années de crise-dépression. A l'échelle des seules industries *lyonnaises* les prix industriels fléchissent particulièrement (métallurgie, matériel de chemins de fer, produits chimiques) à partir du *troisième trimestre* de 1881, et *dans le quatrième trimestre*. Quant à ceux des *soies*, ils sont en glissade fort rapide – vers le bas naturellement – depuis 1869. Pas d'indications sur les prix des *soieries*.

On enregistre donc une certaine simultanéité dans le court terme, pour divers indices : le second semestre 1881, avant toute crise boursière aiguë, voit augmenter les « prix de l'argent », s'installer le renversement de certains prix-marchandises, et se mettre en place une stratégie « déflationniste » des grands investisseurs et prêteurs.

Mais où en étaient l'emploi, les productions, les chiffres d'affaires, les investissements ? On le sait à peine... Il faut certes tenir compte du fait que ce sont là indices conjoncturels bien moins élastiques, bien plus rigides, que les précédents. Quant aux indices d'activité industrielle ils ne semblent pas avoir été gravement atteints *avant 1883 :* la thèse de Jacques Néré est, là-dessus, suffisamment démonstrative. Pour la métallurgie, les mines, et « leurs principaux clients », le « maximum d'activité[43] » se place dans la plupart des cas au milieu de l'année 1883. Le trafic ferroviaire des « chemins de fer d'intérêt général », s'il ne monte que très lentement de 1882 à 1883, ne *baisse* qu'à dater de 1884[44]. Dans le Loir-et-Cher le mouvement de l'emploi industriel augmente encore en 1881 (quoique bien moins fortement qu'en 1880) et ne baisse qu'à partir de 1882[45]. Les « dépenses d'investissement nettes » des chemins de fer, selon une étude très neuve de François Caron, sont en montée rapide, quasiment régulière de 1872 à 1883 *inclus*[46] – avec un léger coup de frein en 1882, mais pas du tout en 1881. Enfin, toutes les données recueillies pour Lyon et sa proche région (données bancaires, commerciales, industrielles) montrent que l'année 1881 demeure de grande activité économique et que le marasme industriel gagne lentement les divers secteurs *bien après* le krach et souvent, effectivement, pas avant 1883[47].

Faudrait-il alors concevoir une indépendance des secteurs de la production, par rapport à la conjoncture boursière et monétaire, détacher le krach de Bourse de la crise industrielle, et la circulation des capitaux, avec ses « excès » spéculatifs, de la production et de la circulation des marchandises ? Ce serait, d'une part, céder aux apparences et rester prisonnier de la tournure empirique et partielle de toute enquête historique. Ce serait aussi se condamner à ne pas poursuivre la recherche, à ne pas se poser de nouvelles questions quant aux liaisons entre les différents éléments de la situation économique. De même que la tension des taux d'intérêt dans le second semestre 1881 traduit les contradictions dans lesquelles commencent à se débattre les marchés monétaire et financier, de même on ne peut concevoir le *début* du renversement de certains prix qui se produit au même moment, qu'en tant que signe des premières difficultés d'écoulement de certains produits sur le marché. L'historien est alors renvoyé à l'analyse du marché – d'un marché qu'il ne connaît pas, puisqu'il ne l'a pas étudié –, marché des produits du secteur I, et de ceux du secteur II.

En attendant que l'enquête historique soit reprise sur ce point – c'est-à-dire envisage une étude *complète* sur la conjoncture des années 1870 – un détour avait été pris, dans l'ouvrage sur le *Krach de l'Union générale*, qui consistait à scruter au plus près pour la seule agglomération lyonnaise, le mouvement et la composition des faillites de 1878 à 1889. Au niveau du mouvement du nombre des faillites à Lyon succède, à la diminution des faillites en *1879* (année de reprise) sur 1878, une progression de ce nombre, très faible en 1880, *mais très forte en 1881* (et 1882, bien sûr) avec un sommet en 1884[48]. L'observation *mensuelle* du phénomène met en évidence le démarrage des faillites en 1881, et spécialement *dans le second semestre*, avec deux poussées sensibles en juillet et en décembre.

Cette observation, compte tenu de ce qui a été dit plus haut, ne peut laisser l'analyste indifférent. Des difficultés *économiques* certaines apparaîtraient-elles *avant le krach boursier ?* Mais *qui* fait alors, en 1881, faillite ? A la fois des *industriels* et des *commerçants*.

Plus précisément, en 1881, les faillites industrielles ont connu un taux de croissance plus fort que les faillites commerciales[49]. Ces dernières sont, avant tout, des faillites de magasins et de négoce d'*alimentation* – y compris, naturellement, les « cafetiers » et les « vins et liqueurs ». En 1881 ce type de faillite a crû de 63 % sur 1880, alors qu'on n'enregistre pas d'augmentation du nombre des faillites « habillement » pour cette année. En 1882, l'augmentation des faillites « alimentation » sera de 30 % sur 1881, celles « habillement » de 44 %. Du côté des faillites industrielles en 1881, toutes les branches sont concernées par l'accroissement de leur niveau : bâtiment, produits chimiques, textiles et teinturiers, métaux, cuir, industries de luxe...[50].

Mais *pourquoi* les faillites de 1881 – et spécialement celles du second semestre ? Diminution du pouvoir d'achat des couches populaires en raison de l'évolution du marché de l'emploi ? Rien ne permet de l'affirmer, naturellement. Pertes spéculatives dans les couches moyennes du négoce, du commerce, de l'industrie, en rapport avec les premiers craquements de la Bourse entraînant le grippage des fonds de roulement et des liquidités ? Effets immédiats sur certaines trésoreries de firmes de la politique restrictive des crédits bancaires ? Une telle politique est en tous les cas rigoureusement appliquée par le Crédit lyonnais à dater de la seconde quinzaine d'octobre 1881, comme nous l'avons signalé plus haut.

Il est impossible de dire ce qui, dans la détérioration des faillites lyonnaises de 1881, relève des prodromes du krach, de la politique bancaire, ou de la situation de la consommation populaire et du marché de l'emploi. Si insatisfait qu'il soit, l'historien bute sur ce constat, quitte à faire l'hypothèse, ou à ressentir l'impression que, des quatre éléments évoqués, les deux premiers ont été déterminants.

Au-delà dans le temps, en tous les cas, c'est-à-dire *en 1882*, les retentissements immédiats du krach et la politique restrictive des banques ont joué leur plein rôle sur la poussée des faillites. Cependant que plus avant dans la dépression, à partir de 1883 c'est la « surproduction » industrielle classique qui déroule ses effets sur l'emploi, les salaires, les consommations, les chiffres d'affaires et le profit, et qui maintient à un palier insolite, très élevé, jusqu'en 1890, le niveau des faillites lyonnaises.

L'apparence des choses conduit alors à enregistrer la crise économique des années 1880 tant à l'échelle « lyonnaise » qu'à l'échelle « nationale » comme ayant parcouru une sorte de marche régressive – ainsi que l'érosion du même nom, chère aux géographes. Régressive, en ce sens que le secteur de fabrication des moyens de production est atteint par la crise en dernier lieu, et que son activité se maintient au moins jusqu'en 1882 inclus, cependant que le commerce, et les industries de biens de consommation, paraissent avoir été touchés d'abord; et cependant qu'au niveau des phénomènes qui accrochent le regard de l'observateur, les dérèglements monétaires et ceux des marchés de l'argent présentent une antériorité certaine par le caractère dramatique de leurs immédiates conséquences.

*

Mais observer une telle marche régressive est une constatation, non une explication. Fidèle à ses scrupules et à ses habitudes – c'est-à-dire à ses méthodes – l'historien hésite à rechercher alors au niveau des théories explicatives du cycle, la compréhension profonde des phénomènes qu'il retrouve au cours de sa quête. Le sentiment, voire la certitude, l'emportent en lui que trop d'éléments d'information lui échappent encore pour trancher des « disparités » dominantes. Faute de connaissances finement datées, de « séries » comparées entre elles sur les prix, l'investissement et les profits dans diverses branches industrielles; faute d'un élargissement géographique de la connaissance des divers indices conjoncturels; faute, entre autres lacunes de son enquête, de renseignements sur l'intrusion des phénomènes « échanges extérieurs » (prix, postes de la balance des paiements, situation des exportations, etc.) dans la conjoncture « intérieure », il se refuse à invoquer les théories pour combler les lacunes de ses informations. Faiblesse congénitale, ou lucidité méthodologique?

Il est finalement impossible pour un historien de considérer comme identiques les crises économiques françaises tout au long du XIXe siècle. C'est au cours du troisième quart du siècle que s'opère le glissement décisif : les disparités émanant du secteur agricole cèdent définitivement le pas aux disparités d'origine monétaire, bancaire, et industrielle. Les dernières séquelles de la sous-production agricole s'estompent. L'évolution des modalités de déclenchement et des traits dominants des crises accompagne nécessairement celle des structures économiques fondamentales, celle des rapports entre produit agricole et produit industriel. Les aspects boursiers et bancaires prennent de plus en plus de relief. Et le chômage industriel succède définitivement aux troubles des « subsistances » comme indice essentiel et résultat social le plus grave de la crise économique.

Mais on voit que ce sont les crises « mixtes » des années 1815-1860 et l'histoire de leurs transformations qui ont jusqu'ici surtout retenu l'attention des historiens. L'étude historique complète d'une crise – c'est-à-dire du cycle dans lequel elle s'insère, et qui l'éclaire – est encore à faire pour la période qui commence avec les années 1870. Cette lacune, ou ce retard, est encore une preuve de plus de la méconnaissance où nous sommes de beaucoup de questions concernant les conditions de la croissance française à partir du dernier quart du XIXᵉ siècle. Ce n'est donc pas revenir en arrière, sur le plan de la problématique historique, que de souhaiter qu'au niveau des études de conjoncture cette lacune soit comblée. L'analyse de la conjoncture sera toujours utile puisqu'elle entraînera nécessairement des interrogations touchant aux transformations structurelles.

Les études historiques ont donc jusqu'à présent apporté plus que des retouches à la problématique des crises. Elles ont restitué aux crises leur devenir véritable, leur effective évolution, leurs changements progressifs de nature. Elles ont valorisé la vue proprement historique des « faits économiques », en montrant la longueur et la complexité du passage d'un « régime » économique à un autre, d'un type de crise à un autre. Pour l'historien, tout type de crise a un « sens », celui-là même de l'économie et de la société dans lesquelles s'insèrent ces accidents nécessaires de la croissance.

NOTES

1. Maurice Flamant et Jeanne Singer-Kérel, *Crises et récessions*, P.U.F., « Que sais-je ? » nᵒ 1295, 1968, p. 10.

2. *Ibid.*, p. 6.

3. *Ibid.*, p. 6.

4. Voir le manuel « Thémis » de Maurice Niveau, *Histoire des*

faits économiques contemporains, P.U.F., 3e éd., 1970. Dans cet ouvrage d'*histoire* économique les pages concernant les fluctuations et crises, pas plus que d'autres sur la croissance économique française, ne contiennent, ni dans leurs développements, ni dans leur bibliographie, de référence aux travaux de recherche publiés par des historiens économistes français depuis une douzaine d'années... Il faut signaler qu'il n'en va pas de même pour l'ouvrage de Jean Imbert, *Histoire économique des origines à 1789* (même collection), qui, à la différence de son collègue, est au courant de la bibliographie « historiens » pour l'époque moderne.

5. *Fluctuations et croissance économiques*, p. 169.

6. Paris, Mouton, 1973, 508 p.

7. Sorbonne, 1958. Exemplaire dactylographié, bibliothèque de la Faculté des Lettres.

8. *Ibid.*, p. 618.

9. *Aspects de l'histoire sociale et politique du Loir-et-Cher. 1848-1914*, Mouton, 1962.

10. P. 188.

11. Idem.

12. P. 227.

13. *Les Populations de l'Est aquitain au début de l'époque contemporaine; recherches sur une région moins développée; vers 1845-vers 1871*, Mouton, 1961.

14. *La Naissance de la grande industrie en Dauphiné, fin du XVIIIe siècle-1869*, T. II, P.U.F., 1954, p. 791.

15. *La Banque et le crédit en France de 1815 à 1848*, P.U.F., 1959. Voir en particulier ses deux derniers chapitres, strictement conjoncturels.

16. P. 373.

17. P. 374.

18. *Ibid.*

19. P. 376.

20. *Ibid.*

21. *Aspects de la crise et de la dépression de l'économie française au milieu du XIXe siècle, 1846-1851* (Société d'histoire de la Révolution de 1848; bibliothèque de la Révolution de 1848, t. XIX).

22. *Ibid.*, p. v.

23. *Les Banques européennes et l'industrialisation internationale dans la première moitié du XIXe siècle*, P.U.F., 1964. Voir les pages 510-598 (chap. VIII).

24. P. 519.

25. P. 535.

26. P. 594.

27. *L'Industrie textile en France au temps du Second Empire*, Plon, 1956.

28. Ouvr. cité, p. 188.

29. Ouvr. cité, chap. II.

30. *Ibid.*, p. 259.

31. Jean Lhomme, « La crise agricole en France à la fin du XIXᵉ siècle », *Revue économique*, juillet 1970. Voir la courbe de la page 531.

32. « Le produit physique de la France de 1789 à 1913 » (in *Introduction à l'histoire quantitative*, Droz, Genève, 1965).

33. Voir en particulier les pages 288-289. Après les hausses de l'époque 1851-1871, les divers revenus agricoles plafonnent en 1871-1885 puis reculent jusqu'en 1902. Au-delà, la hausse reprend.

34. Voir Rondo Cameron, *Banking in early stages of industrialisation*, Oxford, U.P., 1967.

35. En dehors de la thèse citée de Jacques Néré, voir Jean Bouvier, *Le Krach de l'Union générale* (1878-1885), P.U.F., 1960; Id., *Le Crédit lyonnais de 1863 à 1882*, t. II, dernière partie, S.E.V.P.E.N., 1961.

36. Cucheval-Clarigny, « La situation financière », *Revue des Deux Mondes*, 1ᵉʳ août 1881.

37. Léon Say, « Les interventions du Trésor à la Bourse » (*Annales de l'Ecole des sciences politiques*, 1886).

38. Cucheval-Clarigny, art. cité.

39. « Run » des déposants aux caisses du Crédit lyonnais, à Marseille d'abord, puis dans l'ensemble de ses sièges : la plus grande alerte qu'ait connue cette banque dans son histoire, après celle de l'été 1870, due, elle, à la panique de guerre.

40. Mouvement financier de la quinzaine (*Revue des Deux Mondes*, 15 octobre 1881).

41. Mazerat à Lehéricey (agence de New York). Ouvr. cité, p. 150.

42. Jean Lhomme, article cité, *Revue économique*, juillet 1970, p. 523 et 524. Naturellement tous les prix agricoles ne marchent pas à la même vitesse. Mais c'est en général dans les années 1875-1881 que le tournant vers la baisse est pris. Les céréales sont parties, elles, un peu plus tôt, au début de la décennie.

43. Ouvr. cité, p. 40.

44. *Ibid.*, 1881 : 10 753 millions de tonnes-kilomètres.
           1882 : 10 836   –   –
           1883 : 10 065   –   –
           1884 : 10 478   –   –

45. Dupeux, ouvr. cité, p. 273.

46. F. Caron, « Recherches sur le capital des voies de communication en France, au XIXᵉ siècle » (Colloque de Lyon sur l'industrialisation, octobre 1970. *Actes* du colloque, sous presse).

47. *Le Krach de l'Union générale*, ouvr. cité, chap. VII : « Lyon et sa région du krach à la dépression économique. »

48. Chiffres successifs pour 1878-1884 : 176, 144, 148, 209 (1881), 279, 282, 394. Au-delà, et jusqu'en 1889 inclus, la courbe ne descendra pas en dessous de 300 faillites.

49. Nous modifions ici les observations faites jadis (p. 267 du *Krach de l'Union générale*) trop hâtivement. En 1881 les faillites commerce ont augmenté de 32 % sur 1880; les faillites industries de 42 %.

50. Sur 624 faillites industrielles de 1879 à 1890 inclus, on comptera 207 faillites « bâtiment ».

L'économie
– Dépassement et prospective

PAR

PIERRE CHAUNU

Au sein de notre très vieille discipline – l'histoire, ce mot ambigu et dangereux, presque aussi vieux que l'homme dans la cité, qui juxtapose tant de domaines de plus en plus hétérogènes dans un faux ensemble –, l'histoire économique est un champ encore jeune. L'historien de métier n'est guère sensible à sa très relative jeunesse. Ce sont plutôt les dimensions déjà imposantes de l'histoire déjà longue de cette forme de l'histoire qui frappent d'abord l'esprit. On peut en chercher les lointaines origines sur l'horizon 1890. Dans les grandes histoires nationales – jamais les nations, en Europe, n'ont été aussi impérialement dévoreuses qu'en ce temps – un chapitre économique gagne timidement droit de cité. Il est rejeté tout à la fin, les quatre cinquièmes du discours sont consacrés à l'Etat, l'économie se partage le reste avec la société, la pensée et l'art.

Voyez notre Lavisse jamais refait. Cette insertion timide de la donnée économique brute ou presque brute, cette juxtaposition d'un événementiel économique à l'événementiel politique suppose, naturellement, le début d'une recherche autonome. Ernest Labrousse[1] rappelait, récemment, la qualité des travaux d'Emile Levasseur[2]. A la fin du XIXe siècle, un peu partout, dans la lancée des grandes collections de documents, apparaissent les premières histoires des prix[3], qui ne sont que des recueils de données brutes. L'Angleterre ouvre la voie avec Rogers, toujours

utile[4]. L'Allemagne et la France avec Wiebe[5] et le
vicomte d'Avenel[6], sans oublier Zolla[7]. Sans oublier,
non plus, proche d'une histoire économique de l'Etat,
Natalis de Wailly[8] et J.-J. Clamageran[9]. Cette archéologie, tout à la fois, de l'histoire économique et de
l'histoire quantitative, cette apparition discrète au sein
d'une production historique déjà très abondante[10],
d'un appendice économique ne peut surprendre. Elle
est liée à la mutation des sociétés industrielles après la
révolution des chemins de fer, elle est portée par
l'émulation nationale, elle est contemporaine du développement de la pensée économique, à l'époque de
Pareto et des marginalismes, à la prise de conscience
de l'importance économique et sociale de la crise, tant
par l'économie politique libérale (Juglar) que par sa
critique marxiste. Tout cela est latent depuis le milieu
du XIXᵉ siècle. Il a fallu attendre les deux dernières
décennies du XIXᵉ siècle, pour qu'une première
esquisse de secteur historiographique économique
autonome se constitue. La formation de cette première masse critique, ô combien modeste! de transformation n'est pas l'effet du hasard. La grande dépression (1873-1874 – 1900-1905), dans la périodisation
de Simiand, joue, bien évidemment, son rôle, au
niveau des motivations. On sait l'importance de ce
long tassement des prix agricoles, dans des sociétés où
le secteur agricole reste, socialement sinon économiquement, le plus lourd, où une partie de l'élite
intellectuelle continue à vivre (c'était le cas du
vicomte d'Avenel) ou à recevoir un complément de
revenu de la rente foncière, atteinte, à la longue, par la
diminution tendancielle des revenus agricoles. On sait
la gravité des tensions qui marquent le passage de la
deuxième à la troisième étape du développement
industriel. Ces transformations n'agissent pas directement, mécaniquement, au niveau de la création intel-

lectuelle. Nombreux, multiples, divers sont les médiateurs, lents aussi les effets de remontée, à une époque
où la densité et la rapidité des circuits de communication n'ont pas encore le degré d'efficacité atteint
dans nos sociétés postindustrielles. D'où l'ampleur des
latences. La morosité de la fin du XIXᵉ siècle continue
à peser sur les esprits, quand elle a, au niveau des
choses, cédé la place, depuis cinq, dix ou quinze ans, à
l'agressive croissance du début du XXᵉ siècle. Tout au
plus est-on obligé de constater que le mouvement reçu
de l'impulsion des années 1890, faute d'être soutenu,
n'arrive pas, avant la véritable révolution de 1929 et
des années 30, à sortir l'histoire économique de son
indétermination.

L'histoire, science humaine fédératrice de notre
temps, est née, entre 1929 et le début des années 30,
de l'angoisse et du malheur des temps, dans l'atmosphère douloureuse d'une crise aux dimensions énormes et aux répercussions infinies.

I

L'histoire encore vivante est postérieure au tournant
des années 1929-1933. Ce qui est antérieur a valeur de
document, assimilé dans l'histoire dont nous nous
nourrissons. Avant 1929, nous sommes en présence
d'une archéologie de l'histoire économique.

Tout commence sur l'horizon 1929-1930. Quarante, quarante-cinq ans nous séparent de ce moment.
Est-ce la réalité objective de la création intellectuelle
de cette époque, ou celle d'une crise économique à la
fois conjoncturelle et structurale, qui commande de
nous arrêter, ou est-ce le jeu naturel de la succession

des générations[11], qui fait buter les historiens des premières années 1970 sur le seuil des premières années 30?

La génération des historiens qui, entre la quarantième et la soixantième année, sont, aujourd'hui, aux postes de commande de la recherche, de l'écriture et de l'enseignement, a commencé à produire dans l'atmosphère de la grande crise économique. En France, Ernest ·Labrousse (né en 1895) et Fernand Braudel (né en 1902) ont joué un rôle de direction, ont exercé un empire, qui s'impose à l'intelligence de tous. Les grandes œuvres qui ont nourri toute l'histoire économique de l'après Deuxième Guerre mondiale (de *l'Esquisse*[12] à la *Méditerranée*[13] en passant par la *Crise*[14]) sont des œuvres pensées, conçues, jaillies dans l'atmosphère de la crise de 1929.

D'autre part, les hommes qui, entre quarante et cinquante ans aujourd'hui sont placés aux postes de responsabilité, ont une mémoire et une expérience qui portent jusqu'au seuil de la décennie des années 30. Le demi-siècle est, pour une périodisation d'histoire intellectuelle, une durée qui s'affirme volontiers. D'autant plus aisément que la mutation structurelle de la fin des années 20 et du début des années 30 s'impose, objectivement, à l'analyse historique comme un temps fort.

Tout concourt au tournant des années 1929-1930. Dans l'ordre de la pensée, 1928-1937 valent, à peu de chose près, le tournant scientifique (1898-1905) du début du XXᵉ siècle (des *quanta* à la première formulation de la relativité restreinte). La durée privilégiée des premières années 30 s'organise sur deux plans : elle superpose le temps de l'absolue novation et le temps de maturation des conséquences tirées des innovations fondamentales du début du siècle. La formulation de la relativité générale date des années de la Première Guerre mondiale. Le temps n'est pas favorable alors à la diffusion. Quinze ans pour en tirer les conséquences, un début de vérification. La relativité ne modifie profondément l'horizon scientifique qu'au terme d'efforts parallèles, voire complémentaires et conséquents : la mécanique ondulatoire, que Louis de Broglie crée en 1923, a, en 1929, partie gagnée. La physique relativiste, au seuil des années 30, sort du monde des savants. Langevin et Russell lui donnent une dimension philosophique. Relativiste et quantique, la physique débouche au plan de la culture. Elle insinue ses interrogations bouleversantes au niveau de la philosophie. Il faut chercher très loin l'équivalent de semblable perturbation des pensées.

Tremplin de tous les rebondissements, voici la radioactivité. Lord Rutherford : la première transmutation provoquée se place à Cambridge en 1919. Fin 1933 une quarantaine de radio-isotopes naturels sont connus. Frédéric et Irène Joliot-Curie découvrent les très précieux isotopes artificiels. En 1937, on en avait créé 190. Hubble a découvert le *redshift* grâce au nouveau télescope du mont Wilson, en 1924-1928 : point de départ de l'univers en expansion et d'une nouvelle cosmogonie. Cet observateur modeste aura fait pour l'astronomie des années 30, autant que Herschel, à la fin du XVIIIe siècle. Point de départ que l'on apprécie mal alors, comme la découverte par Fleming en 1929 du *Penicillium notatum*. Mais qui peut prévoir la portée des balbutiements cybernétiques des années 30?

Relativité, radioactivité, d'une part; *redshift,* antibiotique, cybernétique, d'autre part. Et, très loin dans l'ordre du savoir, Freud... et pourquoi pas les travaux de l'Ecole biblique de Jérusalem.

L'histoire, discipline intellectuelle, ne peut être coupée de l'ensemble de la production intellectuelle[15]. Mais elle est appelée, en outre, au rendez-vous des années 1929-1939, par des médiateurs économiques et sociaux qui s'imposent facilement. C'est un problème essentiel.

L'histoire est la plus ancienne des sciences sociales. Le récit, la chronique chez les grands, d'Hérodote à Michelet en passant par Las Casas, a toujours dépassé l'événement. Elle a toujours débouché sur un système implicite de la société. Les correspondances ont toujours existé entre l'histoire que l'on écrit, et celle que l'on vit, entre le système de civilisation de l'historiographie et l'organisation du passé dans le discours historique. Les correspondances peuvent être discrètes, la relation tellement profonde qu'elle est à peine perceptible. Ce fut le cas à la fin du XIXᵉ siècle, à l'époque de l'historiographie « positiviste », hypercritique et scientiste.

La mutation historiographique qui se produit sur l'horizon des années 30, c'est, d'abord, la montée en surface des correspondances. L'histoire économique quantitative, première manière, est une tentative de réponse, sans fard, aux angoissants problèmes d'une époque. La liaison, le couplage, deux par deux, coup par coup, science de l'homme, remontée historique, se fait, ouvertement, en réponse au problème nº 1, la crise. Il faut relire et méditer ce classique d'une pluridisciplinarité active, d'une histoire utile et engagée que François Simiand publiait au cours de la tourmente, et dont le titre limpide définit le programme de l'histoire économique qui se crée : *Les fluctuations économiques à longue période et la crise mondiale*[16]. La crise mondiale, le mot est partout, la préoccupation dans tous les esprits. Une bibliographie énorme, plusieurs dizaines de milliers de titres en quarante ans. Tout a été dit, presque toutes les hypothèses formulées. Je rappelle, d'abord, qu'aux Etats-Unis, les niveaux de production de 1929 ne sont dépassés qu'à la charnière des années 1941-1942, avec l'entrée en guerre; qu'en 1932 [17], la production de l'acier est à 17 % du niveau de 1929, les équipements agricoles à 20 % , les textiles à 70 %, la production agricole à 94 %... que la crise est presque aussi marquée, dans toute l'Europe du Nord-Ouest industrialisé, principalement, en Allemagne. Dans les pays très peu industrialisés, seulement ou artificiellement protégés par une économie étatisée en circuit économique fermé, des croissances, comme en Amérique latine (au Brésil, par exemple) où l'industrie n'est rien et l'agriculture d'exportation, en crise, comme l'acier aux Etats-Unis, tout comme en U.R.S.S. qui ne dépasse, vraiment, les indices industriels de la Russie tsariste qu'au seuil du deuxième plan (1934) et qui est loin d'égaler la production agricole de 1913. En France, faux ensemble économique très hétérogène, relativement à l'abri, en apparence, la commission du plan Monnet a pu calculer que les pertes dues au non-renouvellement des équipements de 1930 à 1939 avaient excédé le niveau des pertes dues à la guerre de 1940 à 1945. Enfin et surtout, ces années ont été celles d'une crise démographique d'une gravité extrême. De 1930 à 1939, presque tous les pays industriels ont eu un coefficient net de reproduction inférieur à l'unité. Avec des taux de 0,4 ou de 0,5, dans quelques grandes capitales (Vienne et Stockholm), au moment de l'œil de la crise. De tels comportements destructeurs de vie, à court comme à long terme, traduisent bien, évidemment, de très profonds désarrois. Nous les voyons réapparaître, en Europe, depuis 1970 avec une bruta-

lité au moins égale à celle des années 30. C'est entre
1937 et 1942 que commencent à jouer en sens inverse
les mécanismes autorégulateurs et que la situation
démographique se redresse de 1942/45, en gros, à
1962/64. Une crise de cette ampleur, qui affecte, en
même temps, tous les domaines[18] ne peut être justiciable du monisme d'un seul système d'explication.
Cela, François Simiand l'avait senti, même si son
système paraît, aujourd'hui, un peu court. En réalité,
la crise de la décennie 30 est le type même de
l'ajustement structurel, elle résulte de la superposition
de causes qui se situent sur des plans très différents,
avec des phénomènes d'écho. 1929-1939, la fin des
latences. 1929-1939, c'est, en un mot, la fin de toute
une suite de « frontières », avant l'ouverture des
nouvelles frontières technologiques, et l'entrouverture
d'un nouveau système de civilisation. 1930, la fin d'un
type de croissance qui est celle du XIXᵉ siècle, une
croissance qui associe les vieux recours traditionnels
de l'espace et du nombre, aux nouveaux recours de
plus en plus exclusifs à l'innovation.

II

L'histoire économique moderne est née là, entre
1929 et 1932, avec la grande entreprise[19] d'histoire
scientifique des prix, qui a, en quelques années[20],
procuré ces longues séries, fines, nerveuses, complexes, qui remontent hardiment le cours du temps,
raccordant la protostatistique du XVIIIᵉ siècle et du
début du XIXᵉ siècle sur la statistique élaborée du XIXᵉ,
raccordant la protostatistique du XVIIIᵉ finissant sur

une préstatistique qui, dans les pays méditerranéens, remonte allègrement jusqu'au XIVe, parfois, pour l'Italie, jusqu'au XIIIe siècle. L'œuvre collective qui caractérise le mieux cette période est la création, en 1929, par Marc Bloch et Lucien Febvre, des *Annales*, au titre révélateur, d'*Annales d'histoire économique et sociale*. C'est entre 1929 et 1932, pour donner une explication partielle, certes, mais cohérente à la crise de 1929, que François Simiand a perfectionné sa théorie des mouvements de longue durée, dépassant les mouvements de longue durée tels que Kondratieff les avait conçus, en liaison peu convaincante avec les cycles d'activité solaire[21], dans la théorie des phases appelée à un extraordinaire succès dans l'historiographie de langue française. Dès 1932, François Simiand[22] avait expliqué la crise de 1929-1932 par la superposition d'une crise cyclique et d'un changement de phase, comparant la situation de ces années à celle de 1873, de 1817, avançant même quelques jalons en direction du début du XVIIe et du milieu du XIVe siècle.

Une histoire économique systématiquement quantificatrice est née là. Deux essentiels sont acquis : le couplage entre une branche de l'histoire et une science humaine du présent. L'histoire économique n'est pas seulement une branche de l'histoire, mais science auxiliaire de l'économie politique. Elle accepte d'appliquer au passé des modèles adaptables calqués sur l'analyse mathématique des données quantifiables de l'activité économique. Second point, l'histoire garde une prédilection pour le mouvement. Cette histoire économique partiellement quantitative est une histoire du *mouvement*, de la variation, de la structure ondulante de l'économie. Cette préoccupation, finalement, aura contribué à ménager une forme de transition entre l'historiographie traditionnelle et l'historiographie nouvelle. L'histoire, même structurelle,

restait, après Simiand, dans la pensée d'Ernest Labrousse, l'histoire du changement de la variation.

C'est aussi, par rapport à ce choix implicite, qui est
continuité, que se situe la seconde novation fondamentale des années 30, la genèse lointaine de l'histoire
géographique[23] qui doit tout au génie inventif de
Fernand Braudel. Fernand Braudel a présenté, dans la
préface de la *Méditerranée*[24] ce qui fut, au terme des
années 30, ce qu'il faut bien appeler l'horizon borné
de l'histoire positiviste épuisée : une merveilleuse
technique, un remarquable instrument de recherche[25]
au service d'une chronique améliorée de l'Etat. Ce qui
manque le plus à l'histoire d'avant les années 30, c'est
la problématique. A côté de cette histoire sans problème, la géographie humaine, à l'époque d'Albert
Demangeon et sur la lancée de Vidal de La Blache, a
pu offrir aux historiens un ensemble de problémati-
ques parfaitement transposable. L'histoire de la géohistoire, ce fut à la limite, de 1930 à 1945, l'histoire de
l'élaboration d'une œuvre, le passage de la politique
méditerranéenne de Philippe II à la Méditerranée et
au Monde méditerranéen à l'époque de Philippe II.
La Méditerranée, c'est-à-dire l'espace, 3 millions de
kilomètres carrés d'eau, 2 millions de kilomètres
carrés de terre, quatre mille ans d'histoire, puisque
l'écriture fut d'abord méditerranéenne. La Méditerranée, c'était, merveilleuse découverte, l'espace dégagé
de l'Etat, l'espace vrai, c'est-à-dire le paysage, le
dialogue de l'homme avec la terre, avec le climat, ce
séculaire combat de l'homme et des choses, sans
l'écran de l'Etat, sans la *diminutio capitis* du cadre
national avec sa géographie administrative et ses frontières. La géohistoire, c'était encore, en histoire, un
temps très long, presque géologique, un temps immobile, en opposition dialectique, donc, avec le temps
court, nerveux, que la dynamique conjoncturelle[26] de

l'école de Simiand et plus encore de Labrousse avait repêché de la démarche habituelle de l'histoire, avec comme une prédisposition structuraliste bien avant l'heure. C'est au moment où l'espace va cesser de commander la croissance, où les derniers empires des colonies avec drapeaux, legs de l'Europe industrielle du XIXᵉ en perte de vitesse, sont sur le point de s'effondrer et de se transformer en des systèmes plus complexes de dépendance, que les dimensions géographiques assiègent l'histoire. L'histoire économique des années 30 et 40 est au rendez-vous de la dynamique conjoncturelle et de l'analyse du couple temps-espace.

L'histoire économique, en France, de 1945 à 1960, s'efforce d'incorporer, en dépassement, sous l'impulsion d'Ernest Labrousse et de Fernand Braudel, cette double innovation. Elle rêve de combiner la leçon de Simiand et celle de la géohistoire. Elle cherche la totalité – une totalité économique – dans des espaces qui vont du petit pays[27] dont le modèle a été procuré par le *Beauvaisis exemplaire*[28], des Catalognes[29], la province presque nation[30], de la province prétexte à l'exploration géniale de la plus longue durée[31], dans une entreprise qui annonce les formes nouvelles[32] d'une autre histoire économique, aux grands espaces océaniques, Atlantique méridien[33] des Portugais[34], Atlantique parallélogrammique de la Carrière des Indes[35], océan Indien[36] et Pacifique[37]. C'est peut-être dans cette étude des espaces océaniques[38] que tente de se réaliser le plus ouvertement la combinatoire de la dynamique conjoncturelle de Simiand-Labrousse et de la géohistoire de Fernand Braudel. Ces recherches macro-spatiales s'expriment tout naturellement dans les analyses en structure et conjoncture. Depuis les années 50, au moins, l'histoire économique a dépassé la parcimonie préalable dangereuse mais nécessaire d'une conjoncture réduite aux prix. Elle a cherché dans les trafics[39], entre autres, le substitut de l'impossible production[40]. L'impossible production est à la mesure même du présupposé implicite de l'histoire économique quantitative à la première génération. Parti du modèle des prix, désireuse d'atteindre la structure ondulante, la dynamique conjoncturelle des économies anciennes de l'ère préstatistique, cette histoire quantitative à la première génération est trop marquée, encore, par l'angoisse de la crise[41], par les ambitions d'une quantification fine, pour se résoudre, d'entrée de jeu, au substitut modeste mais utile de la pesée globale en histoire où Fernand Braudel a excellé[42]. On peut être tenté d'accorder à la critique ultérieurement formulée par les quantitativistes de l'école Kuznets, Marczewski[43], que cette histoire quantitative à la première génération a peut-être consacré trop d'efforts à des séries extrêmement fines de secteurs minoritaires au détriment des secteurs les plus vastes de l'économie. Et pourtant, c'est précisément par la rigueur de la pensée et la sûreté du résultat, que la dynamique conjoncturelle régressive, l'histoire économique à la première génération, peut sous-tendre, aujourd'hui, les ambitions immenses, qui naissent au seuil des dernières décennies du siècle, au troisième niveau de ce que je suis tenté d'appeler l'histoire sérielle.

On peut, dix ans après, tenter un bilan. Trois lois me paraissent se dégager. Nous nous sommes efforcé de démontrer, dans le cadre privilégié de l'espace atlantique espagnol et hispano-américain[44], la réalité de l'hypothèse quadricyclique[45] appliquée à un secteur très large[46] de l'économie. Cycles de Kitchin, de Juglar, Kondratieff et phases se superposent sans contestation possible. L'hypothèse a été très largement vérifiée[47]. Nous pouvons formuler, sous forme de loi, le premier acquis de la dynamique conjoncturelle : la structure ondulante des économies et des sociétés est universelle. L'hypothèse multicyclique s'applique partout. Elle n'a subi aucun démenti. Même si de la fin du XIIIᵉ à la fin du XVIIIᵉ, les fluctuations s'inscrivent toutes entre deux plans presque horizontaux. Ce rectificatif est postérieur. La théorie du monde plein[48], les *checks* malthusiens empruntés à M. M. Postan[49], les recherches conduites en démographie historique et la grande enquête de la VIᵉ section de l'Ecole des hautes études sur la production agricole d'après les dîmes[50] tendent à proposer pour la très longue durée du XIIIᵉ au début du XIXᵉ siècle, en Occident, un *trend* presque horizontal, un trend faiblement ascendant et non pas, bien sûr, cette fausse horizontalité hâtivement plaidée sur des échantillons microscopiques et peu représentatifs[51].

La seconde loi découle de la première. Elle permet d'affirmer l'existence d'une conjoncture économique. Les milliers de courbes dessinées à partir de séries minutieusement calculées, dans une remontée toujours plus systématique du protostatistique sont presque toujours liées entre elles par des corrélations positives. Exemples typiques : la corrélation positive prix/trafic à l'intérieur de l'espace atlantique qui lie Séville, c'est-à-dire l'Europe, et l'Amérique, la corrélation positive qui lie les prix, les indices d'activités de l'Atlantique et du Pacifique des Ibériques aux XVIᵉ, XVIIᵉ et XVIIIᵉ siècles, la corrélation prix/trafics, populations, activités[52], qui s'établissent dans tous les secteurs.

Troisième loi. Du XIIIᵉ au XXᵉ siècle, des secteurs moins développés vers les secteurs plus développés, du monde extra-européen vers le Monde issu de la vieille chrétienté latine, on observe une tendance à l'atténuation des amplitudes et à la réduction des périodes.

Cette loi ne supporte aucune exception. Elle se vérifie sur les courbes de population, sur les prix, sur les indices d'activité et de production, hors d'Europe et en Europe.

III

Au point de la recherche, l'histoire économique a déjà muté. Sur l'horizon des années 50, aux Etats-Unis, d'abord, dans l'ombre des chaires d'économie politique, en Europe, une recherche plus ambitieuse dans ses visées, mais surtout, différente dans ses motivations profondes, se constitue, sans interférer, tout de suite, sur les recherches de dynamique conjoncturelle. Un grand nom, au départ, Simon Kuznets. Je me bornerai à renvoyer à un débat courtois[53] et à reprendre la conclusion qui semble s'en être dégagée. Nous réserverons désormais le terme d'histoire quantitative aux entreprises du type de celles de Simon Kuznets et de Jean Marczewski, « nous parlerons désormais[54] d'histoire quantitative, seulement quand les résultats pourront se couler dans un moule de comptabilité nationale », régionale et macro-spatiale, quand la quantification aura été globale, systématique et totale.

En fait, cette forme d'histoire est, sur le plan technique, liée à la généralisation, dans les pays les plus industrialisés, donc les mieux armés dans l'ordre de la statistique économique, des grands systèmes de comptabilité nationale.

L'effort se poursuit. A quelques ratés relativement minimes près, – ils portent presque uniquement sur le protostatistique –, l'histoire économique totalisante

des économistes a fait faire à une connaissance utile
du passé de très sensibles progrès.

L'expérience a ses limites, elle a aussi ses dangers,
elle est appelée, selon toute vraisemblance, à préparer
de nouveaux dépassements. En réalité, elle s'établit en
corrélation étroite avec des préoccupations qui sont,
peut-être, ressenties avec moins d'acuité, au seuil de la
décennie 70 qu'elles ne le furent au cours des années
50 du XXᵉ siècle. Cette forme d'histoire quantitative
est, d'abord, une histoire de la croissance. La première
histoire économique fut, essentiellement, histoire de la
dynamique conjoncturelle. Elle fut *histoire de la Crise.* L'histoire quantitative des économistes fut,
d'abord, une histoire du démarrage, *de la croissance* et
des disparités de la croissance. Elle est inséparable du
succès de Rostow[55]. Elle est inséparable de la décolonisation, de la découverte d'un tiers monde, hors
d'Europe et de l'Amérique du Nord, des disparités
régionales de tous les *Mezzogiorno* et, surtout, du
fameux phénomène de l'ouverture des ciseaux. L'accélération de la croissance économique, l'amélioration
malheureusement très provisoire de la santé démographique des pays développés, la reprise en Europe
industrielle et en Amérique du Nord de la croissance
démographique, ce qu'on a appelé, à tort et à travers,
l'explosion démographique du tiers monde, ont fait
prendre conscience d'une structure très ancienne du
développement. Le développement, avant d'atteindre
le seuil d'une hypothétique maturité, est, d'abord,
cumulatif, les secteurs déjà les plus développés sont
ceux qui ont l'aptitude à se développer le plus rapidement et, par conséquent, la distance qui sépare les
pays industriels développés des secteurs traditionnels
acculturés et involués a tendance à s'accroître. Il faut
se pencher sur les mécanismes du développement qui
ne doit pas être confondu avec la croissance[56], distin-

guer les caractères les plus généraux des traits spécifiques du développement historique moteur du *take off* anglais et européen[57].

Cette seconde forme d'histoire économique a ses limites et ses dangers. Ses limites. Il est bien évident que la quantification totale circulaire dans un système clos de comptabilité ne saurait, en aucun cas, remonter au-delà du XIXᵉ siècle, pour les seuls secteurs privilégiés de l'Europe et de l'Amérique industrielle. Dans l'Angleterre de Gregory King, on peut, peut-être, s'aventurer au-delà, à travers un protostatistique bien fourni. Même si, sur quelques points, des réserves ont été émises, Phyllis Deane et W. A. Cole[58] ont procuré ce qui me semble constituer, à ce jour, la seule histoire quantitative, tant soit peu réussie, qui parte de la fin du XVIIᵉ siècle, grâce, notamment, à l'œuvre géniale et pionnière de Gregory King. Mais il est bien évident que la quantification de Deane et Cole peut à peine être assimilée à une quantification totale. Elle ne répond que très imparfaitement aux exigences de Kuznets et de Marczewski. Qu'apporte, en revanche, la *New Economic History*[59]? Cette prétendue histoire est à peine de l'histoire. Elle se complaît dans le temps très court d'un presque temps présent, elle se cantonne au secteur américain hyperdéveloppé, où elle raffine, sans grand mérite, sur un matériel statistique abondant, et, pour l'essentiel, déjà préélaboré.

La *New Economic History* n'est guère, dans ces conditions, que la section nord-américaine de la deuxième histoire économique quantitative, l'histoire à l'âge de la comptabilité nationale et des modèles. A l'intérieur même de l'économie américaine, la *New Economic History* est embarrassée dès qu'elle aborde les années 1830. Pratiquement les auteurs renoncent à incorporer à leur systématique cette archéologie loin-

taine pour eux des années 1800-1830. Ils ont conscience, plus ou moins obscurément, d'une modification structurelle qui rend difficiles et chanceux les
raccords. D'où le recours révélateur aux modèles
théoriques qui fait intervenir des hypothèses sans
vérification historique. L'exemple le plus célèbre est
celui du développement de l'économie américaine
sans les chemins de fer. On a atteint l'absurde. Il y a
enfin l'énormité des présupposés philosophiques
implicites. L'*homo oeconomicus* de la *New Economic
History* me paraît, à de rares exceptions près, peut-
être, parfaitement rodé. Non seulement sa réaction au
seul profit est parfaite, immédiate, sans hésitation,
sans conflit, sans latence, un homme parfait, tel qu'on
en rêvait dans les cours d'économie politique, à
l'époque de Jean-Baptiste Say, sans corps, sans sexe,
sans affectivité, sans racine, sans esprit, sans âme.
Toujours conscient, bien informé, prêt à réagir au seul
profit, comme une mécanique de Vaucanson. Ce n'est
que passage à la limite, mais il montre qu'il ne suffit
pas d'aller de l'avant pour progresser, il faut savoir,
aussi, et cela est, chaque jour, un peu plus difficile,
conserver l'acquis, sous peine de passer, sans transition, du temps des ordinateurs à celui des cavernes.

La quantification globale ne doit pas se payer d'une
régression du matériau statistique utilisé par rapport
aux étapes antérieures de la recherche.

Mais la principale limitation est ailleurs. Elle me
paraît résider dans le fait que la nouvelle histoire
économique quantitative sort plus difficilement que la
dynamique conjoncturelle et l'histoire géographique
des années 30 à 50 du secteur de l'économique
étroitement délimité.

IV

C'est pourquoi la nouvelle histoire économique quantitative appelle presque immédiatement de nouveaux dépassements. Depuis quelques années se dessine ce que je suis tenté d'appeler le _retour au sériel et l'intrusion du quantitatif au troisième niveau._ La dynamique structurelle place ses lointains référants vers 1890, elle explose entre 1930 et 1935, culmine entre 1950 et 1960. L'histoire quantitative globalisante a ses premiers référants vers 1930, elle traverse son _take off_ au début des années 60, elle culmine entre 1965 et 1968. Elle est loin d'avoir épuisé son élan. Les possibilités de combinatoires sont immenses avec la dynamique conjoncturelle et la géohistoire. Elle possède depuis la mise en marche des ordinateurs de la troisième génération[60] d'énormes possibilités. Marcel Couturier, Emmanuel Le Roy Ladurie, François Furet ont été parmi les premiers en France à en tirer parti. Il n'y a pratiquement pas de travail important dans l'histoire économique depuis 1968 qui ne recoure massivement au traitement informatique. La nouvelle histoire économique quantitative n'est pas née avec l'ordinateur mais sa croissance est largement facilitée par le prestigieux multiplicateur de tous nos moyens. L'ordinateur, plus qu'au progrès de l'histoire économique, est appelé à contribuer au débordement des méthodes de l'histoire économique.

C'est là que se situe la grande mutation de l'histoire. L'histoire économique, aujourd'hui, moins qu'un objet, est, d'abord, un état d'esprit, un ensemble de méthodes, une approche. Pour tout ce qui s'aventure, pour tout ce qui déborde, j'ai proposé d'abandonner quantitatif et de garder sériel. L'histoire sérielle englobe toutes les histoires quantitatives, mais elle les dépasse, partie à la conquête du troisième niveau, tâtonnant aux limites des systèmes de civilisation.

L'histoire sérielle a, elle aussi, ses référants. Depuis vingt ans, Alphonse Dupront, parti de l'idée de croisade, s'est penché sur les aspects les plus secrets du mental collectif, allant des mots aux choses, des manifestations paniques de la Foi au vocabulaire des Lumières. L'histoire sérielle, qui fait aussi écho aux angoisses du temps présent, envisage un système d'alliances privilégiées avec des sciences humaines qui n'ont guère bénéficié, jusqu'ici, des remontées sérielles, de l'anthropologie aux diverses ethnologies et à la psychologie collective. Sans omettre cette vieille alliée traditionnelle, toujours renouvelée, la démographie.

L'histoire économique ne cesse d'améliorer ses techniques. Il lui arrive de trouver plus que ce qu'elle recherche dans les détours de ses cheminements intellectuels.

Trois exemples entre plusieurs. Emmanuel Le Roy Ladurie a montré, des *Paysans de Languedoc*[61] à la grande enquête militaire de 1866[62], qu'une anthropologie physique régressive était souhaitable, possible et infiniment fructueuse. Connaître le matériel humain. Emmanuel Le Roy Ladurie[63] encore a montré comment une histoire de la variable climatique était possible dans la courte, dans la moyenne et dans la très longue durée[64]. Le Centre de Recherches d'histoire quantitative de l'université de Caen a mis au point une méthode que je propose d'appeler méthode d'histoire administrative sérielle et de cartographie régressive[65]. Elle permet l'utilisation exhaustive des données chiffrées dispersées, pour toute la durée de la société traditionnelle, dans un cadre régional, de la fin du XIIIᵉ au début du XIXᵉ siècle. Le gain de productivité est énorme. La récupération d'un matériau inutilisable par les méthodes traditionnelles, considérable. Cette méthode est fructueuse, en raison de la prodigieuse stabilité de l'habitat rural du XIIIᵉ au XIXᵉ siècle sur l'horizon du monde plein. Elle donne toute sa mesure aujourd'hui, grâce aux ordinateurs. Elle a été conçue dans la perspective d'une étude de population, sur la très longue durée[66]. L'histoire administrative sérielle comme la cartographie régressive rappelle, évidemment, le rôle privilégié de la démographie historique.

C'est elle, au vrai, cette fille aînée de l'histoire économique, – à quelle histoire économique peut-on prétendre sans ce que Ernest Labrousse appelle, traditionnellement, le diviseur, il faut préciser un diviseur pondéré? – qui est la première responsable aujourd'hui des rebondissements en chaîne de l'histoire sérielle[67]. Science française, science de la longue durée, la France étant un laboratoire du vieillissement catastrophique des populations industrielles[68]. Science qui appelle, presque nécessairement, un pourvoyeur de longues séries. Science des remontées. La démographie historique est, depuis dix ans, le secteur nᵒ 1, de beaucoup le plus fécond[69] de toute la recherche historique[70]. La géniale méthode Fleury-Henry est une méthode d'historien et même, caricaturalement, de généalogiste : quoi de plus historique, au sens le plus traditionnel, que la reconstitution des familles, quoi de plus sériel qu'une méthode qui permet de calculer le coefficient net de reproduction et l'espérance de vie à Colyton du XVIᵉ siècle à nos jours?

L'histoire démographique, aujourd'hui, vaut surtout par ses produits, faut-il dire ses retombées? Le patient labeur sur les fiches de dépouillement des archives des pauvres conduit, bien évidemment, à l'histoire religieuse sérielle[71], à l'histoire des attitudes devant la vie, à l'histoire du couple, donc de la structure de base la plus fondamentale de sociabilité, à l'histoire de l'amour, de la vie et de la mort.

*

Nous nous sommes efforcé de démonter ailleurs[72] les mécanismes qui conduisent l'histoire sérielle, hier économique et sociale, à l'assaut du troisième niveau, à savoir l'essentiel, l'affectif, le mental, le psychique collectif... disons mieux les systèmes de civilisation. Cette branche de l'histoire existait depuis plusieurs décennies. Alphonse Dupront, longtemps, en a tracé, presque seul, les avenues pionnières. La mutation de ces dernières années découle de l'élargissement des champs d'intérêt, et de l'adaptation, à ce secteur nouveau, des méthodes sérielles mises au point par l'historien économiste, à savoir la constitution de séries statistiques, qui portent le troisième niveau, au bénéfice de l'analyse mathématique des séries et de la double interrogation du document, d'abord en soi, puis par rapport à sa position au sein de la série homogène dans laquelle l'information de base est intégrée et posée.

Plusieurs approches sont possibles. Le contenu de la civilisation écrite est relativement plus facile à cerner. François Furet[73], Henri Martin[74], Robert Estivals[75], quelques autres[76] ont jeté les bases d'une étude quantitative du volume global de l'écrit imprimé. Elle peut, avec l'aide de l'ordinateur, grâce à la sémantique quantitative, arriver à un début encore bien modeste d'une étude de contenu global des différentes couches du discours élaboré.

Le contenu des cultures traditionnelles, l'accès à la

pensée, à la sensibilité, au cadre de vie de ceux qui
n'accèdent pas au langage écrit, est beaucoup plus
difficile à trouver. Là encore, les méthodes de l'histoire économique sont adaptables et transposables.
Victor-Lucien Tapié[77] et ses élèves viennent de prouver éloquemment ce que l'on peut attendre du traitement sériel d'une image privilégiée, merveilleux
témoin de la sensibilité religieuse et du contenu de la
Foi, les retables des églises de campagne du XVIIᵉ et du
XVIIIᵉ siècle. Le traitement du contenu de l'image s'est
fait, en partie, en utilisant les procédés graphiques
exposés par Jacques Bertin dans la *Sémiologie graphique*[78]. Cette enquête pionnière est, aujourd'hui, le
point de départ d'une exploration que nous voudrions
méthodique de l'image.

L'enchaînement est plus sensible encore pour le
mobilier, l'église et l'habitat paysan.

Une enquête assez classique d'histoire économique[79] débouche aujourd'hui sur un inventaire monu-
mental d'un type tout à fait nouveau. Par-delà l'objet,
saisi dans une pesée globale, c'est le contenu d'une
civilisation non écrite que l'on s'efforce de cerner.

Mais ce sont, évidemment, les études sur le sexe, la
vie et la mort qui vont le plus loin[80]. Le grand livre
pionnier de Michel Vovelle[81], le beau livre plus
classique mais d'une rare finesse d'analyse de François
Lebrun[82], tout un ensemble de thèses qui débutent,
montrent que le quantitatif maîtrisé, grâce à l'économique, hier, et l'informatique demain, peut atteindre
un pan capital d'une histoire de l'essentiel[83].

Pièce par pièce, une histoire globale des systèmes de
civilisation s'ébauche. La concordance est évidente
avec la crise de civilisation qui affecte, depuis 1962,
secteurs par secteurs, les pays qui arrivent, progressivement et sectoriellement, à l'ère postindustrielle. La
crise met en cause les transpositions laïques des

valeurs de civilisation de chrétienté réalisées au siècle des Lumières, la transposition eschatologique de la finalité chrétienne sur une croissance longtemps auto-motivante. A l'histoire des manières de faire[84] succè-de, presque nécessairement, celle des manières de penser, de sentir, l'histoire est arrivée au seuil des motivations.

C'est pourquoi les recherches quantitatives condui-tes sur la formation du couple, sur les attitudes collectives devant la mort ne constituent qu'une étape utile mais très provisoire. C'est l'ensemble du discours qu'il faut atteindre, pour coder correctement les signes paniques qui traduisent l'essentiel. Il faut, à la lueur du sériel, revenir aux pensées les plus élaborées de l'élite. Le sériel débouche sur une modalité supérieure d'analyse de la qualité.

L'histoire des systèmes de civilisation, qui est aujourd'hui nécessité vitale, est à ce prix.

NOTES

1. Ernest Labrousse, *Histoire économique et sociale de la France,* t. II, P.U.F., 1970, p.v.

2. Emile Levasseur, *Histoire des classes ouvrières et de l'industrie en France avant 1789,* 2e éd. entièrement refondue, Paris, 1900-1907, 5 vol.

3. Nous avions noté, en 1955, déjà (H. et P. Chaunu, *Séville et l'Atlantique (1504-1650),* t. I, p. 28, « De toutes les branches de l'histoire économique, l'histoire des prix est, sans conteste, celle qui a obtenu, dans le sens d'une histoire de la mesure, pour les temps modernes et même pour le Moyen Age, les résultats les plus décisifs. Elle fut pionnière ».

4. J. E. Thorold Rogers, *A History of Agriculture and Prices in England from the year after the Oxford Parliament to the commen-cement of the Continental War (1793),* Oxford, 7 vol., 1866-1902; et

du même, *Six Centuries of Work and Wages,* Londres, 2 vol., 1884.

5. G. Wiebe, *Zur Geschichte der Preisrevolution des XVI. und XVII. Jahrhunderts,* Leipzig, 1895.

6. Vicomte G. d'Avenel, *Histoire économique de la propriété, des salaires, des denrées et de tous les prix en général, depuis 1200 jusqu'à l'an 1800,* Paris, 7 vol., 1894-1926.

7. D. Zolla, « Les variations du revenu et du prix des terres en France aux XVIIᵉ et XVIIIᵉ siècles », *Annales de l'Ecole libre des sciences politiques,* Paris, 1893-1894.

8. Natalis de Wailly, *Mémoire sur les variations de la livre tournois depuis le temps de Saint Louis jusqu'à l'établissement de la monnaie décimale,* Paris, 1857.

9. J.-J. Clamageran, *Histoire de l'impôt en France,* Paris, 1867-1876, 3 vol., 1800 p.

10. Jamais la production des grands outils documentaires n'a été aussi abondante, en Europe occidentale, qu'entre 1880-1890 et 1910.

11. Yves Renouard, « La notion de génération en histoire », *Revue historique,* t. CCIX, nᵒ 425, janvier-mars 1953, pp. 1-23; et *Etudes d'histoire médiévale,* t. I, Paris, S.E.V.P.E.N., 1968, pp. 1-23.

12. Ernest Labrousse, *L'Esquisse du mouvement des prix et des revenus en France au XVIIIᵉ siècle,* Paris, Dalloz, 1933, 2 vol., XXIX-306 p., 391 p.

13. Fernand Braudel, *La Méditerranée et le monde méditerranéen à l'époque de Philippe II,* Paris, A. Colin, 1949, XV-1160 p.; deuxième édition profondément remaniée et considérablement augmentée, Paris, A. Colin, 1966, 2 vol., 589 et 629 p.

14. Ernest Labrousse, *La Crise de l'économie française à la fin de l'Ancien Régime et au début de la Révolution,* Paris, P.U.F., 1944, LXXV-664 p.

15. En dépit de l'allongement statistique de la vie humaine, allongement stoppé depuis quinze ans, dans les secteurs les plus développés où quelques tassements dus à nos mauvaises habitudes sont perceptibles, cette durée est une donnée trois fois millénaire. Au psaume XC (§ 10), dans cette très vieille prière dite Prière de Moïse du Psautier, ne lisons-nous pas : « Nous voyons nos années s'évanouir comme un son. Les jours de nos années s'élèvent à soixante et dix ans, et pour les plus robustes, à quatre-vingts ans »... Cinquante ans de vie adulte.

16. François Simiand, Paris, Alcan, in-12, II-142 p., 1932.

17. Frank Freidel, *America in the Twentieth Century,* New York, A. A. Knopp.

18. Jusques et y compris, naturellement, le domaine religieux. Les années 30 sont, aussi, celles d'un ressaisissement et d'un ressource-

ment de la pensée théologique et mystique (Karl Barth). A partir de 1955-1960, un néo-libéralisme animé, aux Etats-Unis, par une *diaspora* de théologiens allemands, lancé, comme un produit de consommation par les *mass media*, contribue à la grande évacuation du contenu de la pensée chrétienne, à la grande destruction par l'intérieur de toutes les églises, dans la décennie des années 1960.

19. Henri Hauser, « Un comité international d'enquête sur l'histoire des prix », *Annales d'histoire économique sociale,* t. II, 1930, p. 384-385.

20. Pour la France, Henri Hauser, 1936, Ernest Labrousse, 1933 et 1944; – pour l'Angleterre, Beveridge, 1939; – pour la Hollande, N. W. Posthumus, 1946-1968; – pour la Belgique, C. Verlinden et Y. Craey-Beckx, 1959; – pour l'Allemagne, M. J. Elsas, 1936-1949; – pour l'Autriche, A. F. Pribram, 1938; – pour le Danemark, A. Friis, 1958; – pour la Pologne, S. Hoszowski, 1934, 1938, trad. française 1954; – pour la Russie, A. G. Mankov, 1954; – pour l'Espagne, E. J. Hamilton, 1934, 1937 et 1947; – pour le Portugal, V. M. Godinho, 1958; – pour l'Italie, A. Fanfani, 1940, et G. Parenti, 1939 et 1942.

Pour une récapitulation synthétique de toutes les recherches consacrées à l'histoire des prix, F. Braudel et F. C. Spooner, « Prices in Europe from 1450 to 1750 » in *Cambridge Economic history,* t. IV, Cambridge, 1967, pp. 378, 485 et 608-675.

21. N. D. Kondratieff, « Die langen Wellen der Konjonktur », *Archiv für Sozial-Wissenschaft,* 1926; et à ce propos voyez Gaston Imbert, *Des mouvements de longue durée Kondratieff,* Aix-en-Provence, La Pensée universitaire, 1959, XII-538 p. + hors-texte.

22. *Les Fluctuations économiques de longue période et la crise mondiale, op. cit.*

23. Cf. Pierre Chaunu, « L'Histoire géographique », *Revue de l'enseignement supérieur,* 1969, n° 44-45, pp. 66-77.

24. Fernand Braudel, *op. cit.,* 1949, p. IX-XXV.

25. De Laurent Valla, de l'humanisme italien du XVᵉ siècle aux bénédictins de Saint-Maur, sur l'horizon de la crise de conscience européenne au seuil des Lumières, jusqu'à l'herméneutique biblique historiciste des universités allemandes au XIXᵉ siècle, les techniques de la critique du texte et de l'établissement du fait ont eu tout le temps d'atteindre un point de perfection formel qui ne sera jamais plus dépassé.

26. Pierre Chaunu, « Dynamique conjoncturelle et histoire sérielle », *Industrie,* n° 6, juin 1960, 4, rue de Ravenstein, Bruxelles.

27. Pierre Goubert, *Beauvais et le Beauvaisis de 1600 à 1730. Contribution à l'histoire sociale de la France au XVIIᵉ siècle,* Paris, S.E.V.P.E.N., 1960, 2 vol., LXXII-653 p. + planches et l'atlas.

28. Sur le petit pays une des cellules fondamentales de la sociabi-

lité, notre article : Pierre Chaunu, « En marge du Beauvaisis exemplaire. Problèmes de fait et de méthode », *Annales de Normandie,* n° 4, décembre 1960, pp. 337-365.

29. Pierre Vilar, *La Catalogne dans l'Espagne moderne, Recherches sur les fondements économiques des structures nationales,* Paris, S.E.V.P.E.N., 3 vol., 1962, 717 p. + 586 p. + 570 p. + 1 atlas.

30. A ce propos, Pierre Chaunu, « Les Espagnes périphériques dans le monde moderne », *Revue d'histoire économique et sociale,* t. XVI, 1963, n° 2, pp. 145-182.

31. Emmanuel Le Roy Ladurie, *Les Paysans de Languedoc,* Paris, S.E.V.P.E.N., 1966, 2 vol., 1060 p. + cartes, graphiques, hors-texte.

32. Pierre Chaunu, « A partir du Languedoc. De la peste noire à Malthus, Cinq siècles d'histoire sérielle », *Revue historique,* t. CCXXXVII, fascicule 482, avril-juin 1967, pp. 359-380.

33. Frédéric Mauro, *Le Portugal et l'Atlantique au XVIIe siècle (1570-1670). Etude économique,* Paris, S.E.V.P.E.N., 1960, LXII-550 p.

34. Pierre Chaunu, « Brésil et Atlantique au XVIIe siècle », *Annales E.S.C.,* 1961, n° 6, pp. 1176-1207.

35. H. et P. Chaunu, *Séville et l'Atlantique,* 1re partie, 7 t. en 8 vol., Paris, S.E.V.P.E.N., 1955-1957, 3890 p., grand in-8° et in-4°; P. Chaunu, *Séville et l'Atlantique,* IIe partie, 2 t. en 4 vol., Paris, S.E.V.P.E.N., 1960, 3453 p., grand in-8°.

36. Vitorino Magalhaes Godinho, *L'Économie de l'empire portugais aux XVe et XVIe siècles* (achevé en 1958), publié en 1969, Paris, S.E.V.P.E.N., 1969, 857 p. + IV.

37. Pierre Chaunu, *Les Philippines et le Pacifique des Ibériques,* Paris, S.E.V.P.E.N., 2 vol., 1960 et 1966, grand in-8°, 302 p. et 80 p.

38. A ce propos, une mise au point bibliographique plus complète dans Pierre Chaunu, *L'Expansion européenne du XIIIe au XVe siècle,* Paris, 1969, P.U.F., 396 p. in-8; et *Conquête et exploitation des nouveaux mondes,* Paris, 1969, 445 p. in-8.

39. F. Braudel et R. Romano, *Navires et marchandises à l'entrée du port de Livourne (1547-1611),* Paris, 1951, 112 p.

40. H. et P. Chaunu, *Séville, Introduction méthodologique,* Paris, 1955, XVI-332 p. + cartes, pp. 1-31.

41. « Connaître, analyser, dominer pour les mieux domestiquer les fluctuations économiques... voilà la préoccupation essentielle... », P. Chaunu, « Dynamique conjoncturelle et histoire sérielle », *op. cit.,* Bruxelles, 1960.

42. Pierre Chaunu, « La pesée globale en histoire », *Cahiers Vilfredo Pareto,* t. XV, 1968, Genève, Droz, pp. 135-164.

43. Les critiques des quantitativistes américains ultra-libéraux ont rejoint curieusement celles des marxistes de stricte observance, dix ans plus tôt.

44. H. et P. Chaunu, *Séville et l'Atlantique.*

45. L'expression est de Guy Beaujouan, dans le compte rendu qu'il a consacré à notre étude in *Journal des savants,* 1960.

46. Pour une pesée globale de ce secteur, P. Chaunu, *Conquête et exploitation des nouveaux mondes,* et P. Chaunu, « Place et rôle du Brésil dans les systèmes de communication et dans les mécanismes de la croissance de l'économie du XVIᵉ siècle », *R.H.E.S.,* t. XLVIII, nᵒ 4, pp. 460-482.

47. F. Braudel et F. C. Spooner, in *Cambridge Economic History,* 1967, *op. cit.*

48. Elle doit beaucoup en France à Emmanuel Le Roy Ladurie... Nous lui faisons large place dans nos études en cours sur les systèmes de civilisation.

49. In the *Cambridge Economic History of Europe,* t. I, 1ʳᵉ éd. 1941, 2ᵉ éd. 1966.

50. *Les Fluctuations du produit de la dîme,* Association française des Historiens économistes. Premier congrès national. Communications et travaux rassemblés et présentés par J. Goy et E. Le Roy Ladurie, Ecole pratique des hautes études, VIᵉ section, Cahier des Etudes rurales III, Mouton, Paris-La Haye, 1972, 396 p.

51. M. Morineau, « Les faux-semblants d'un démarrage économique », Paris, 1971, *Cahier des Annales,* nᵒ 30.

52. P. Chaunu, « Le renversement de la tendance majeure des activités et des prix au XVIIᵉ siècle », *Studi in onore di Amintore Fanfani,* t. IV, Milan, 1962, pp. 221-257, et « Le XVIIᵉ siècle. Problèmes de conjoncture », in *Mélanges Antony Babel,* Genève, 1963, pp. 337-355.

53. Jean Marczewski, *Introduction à l'histoire quantitative de l'économie française* (11 vol. parus de 1961 à 1969, fondamental). Introduction, *op. cit.,* Paris, I.S.E.A., 115, A.F., nᵒ 1, pp. I, LIV; repris in *Cahiers Vilfredo Pareto,* t. III, Genève, Droz, 1964, « Buts et méthodes de l'histoire quantitative », pp. 125, 164 et pp. 177-180; cf. en outre Pierre Chaunu, « Histoire quantitative ou histoire sérielle », *Cahiers Vilfredo Pareto,* t. III, Genève, Droz, 1964, pp. 165-176; « Histoire sérielle, bilan et perspective », *Revue historique,* fasc. 494, avril-juin 1970, pp. 297-320, et *Revue roumaine d'histoire,* 1970, nᵒ 3.

54. Pierre Chaunu, *Revue historique,* avril/juin 1970, p. 300.

55. M. W. Rostow, *Les Etapes de la croissance économique,* 1ʳᵉ éd. anglaise en 1960, Paris, Seuil, 1963.

56. Pierre Chaunu, « Croissance ou développement? A propos d'une véritable histoire économique de l'Amérique latine aux XIXᵉ et XXᵉ siècles », *Revue historique,* fasc. 496, oct.-déc. 1970, pp. 357-374.

57. De nombreuses révisions récentes sont consacrées au *take off* historique de l'Angleterre et de l'Europe occidentale. On a réservé un accueil démesuré aux études de Paul Bairoch (cf. *Révolution indus-*

trielle et ses développements, Paris, S.E.D.E.S., 3ᵉ éd., 1969). Remarquable et récente analyse de François Crouzet, « The Economic history of modern Europe », *The Journal of Economic History,* vol. XXXI, mars 1971, nº 1, pp. 135-152; R. M. Hartwell, « The causes of the Industrial Revolution in England », in *Debates in Economic History* de Peter Mathias, Londres, Methuen, 1ʳᵉ éd., 1967 et 1970, IX-179 p.; David S. Landes, *The Unbound Prometheus, Technological Change and Industrial Development in Western Europe from 1750 to the Present,* Cambridge, 1969, IX-566 p. (traduction française à paraître chez Gallimard en 1974), et une très remarquable analyse encore semi-confidentielle de E. A. Wrigley sur « Modernisation et industrialisation », diffusée par le *Cambridge group for the history of Population and Social Structure.* Une mise au point utile : Claude Fohlen, *Qu'est-ce que la révolution industrielle?* Paris, Robert Laffont, 1971, 317 p.

58. Phyllis Deane et W. S. Cole, *British Economic Growth, 1688-1959, University of Cambridge Department of Applied Economics Monographs,* Cambridge University Press, 1964, XIV-348 p. + cartes.

59. Maurice Levy Leboyer, « La New Economic History », *Annales E.S.C.,* 1969, nº 5, pp. 1035-1069.

60. L'expression a été popularisée pour les historiens de langue française par Marcel Couturier. « Vers une nouvelle méthodologie mécanographique. La préparation des données », *Annales E.S.C.,* 1966, nº 4, juillet-août, pp. 769-778.

61. *Op. cit.,* Paris, 1966.

62. J.-P. Aron, P. Dumont, E. Le Roy Ladurie, *Anthropologie du conscrit français d'après les comptes numériques et sommaires du recrutement de l'armée, 1819-1826,* présentation cartographique, VIᵉ section de l'E.P.H.E., Mouton, Paris-La Haye, 1972, 262 p.

63. Emmanuel Le Roy Ladurie, *Histoire du climat depuis l'an mil,* Paris, 1967, Flammarion, 379 p. + 31 pl.

64. Pierre Chaunu, « Le climat et l'histoire à propos d'un livre récent », *Revue historique,* t. CCXXXVIII, fasc. 484, pp. 365-376.

65. Pierre Chaunu : « Les enquêtes du centre de recherches d'histoire quantitative de Caen, Bilans et perspectives... », *Colloque du C.N.R.S. de Lyon, octobre 1970, Industrialisation en Europe au XIXᵉ siècle, cartographie typologie,* Paris, C.N.R.S., 1972, p. 285-304.

La méthode, dont le mérite revient d'abord à Pierre Gouhier, sera exposée en détail dans le tome II (à paraître fin 1971) de l'*Atlas historique de Normandie,* Caen, C.R.H.Q., in-fᵒ, et dans un fascicule à paraître à part au C.R.H.Q. de Caen.

66. Pierre Gouhier, *La Population de la Normandie du XIIIᵉ au XIXᵉ siècle,* thèse, en cours.

67. Je renvoie à mon chapitre « La dimension de l'homme » dans P. Chaunu, *La Civilisation de l'Europe des Lumières,* Paris, Arthaud, 1971, 670 p. + 200 pl.

68. Pour la première fois de 1847 à 1851, d'une manière à peu près continue à partir de 1896.

69. Très bref bilan dans *L'Europe des Lumières,* pp. 95-170.

70. Voyez *Population* et *Population Studies* depuis 1946 et les *Annales de démographie historique* depuis 1964, et publications de l'I.N.E.D. de la VIᵉ section de l'Ecole des hautes études, du Centre de Cambridge et du C.R.H.Q. de Caen.

71. Un ensemble de possibles entre autres, autour de l'empressement devant le baptême; cf. aussi P. Chaunu, « Une histoire religieuse sérielle », *Revue d'histoire moderne et contemporaine,* 1965, nº 1, pp. 5-34.

72. P. Chaunu, « Un nouveau champ pour l'histoire sérielle, le quantitatif au troisième niveau », *op. cit., Mélanges Fernand Braudel,* t. II, Privat, 1972, pp. 105-126.

73. François Furet et collaborateurs, *Livre et société dans la France du XVIIIᵉ siècle,* Paris-La Haye, Mouton, 1965, t. I, in-8º, 238 p., 1970, t. II, 228 p.

74. Henri J. Martin, *Livre, pouvoir et société à Paris au XVIIᵉ siècle (1598-1701),* Genève, Droz, 2 vol, 1969, in-8º, 1091 p., cartes et graphiques, voie tracée déjà dans l'*Apparition du livre,* en collaboration avec Lucien Febvre, 1958, XL-558 p.

75. Robert Estivals, *Le Dépôt légal sous l'Ancien Régime de 1537 à 1791,* Paris, Marcel Rivière, 1961, III-141 p.; *La Statistique bibliographique de la France sous la monarchie au XVIIIᵉ siècle,* Paris-La Haye, Mouton, 1965, 460 p.; une thèse multigraphiée (bibliothèque de la Sorbonne) soutenue le 30 mai 1971 sur la *Bibliographie bibliométrique.*

76. Jean Quéniart, Geneviève Bollème..., récemment créée une *Revue d'histoire du livre.*

77. Victor-L. Tapié et collaborateurs, *Enquête sur les retables,* Paris, Centre de recherches sur la Civilisation de l'Europe moderne, 1972, 2 vol.

78. Jacques Bertin, *Sémiologie graphique,* Paris, Gauthier-Villars, Mouton, 1967, grand in-4º, 431 p.

79. Jean-Pierre Bardet, Pierre Chaunu, Gabriel Désert, Pierre Gouhier, Hugues Neveux, *Le Bâtiment, enquête d'histoire économique, XIVᵉ-XIXᵉ siècle,* I, *Maisons rurales et urbaines dans la France traditionnelle,* Paris, Mouton, 1971, 545 p. + pl.

80. « Le quantitatif au troisième niveau », art. cité.

81. Michel Vovelle, *Piété baroque et déchristianisation. Attitudes provençales devant la mort au siècle des Lumières*, Paris, Plon, 1973, 700 p.

82. François Lebrun, *Les Hommes et la mort en Anjou aux XVIIe et XVIIIe siècles. Essai de démographie et de psychologie historiques,* Paris-La Haye, Mouton, 1971, X-562 p.

83. Après l'exploit de Michel Vovelle, à travers 50 000 testaments sur les 500 000 conservés pour la Provence de 1680 à 1790, Jean-Marie Gouesse en prépare un semblable dans une thèse en cours, sur la formation du couple, d'après le traitement sériel des centaines de milliers de demandes de dispense conservées dans l'Ouest.

84. Je m'efforce de le montrer dans *Histoire Science Sociale-La durée, l'espace et l'homme à l'époque moderne,* Paris, S.E.D.E.S., 1974, grand in-8°, 450 p.

La démographie

PAR

ANDRÉ BURGUIÈRE

La démographie historique est une science jeune, à peine trentenaire, mais elle connaît déjà les maladies de la vieillesse : les travaux récents prennent un caractère répétitif et donnent l'impression de buter sur les mêmes antinomies. Ce n'est pas un constat d'échec, mais la rançon d'une fortune trop rapide. A l'inverse de presque toutes les autres disciplines historiques qui ont dû engranger de gros stocks d'informations, se familiariser peu à peu avec leurs sources avant de pouvoir mettre au point leurs méthodes d'analyse, la démographie historique a trouvé, presque dans la même foulée, le filon qui devait assurer son succès et une méthode rigoureuse pour l'exploiter. C'est après la dernière guerre que l'on commence en France à dépouiller les registres paroissiaux qui n'avaient attiré jusqu'alors que la curiosité des généalogistes. Très vite les procédés d'exploitation mis au point, en particulier la méthode de reconstitution des familles imaginée par L. Henry, inépuisable créateur des techniques d'analyse statistique de ce nouveau type de sources, donnèrent à la démographie historique une base scientifique solide.

D'où le paradoxe actuel de cette discipline, tête puissante posée sur un corps minuscule. Elle utilise des méthodes statistiques presque aussi rigoureuses que l'histoire économique et dans un domaine autrement plus réfractaire à la mesure que les faits économiques. Mais son stock de connaissances est indigent; quelques dizaines de villages, quelques villes émergent d'une immense pénombre. Pour des régions entières, c'est encore la nuit complète.

Ce déséquilibre est sans doute pour beaucoup dans le succès que la démographie rencontre actuellement chez les historiens. Au raffinement des techniques utilisées qui lui assure une sorte de légitimité *a priori,* le chercheur ajoute la prime d'inédit d'un terrain encore presque vierge. Chaque nouvelle paroisse étudiée semble devoir remettre en cause tout l'acquis comme si la connaissance des populations préindustrielles, atomisée dans un premier temps pour les commodités du dépouillement en une multitude de monographies, devait surgir, non de l'agencement de ces recherches fragmentaires, mais de leur mise en concurrence.

Si l'intérêt des sources démographiques ne devait se mesurer qu'à leur qualité statistique, l'époque contemporaine serait pour la démographie historique à la fois la plus commode et la mieux connue. Etat civil, recensement à fréquence régulière fournissent une documentation pratiquement illimitée. Or, l'étude des populations préindustrielles a fait plus de progrès ces vingt dernières années que celle des populations de l'âge industriel. Un phénomène complexe comme la baisse de la fécondité et l'introduction du contrôle des naissances en Europe à la fin du XVIIIᵉ siècle a été beaucoup mieux étudié, sinon mieux expliqué, que le mouvement inverse, la reprise de natalité, appelée *baby boom* dans les années 40. Phénomène récent, capital dont les effets se lisent nettement dans le monde qui nous entoure. Phénomène mystérieux puisqu'il apparaît au même moment, entre 1940 et 1945, dans des pays très inégalement touchés par la guerre comme l'Australie et la Tchécoslovaquie, les Etats-Unis et la Suède, la France et le Royaume-Uni, etc. Un très récent manuel de *Démographie histori-*

que[1], fort bien documenté sur le XVIIe et le XVIIIe siècle, explique cette reprise de natalité du milieu du
XXe siècle comme un « sursaut des populations blanches » face au danger mortel que leur fait courir la
guerre mondiale et à l'essor redoutable des populations de couleur.

Hypothèse qui laisse rêveur, mais traduit surtout le
sous-développement de l'histoire démographique de la
période contemporaine. C'est l'obstacle plus que l'évidence qui fait l'historien. C'est la rareté plus que
l'abondance des sources qui attire sur une période la
recherche historique et stimule son développement.
La démographie de l'époque préindustrielle et préstatistique (que nous appelons en France l'époque
moderne) a bénéficié incontestablement de l'effet d'entraînement d'une école historique en plein renouvellement qui, partie de l'étude sérielle des prix, était
amenée à déplacer sa problématique de la production
à la population et de la population à la société. Mais,
comme à chaque renouvellement important de la
recherche historique, l'impulsion essentielle est venue
de l'extérieur. Elle est venue des démographes de
l'I.N.E.D. dont la préoccupation majeure restait
l'étude de la baisse tendancielle de la fécondité en
France. Pour dégager non seulement les causes de
cette baisse, mais tout simplement son mécanisme, il
apparaissait nécessaire d'en reconstituer l'histoire,
donc de remonter la pente jusqu'au changement de
conjoncture, là où la population française connaissait
encore les taux de fécondité stables et élevés de la
plupart des sociétés agraires actuelles.

L'intérêt essentiel des registres paroissiaux, c'est de
modifier la nature de l'information statistique. Les
séries de prix, d'arrivées d'or, les séries de dîmes ou de
dates de vendanges, les autres ressources de l'histoire
quantitative permettent de donner la mesure exacte,

d'indiquer la tendance de phénomènes que les témoins de l'époque pouvaient observer à l'œil nu, sans pouvoir en mesurer l'importance. Les chiffres expriment donc en eux-mêmes une réalité manifeste minimale, même s'ils ont besoin pour prendre tout leur sens, d'être intégrés à une explication historique globale. Les informations les plus originales et les plus précieuses que l'on peut tirer des fiches de famille, les statistiques de fécondité, donnent au contraire l'impression d'un passage direct, grâce au langage mathématique, d'une réalité manifeste à une réalité cachée, des comportements aux motivations. Avec elles, l'histoire quantitative a pu nourrir l'ambition de mesurer l'immensurable, d'atteindre sans avoir à faire le détour ingrat par les témoignages littéraires ou simplement intimes (comme les livres de raison), les comportements de base, l'inavoué.

Tout résultat est porteur d'une signification considérable, d'où l'attrait inépuisable des monographies; mais en même temps ne signifie rien par lui-même. Il faut combiner entre eux taux de fécondité, espacement des naissances, âge au mariage, et taux de mortalité pour construire un modèle, c'est-à-dire un comportement simulé. Mais le modèle donne-t-il par lui-même la clé du phénomène? Car ces combinaisons sont variables. Elles fournissent non pas un mais plusieurs modèles qui nous laissent tous aux frontières d'une réalité culturelle ambiguë. La polysémie de la statistique démographique n'est nulle part aussi évidente que sur ce terrain ambitieux où l'ont placée les registres paroissiaux. C'est pourquoi nous voudrions limiter notre réflexion à cette période (XVIIe et XVIIIe siècle) et à ce problème du modèle démographique. C'est là, jusqu'à maintenant, que la démographie a le plus sollicité l'historien, qu'elle a le plus enrichi son savoir et bien sûr là aussi qu'elle soulève le plus de difficultés.

Difficulté d'abord à évaluer l'ancienneté d'un régime démographique que l'état des sources – du moins en ce qui concerne la France –, ne permet d'observer avec précision qu'à partir du milieu du XVIIᵉ siècle. Sommes-nous en présence d'un modèle traditionnel, premier, constitué depuis longtemps comme le système économique à base agricole dont il serait le corollaire, lourd déjà d'une histoire pluriséculaire? Ou bien d'un modèle se mettant en place au moment où apparaissent les sources, c'est-à-dire, pour la France dans la foulée de la réforme catholique? Il s'agirait alors d'une structure de transition, répondant à la conjoncture difficile du XVIIᵉ siècle : modèle d'austérité correspondant à une économie contractée, mais préparant également l'industrialisation et le décollage.

Difficulté également à projeter ce modèle dans l'espace et à mesurer les mouvements larges, les migrations qui apparaissent mal dans le « champ opératoire » d'une monographie. La reconstitution des familles et l'étude de la fécondité familiale ne peuvent s'appliquer aisément – comme nous venons de le souligner – qu'à des populations stables, connaissant peu ou pas de migrations. Le souci du chercheur est de retrouver trace, pour le plus grand nombre des familles, de toutes les naissances et éventuellement des décès d'enfants, dans la paroisse ou les paroisses voisines. C'est pourquoi les premières études se sont portées plus volontiers sur les paroisses rurales peu affectées, en principe, par la mobilité géographique. Mais à force de vouloir éliminer l'effet perturbateur des migrations sur l'analyse statistique de ces populations, on finit par surestimer leur stabilité.

Or, les contradictions du bilan démographique

général du XVIIIe siècle laissent supposer d'importantes migrations. Si dans la plupart des régions (l'Ouest mis à part) les paroisses rurales enregistrent une baisse très sensible de la mortalité et connaissent dès le milieu du siècle un taux de remplacement nettement positif, les villes, du moins celles sur lesquelles nous possédons quelques lumières, conservent une forte mortalité et un taux déficitaire. Or, dans le même temps, leur population augmente ou se maintient. On doit donc supposer un appel d'air constant, attirant vers ces villes « mouroirs » (P. Chaunu), la population rurale. Les villes en expansion sont en fait des villes-Molochs où vient s'engloutir une partie des surplus démographiques des campagnes. L'un des aspects nouveaux du XVIIIe siècle, l'un de ceux qui peuvent expliquer ce mieux-être mystérieux qui s'installe sans révolution industrielle et sans révolution agricole, c'est la circulation accrue des hommes entre campagne et villes qui déleste le monde agricole et renouvelle la main-d'œuvre urbaine.

Difficulté enfin à ne pas sous-estimer le poids des contradictions sociales. L'obstacle, c'est bien sûr l'insuffisance des registres (lorsque les professions ne sont pas mentionnées) mais aussi la confiance excessive des historiens dans la valeur des moyennes produites par l'analyse statistique. Les moyennes dissimulent avec les cas aberrants, les écarts sociaux. Cette inattention est d'autant plus surprenante que la démographie historique, en recourant aux sources statistiques ou sérielles se définit contre une histoire impressionniste, descriptive, qui prend pour argent comptant les témoignages littéraires, ou les exemples illustres. Il ne suffit pas d'opposer démographie d'élite et démographie de masse pour supprimer le problème. On a souvent l'impression que, les données de masse une fois atteintes, le terrain démographique est considéré à nouveau comme neutre, alors que les antagonismes sociaux s'y exercent avec une extrême virulence.

« Quelle que soit la finesse de nos moyens d'analyse, ils n'ont jamais permis de différencier un comportement démographique laboureur d'un comportement démographique manouvrier », écrit P. Chaunu[2], à propos de la Normandie. Certes, au niveau de la paroisse, le monde rural, isolé, encore largement pris dans le moule de la communauté villageoise, présente jusqu'à la fin de l'Ancien Régime une grande uniformité de comportement qui voile les différences sociales. Mais est-ce une raison suffisante pour affirmer que « l'unité du comportement démographique est plus territoriale qu'économico-sociale[3] »? Ce n'est pas l'étroitesse de ces différences qui nous les rend imperceptibles, mais l'étroitesse du champ d'observation. Le cloisonnement des recherches exagère l'isolement de ces populations en donnant l'impression qu'elles se développent à l'intérieur de leur monade, se bornant à reproduire les normes d'un modèle général. Il faut craindre ici la démographie de « jardinet ». Sortir du cadre de la paroisse est nécessaire non seulement pour comparer les performances, mais pour saisir (par exemple entre ville et campagne), au sein des comportements démographiques, les rapports de classe.

Montrer, à propos de la mortalité, le poids des antagonismes sociaux sur le destin démographique des populations, relève de l'évidence. Baehrel[4] a fort bien analysé le climat de lutte de classe que la peste installait dans les villes. P. Goubert observe dans le Beauvaisis, en période de crise, une mortalité typiquement économico-sociale dans « les localités... grouillantes de tisserands comme Mouy et Saint-Quentin de Beauvais[5] ». Enfin plusieurs études récentes[6] ont montré comment la mise en nourrice, phénomène de masse au XVIIIe siècle, soumettait les campagnes à une exploitation en cascade qui reproduisait la hiérarchie sociale : concurrence entre milieux bourgeois qui peuvent choisir les meilleures nourrices, dans les villages plus proches et milieux populaires qui doivent aller plus loin pour payer moins cher. Concurrence entre enfants légitimes et enfants trouvés que les hôpitaux doivent confier aux nourrices les moins chères et condamnent ainsi à une mort probable. Les paysans sont bien sûr entraînés dans cet élargissement infernal du marché des nourrices. Dans les villages proches de Lyon, de nombreuses familles, spéculant sur la différence des salaires de nourrissage entre région lyonnaise et régions périphériques, placent leurs propres enfants à bon compte, dans les zones-tombeaux, pour prendre elles-mêmes en nourrice les enfants des milieux aisés lyonnais [7].

Mais il serait inexact de limiter l'influence de ces antagonismes aux situations d'affrontement. Entre dominants et dominés, l'imitation, la contagion créent une tension favorable à l'évolution des comportements. Les comportements démographiques obéissent, de ce point de vue, aux mêmes règles que les autres comportements culturels. Contamination descendante, par exemple, pour la contraception [8]. Contamination ascendante pour l'âge au mariage.

PHYSIOLOGIE ET COMPORTEMENTS :
LA DÉMOGRAPHIE « EN MIETTES »

Si l'historien démographe refuse parfois de reconnaître dans les phénomènes démographiques l'empreinte des contradictions sociales, c'est qu'il refuse plus profondément d'intégrer les faits biologiques au discours historique. L'illusion d'un modèle général de la démographie d'Ancien Régime, qui inspirait les premiers travaux de démographie historique, reposait sur une tendance naturelle du sens commun à surestimer l'uniformité et l'invariance des caractères physiologiques. Prenons le cas de la fécondité – qui est censée dépendre, dans le régime démographique ancien, du seul jeu des mécanismes physiologiques. L'impression générale est celle d'une fécondité forte. Plus encore que la mortalité, c'est elle qui semble définir le modèle par la frontière économico-culturelle qu'elle trace entre une démographie dite naturelle et la démographie malthusienne des populations industrielles contemporaines.

Or l'étude de l'évolution de la fécondité des femmes mariées par tranches d'âge quinquennales montre qu'à profil identique (celui qui correspond à un comportement non contraceptif) les taux de fécondité dans chaque classe d'âge varient fortement d'une région à l'autre. Fécondité très forte dans le Canada français[9], en Flandre[10] et dans l'Ouest armoricain[11], assez forte en Normandie et dans le Bassin parisien[12], médiocre dans le Sud-Ouest[13]. Comment expliquer de telles variations, si l'on admet que les cas envisagés (la fécondité des femmes diminuant au rythme d'une évolution physiologique non contrôlée) appartiennent tous au modèle non malthusien? On sait, d'après les études faites sur des populations non européennes actuelles du tiers monde, que la fertilité des couples non malthusiens peut varier assez sensiblement d'une ethnie à l'autre. A cet égard, les femmes canadiennes semblent détenir une sorte de record de fécondité des populations blanches. Mais ces disparités naturelles n'atteignent jamais l'écart que l'on enregistre, par exemple, dans la tranche d'âge 25-29 ans entre les femmes de Sainghin (521 $^0/_{00}$) et les femmes de Thezels (335 $^0/_{00}$). L'étude d'une population Ammassalimut[14], avant l'introduction toute récente du *birth control,* révèle chez les femmes eskimo des taux de fécondité et un espacement des naissances assez semblables à ceux des Flamandes du XVIIIe siècle.

Fécondité par âge	15-19	20-24	25-29	30-34	35-39	40-44	45
Sainghin (1690-1739)		512	521	419	402	220	31
Scoresbyzund		496	526	452	328	241	

Intervalles intergénésiques moyens sans contraception (en mois)						
	1er	2e	3e	4e	Anté-pénult.	Avt-d.	Dernier
Crulai	24,1	26,9	27,7	31,3	32	31,9	39,7
Genève	23,6	24,1	23,9	25,2		30	37,5
Scoresbyzund (mariées avant 1935)	23,7	24,7	24,1	26,1	26,6	28,8	29,8

Même à supposer qu'un tel écart soit concevable, quelle différence ethnique radicale entre le nord et le sud-ouest de la France pourrait le justifier? Cette fécondité médiocre traduit peut-être simplement une santé et une alimentation médiocres, rendant plus fréquents les avortements accidentels. Ou bien il faut admettre, comme nous l'avons vu plus haut, l'existence d'une contraception diffuse, trop hésitante encore pour introduire une véritable planification de la famille et se laisser repérer sur la courbe d'évolution de la fécondité familiale.

Les intervalles entre les naissances offrent un observatoire plus exact de la fécondité. Les historiens ont d'abord cru avoir atteint une certitude qui bousculait les idées reçues mais permettait d'expliquer pourquoi les populations anciennes, même sans pratiques contraceptives, restaient à l'abri de l'inflation démographique : les naissances étaient plus espacées qu'on ne l'avait cru; entre 16 et 31,5, mais selon le modèle que propose Wrigley[15]. En réalité, si l'on met à part l'intervalle protogénésique (entre mariage et première naissance) qui est toujours nettement plus court et les trois derniers intervalles (dans les familles « complètes »), en principe sensiblement plus longs, les intervalles statistiques moyens se situent, dans la plupart des groupes étudiés, entre 20 et 28 mois. Au-delà de 28 mois, on peut présumer la présence d'un certain malthusianisme. L'analyse attentive des intervalles impose d'autres correctifs. On distingue le cas où les intervalles moyens restent pratiquement stables jusqu'à l'antépénultième (type Canada français ou « trois villages ») et celui où ils accusent un allongement constant (type Thezels). Dans ce dernier cas, on ne peut exclure non plus une contraception diffuse.

Intervalles successifs (en mois)	1-2	2-3	3-4	Anté-pénult.	Avt-d.	Dernier
3 villages d'Ile-de-France (mariages de 1740-1799)	19,8	23,5	23,3	27	29,1	35,2
Canada (mariages 1700-1730)	21	22,6	22,9			
Thezels (mariages 1700-1792)	25,4	30	32,2	32,6	33,7	38,2

Les populations rurales définies par les critères classiques comme non malthusiennes présentent autant de diversité dans les intervalles intergénésiques moyens que dans les taux de fécondité; ce qui ne saurait surprendre puisque ces deux modes de repérage mesurent le même phénomène. Mais dans l'ensemble, la femme type n'a pas plus d'un enfant tous

les deux ans. » Je n'ai trouvé aucune exception à cette
règle », affirmait, en 1965, Pierre Goubert qui détruit
le mythe du bébé annuel[16]. Le mythe était peut-être
trop vite enterré. Les premières monographies portant
sur des populations urbaines ont révélé des intervalles
sensiblement plus courts. Ainsi les bourgeoises de
Genève. A Meulan (période 1660-1789) pour 30 %
des femmes, les premiers intervalles intergénésiques
ont moins de 15 mois, pour 50 % des femmes moins
de 18 mois. A Lyon dans le milieu des bouchers, pour
lesquels M. Garden a effectué une reconstitution des
familles systématique, les intervalles moyens sont de
12 mois; les familles de douze, seize, vingt enfants
sont les familles types. Cette hyperfécondité est-elle
particulière aux familles de bouchers? Chez les
ouvriers de la soie de la paroisse Saint-Georges, on
constate une natalité aussi vertigineuse : pour 240 familles reconstituées où l'âge au mariage des femmes
est aussi tardif qu'ailleurs, le nombre moyen d'enfants
par famille est de 8,25. Dans les paroisses de la
Platière, de Saint-Pierre, plus hybrides du point de
vue social, il est supérieur à 7.

Le décalage entre villes et campagnes était soup-
çonné depuis longtemps. On l'attribue généralement à
la mise en nourrice des enfants. L'allaitement ayant
pour effet d'arrêter pendant un certain temps l'ovulation, les citadines qui n'allaitaient pas leurs enfants
devaient nécessairement se retrouver enceintes beaucoup plus vite que les paysannes qui allaitaient leurs
enfants et souvent les enfants d'autrui. On a pu
vérifier les effets de l'allaitement par le test du « décès
en bas âge ». Lorsqu'un enfant meurt peu de temps
après sa naissance, on constate souvent que l'intervalle entre la naissance de cet enfant et la naissance
suivante est nettement plus court que les autres : le
décès de l'enfant, interrompant la lactation, a préci-

pité la reprise de l'ovulation. En fait P. Goubert[17] a fort bien montré que le phénomène n'était perceptible que dans certains types de familles. Les médecins sont assez réservés sur cette forme d'aménorrhée et l'importance qu'ils lui accordent semble dépendre beaucoup plus de leurs convictions religieuses que de leurs convictions scientifiques[18].

Faut-il supposer l'existence de tabous sexuels liés à l'allaitement venant en plus, ou à la place d'une inhibition physiologique aléatoire? De tels interdits existent dans d'autres cultures. L'idée qu'une femme tombant enceinte pendant la période d'allaitement pourrait mettre en danger la vie du nourrisson apparaît dans le Talmud[19]. Au XVIe siècle, certains casuistes comme Ledesma[20] considèrent, pour les mêmes raisons, l'allaitement comme l'un des cas où il faut autoriser le refus du devoir conjugal. Mais l'Eglise n'a jamais imposé officiellement l'abstinence sexuelle pendant la durée de l'allaitement. La rareté des témoignages permet de supposer que la population était tout aussi ignorante des mises en garde des théologiens que des dangers qu'une nouvelle conception pouvait faire courir au nourrisson.

Ce décalage entre milieu rural et milieu urbain, où l'allaitement semble jouer un certain rôle, n'est qu'un aspect de l'extrême dispersion des données statistiques dont nous disposons sur le niveau et le rythme de la fécondité familiale dans la France d'Ancien Régime. Or ces données elles-mêmes sont censées indiquer la tendance moyenne, unifier la nébuleuse des cas particuliers. Tout se passe comme si la variété que la statistique est parvenue à surmonter à l'échelon d'une monographie, resurgit plus haut, dès qu'on veut dégager une image nationale. Dans un domaine où le dosage des mécanismes physiologiques et du conditionnement culturel est si difficile à établir, il semble plus juste de proposer comme l'a fait P. Goubert, pour les villages en Beauvaisis, une typologie des rythmes familiaux que de vouloir déterminer un comportement collectif.

Mais l'intérêt des registres paroissiaux n'est-il pas justement de révéler au-delà des chiffres, des comportements? L'originalité de ce traitement statistique est qu'il intègre dans ses calculs ce qui habituellement ne se mesure pas, mais assure l'unité de ces comportements : les morales sexuelles, les attitudes devant la vie. D'Angeville, ancêtre génial de la cartographie statistique, avait construit un indice départemental de la moralité[21], à partir du nombre de bâtards et d'enfants trouvés. Les registres paroissiaux permettent une observation plus complète : non seulement à travers les conduites déviantes, conceptions prénuptiales et naissances illégitimes, mais à travers le mouvement saisonnier des conceptions. Ce dernier type d'observation reste assez aléatoire. Le principe est d'observer sur le mouvement saisonnier des conceptions, dans quelle mesure telle population observe ou non les consignes d'abstinence de carême imposées par l'Eglise. On obtient ainsi une première évaluation de son conformisme moral et religieux.

Deux obstacles affaiblissent la portée de ces indications : 1° les dates de carême changent constamment. Il convient donc, pour limiter les risques d'erreur, de concentrer l'observation sur le mois de mars; 2° la continence de carême, qui était très stricte au Haut Moyen Age, était tombée en désuétude dès le XIVe siècle. Chez Pierre de La Palud, qui renouvela la théorie du mariage au début du XIVe siècle, elle n'est déjà plus une obligation[22]. Pantagruel, le véritable inventeur des méthodes de dépouillement des registres paroissiaux, constate « au papier baptistaire de Thouars » qu'un grand nombre d'enfants naissent en octobre et novembre, « lesquels selon la supputation rétrograde tous estoient faicts, conceuz et engendrés en Caresme ». Mais elle restait conseillée; il est possible également que le climat de pénitence recréé par la réforme catholique pendant le carême, ait réveillé les vieux interdits. On trouve au XVIIᵉ et au XVIIIᵉ siècle pour certaines populations une baisse sensible des conceptions en février et en mars, et parfois un minimum des conceptions en mars, qu'il semble difficile d'expliquer autrement. C'est le cas du Canada au début du XVIIIᵉ, de l'Auvergne, mais aussi de certaines villes comme Liège et Paris. (V. tableau page suivante.)

La continence de carême semble mieux respectée à Paris que dans les campagnes avoisinantes (par exemple le Vexin français). Ceci ne doit pas nous surprendre. La nouvelle Babylone de tous les plaisirs et de toutes les débauches est une réalité très minoritaire aristocratique que les témoignages littéraires ont exagéré. Le peuple parisien, dans sa masse, conserve un comportement austère et religieux : l'influence du jansénisme y reste vivace. D'une manière générale, les grandes villes françaises disposent d'un meilleur encadrement religieux que les campagnes. Mais comment expliquer que le creux de carême soit marqué dans le Sud-Ouest et absent dans l'Ouest? Une semi-abstinence de carême a pu se maintenir dans certains cas, non comme observance mais comme survivance, comme habitude héritée, vidée désormais de toute substance morale.

Le seul moyen de vérifier la valeur des creux de conceptions de carême, comme indice de moralité, est de voir s'ils concordent avec les indicateurs de déviance : naissances illégitimes et conceptions prénuptiales. Deux comportements qui transgressent la morale religieuse (catholique ou protestante). Les taux sont en général faibles par rapport à ceux de nos sociétés industrielles, et donnent l'impression d'une discipline morale assez grande. Mais ces comportements transgressent-ils les mêmes interdits? Les naissances illégitimes représentent en France souvent moins de 1 % des naissances et dépassent rarement 6 %. Les conceptions prénuptiales sont plus variables. Faibles dans l'Ouest, et semble-t-il aussi dans le Sud-Ouest, elles sont plus fréquentes dans le Bassin parisien et en Normandie. Près des grosses agglomérations (par exemple Sainghin près de Lille, Sotteville près de Rouen) elles peuvent atteindre et même dépasser le tiers des premières naissances, c'est-à-dire les taux actuels.

On serait donc tenté de ne prendre en compte que les naissances illégitimes, transgression majeure de la morale chrétienne dont l'ampleur semble mesurer l'importance des comportements marginaux. Mais l'augmentation de l'illégitimité dans les villes au XVIIIᵉ siècle est-elle bien l'indice d'une baisse de moralité (ou d'une augmentation des marginalismes sociaux)? Une part importante des filles mères qui accouchent en ville viennent d'une paroisse rurale qu'elles ont fui enceintes par crainte de la réprobation publique. Comment distinguer dans cette augmentation ce qui revient à la délinquance urbaine et ce qui revient à la délinquance rurale? On peut se demander également si cette augmentation n'est pas due en partie au renforcement de la répression. Les déclarations de grossesse avaient été instituées pour engager des poursuites contre les galants récalcitrants. Mais elles ne deviennent fréquentes qu'à partir du XVIIIᵉ siècle. Il est vraisemblable que l'administration était jusque-là plus tolérante parce que la société elle-même était plus indulgente : une moindre réprobation contre les bâtards et certainement aussi dans les communautés villageoises, des reconnaissances de

	Janv.	Févr.	Mars	Avril	Mai	Juin	Juil.	Août	Sept.	Oct.	Nov.	Déc.
Canada Début XVIIIe	104,6	90,1	71,1	97	107,1	134,1	107,6	109,2	90,8	97,1	97	94,3
Auvergne 16 paroisses	87	100,8	75,5	105,1	117	133,8	119,8	97,2	88,4	86,6	90,9	98
Paris (1670-1790)	98	96,6	91,3	105,7	113,1	109,1	103,5	97,9	91,9	94,7	98,8	100
Vexin français (20 paroisses)	99,6	99,9	97	117,2	112,5	125,7	111	85,3	75	92,9	91,1	102,8
Bretagne-Anjou (21 paroisses)	80	90	93	117	130	123	137	92	90	84	71	93
Languedoc (6 paroisses)	108	107,9	100,5	107,8	116,1	117,8	103,4	93,7	76,8	85,3	89,9	93,3

Mouvement saisonnier des conceptions (1660-1780).

(Tableau construit par J. Dupâquier.)

paternité moins sourcilleuses. Au lieu d'exprimer un affaissement de la moralité, l'augmentation de l'illégitimité pourrait donc correspondre au renforcement et à la transformation de la cellule conjugale.

Dans une étude fort minutieuse de l'illégitimité à Nantes au XVIIIe siècle[23], J. Depauw constate que si les naissances illégitimes augmentent dans la deuxième moitié du siècle, elles sont dues de moins en moins à des liaisons fondées sur l'inégalité (amours ancillaires, femmes entretenues, etc.) mais le plus souvent à des unions qui étaient censées aboutir à un mariage. Ce sont en quelque sorte des conceptions prénuptiales qui ont mal tourné.

Si l'illégitimité devient au XVIIIe siècle le vestibule des conceptions prénuptiales, l'observation doit naturellement se transporter vers elles. Mais les taux sont si variés qu'il est difficile d'en dégager la moindre signification. En Angleterre où elles étaient déjà très élevées, au XVIIe siècle, les conceptions prénuptiales semblent dues à la survivance du mariage-contrat[24] qui scelle l'union charnelle, alors que la cérémonie religieuse n'apporte qu'une tardive confirmation officielle. Une telle explication est-elle valable pour la France? On pourrait, dans ce cas, mettre en relation l'augmentation des conceptions prénuptiales au XVIIIe siècle et l'accentuation du mariage tardif. Mais les deux phénomènes ne concordent pas. A Sennely, paroisse solognote[25], les conceptions prénuptiales sont assez fortes (10 à 14 %) au XVIIIe siècle, alors que l'âge au mariage reste relativement bas (on se marie rarement après vingt-quatre ans).

Que reste-t-il de notre régime démographique ancien? Vu de près, chacun des traits qui le composent se dissout en une multitude de variantes, qui permettent elles-mêmes une multitude de combinaisons. On en vient à proposer plusieurs modèles régio-

naux, la diversité de la France d'Ancien Régime
s'exprimant avec force dans le comportement des
populations. A une démographie de « plat pays »
caractérisée par une fécondité forte, une grande vulnérabilité face aux crises et une grande discipline
sexuelle, P. Chaunu opposait naguère[26] une démographie de bocage, plus malthusienne, plus robuste et
plus laxiste. A l'échelle de l'Europe, il suppose
aujourd'hui l'existence, pour le XVIIIe siècle, d'« une
cinquantaine de types de comportements entre lesquels se répartissent peut-être plusieurs milliers sûrement de molécules de comportement démographique
de base[27] ». Il est indéniable que dans la France
d'Ancien Régime, vocations économiques, coutumes,
héritages culturels ont forgé et juxtaposé plusieurs
modèles démographiques. Mais la « théorie molécu-
laire » qui fonde la diversité en système ne risque-
t-elle pas de prendre les conditions de la recherche
pour les conditions de la réalité, d'appeler molécule
un simple découpage monographique? Cette pluralité
n'est-elle pas exagérée par notre ignorance de l'ensemble? Ne pouvant relier entre eux les îlots d'une
démographie « en miettes », nous postulons la diversité.

LES CLÉS DU MIRACLE
DÉMOGRAPHIQUE OCCIDENTAL

A un inventaire systématique des variantes qui nous
entraînerait dans une taxinomie interminable, nous
sommes tentés de préférer une réflexion sur le *sens* du
modèle démographique ancien, c'est-à-dire, à la fois la
direction de son évolution et sa signification. L'intérêt

porté récemment aux origines de la contraception en France répond directement à cette préoccupation. La réalité du phénomène, grâce à l'analyse statistique de la fécondité familiale, ne fait maintenant plus de doute : les pratiques malthusiennes se diffusent dans la masse de la population française au XVIIIᵉ siècle. Mais son interprétation reste problématique. Or le phénomène que l'on observe au niveau des mécanismes démographiques, et que l'on peut repérer sur les courbes de fécondité, ne prend de sens que dans la mesure où il renvoie à un changement plus profond et plus complexe au niveau des mentalités.

On peut, certes, isoler le phénomène de son contexte historique. Le passage à une démographie malthusienne est une mutation que toute société rencontre tôt ou tard sur le chemin de l'industrialisation. A l'époque actuelle, de nombreux pays du tiers monde s'efforcent de l'organiser artificiellement pour hâter leur développement. Mais les résistances auxquelles ils doivent faire face montrent que le phénomène dépasse la technique démographique, qu'il met en cause toute l'armature culturelle d'une société : se demander pourquoi les pratiques contraceptives se répandent en France au XVIIIᵉ siècle et comment elles ont pu être inventées ou réinventées, c'est en fait poser une seule question. Les pratiques contraceptives – en l'occurrence la plus fruste et plus populaire : le *coitus interruptus* – étaient strictement interdites par l'Eglise et condamnées comme pratiques contre nature[28]. L'introduction de ces pratiques a donc été considérée pendant longtemps par les milieux catholiques comme un acte d'impiété : on l'expliquait soit par un mouvement de déchristianisation qui poussait une partie de la population à ne plus respecter la morale religieuse, soit tout simplement par une baisse générale de moralité. Cette opinion rejoignait assez bien celle des

« arithméticiens politiques » de l'époque, observateurs avisés et chagrins de transformations démographiques comme Moheau : la diffusion des « funestes secrets » est pour lui la preuve que la corruption morale des villes, manifestée déjà par l'augmentation des abandons d'enfants, gagne les campagnes.

Nous savons combien les indices de moralité fournis par la démographie sont difficiles à interpréter. La croissance de l'illégitimité est imputable autant à une modification des relations préconjugales qu'à une augmentation de l'adultère et de la débauche[29]. Quant à l'augmentation des abandons d'enfants dans les villes, que l'on mettait sur le compte de l'illégitimité, elle semble le fait, dans bien des cas, de couples mariés qui, à défaut de pouvoir limiter les naissances, limitent leurs charges de famille[30]. Mais il semble surtout difficile d'imaginer que pendant longtemps l'interdit ait pu être à la fois connu et strictement observé. Tout interdit appelle sa transgression. En outre, à ce niveau où l'inconscient, les attitudes réflexes, les pulsions jouent un rôle prédominant, les conduites exigent plus qu'un simple code moral.

C'est en quoi l'interprétation de Ph. Ariès[31], qui fit œuvre de pionnier sur ce terrain encore peu fréquenté, offre des perspectives beaucoup plus satisfaisantes pour l'historien. Pour lui, l'interdit que l'Eglise faisait peser sur le *coitus interruptus* s'est transformé en tabou. C'est-à-dire qu'il a été à la fois intériorisé au point qu'il n'était plus nécessaire de rappeler l'interdiction pour la faire respecter, et oublié. Il est devenu « impensable ». Ce mécanisme d'intériorisation est propre à toutes les conduites sociales où le libre arbitre est court-circuité par une morale implicite, par un héritage culturel. Les techniques contraceptives n'ont pas complètement disparu de la réalité, mais elles ont disparu de la mémoire. Une preuve parmi d'autres de cet oubli, le glissement sémantique du mot qui sert à désigner l'interdiction : le péché d'Onan qui, chez les théologiens, correspond au *coitus interruptus* par référence au passage de l'Ancien Testament sur lequel la doctrine de l'Eglise fonde sa condamnation, a fini par désigner, dans le langage commun, non plus la contraception mais la masturbation.

La diffusion de la contraception au XVIIIe siècle ne correspond donc pas à une transgression subite et généralisée de l'interdit, mais à un changement d'attitude devant la vie : changement affectif qui conduit à vouloir assurer l'avenir de ses enfants, par l'éducation, l'élévation du niveau de vie et non plus seulement les mettre au monde, qui conduit également à valoriser le couple et à « civiliser » les relations conjugales. Changement éthique aussi qui conduit à dissocier, dans le mariage, le plaisir de la génération alors que la doctrine de l'Eglise ne justifiait le premier que par la seconde. L'idée en apparence paradoxale que la limitation des naissances puisse être encouragée par une attention grandissante à l'égard de l'enfant est étayée pour la France du XVIIIe siècle par de nombreux témoignages littéraires ou iconographiques. « C'est quand les Français se sont mis à s'intéresser aux enfants qu'ils ont commencé à ne plus en avoir beaucoup », écrit le docteur J. Sutter pour résumer la pensée de Ph. Ariès. Ajoutons qu'elle est dans la logique de la conjoncture démographique. La baisse de la mortalité infantile conduit à limiter les naissances pour prévenir une augmentation de la taille des familles; elle incite également à investir beaucoup plus (sur le plan matériel comme sur le plan affectif) dans des enfants dont la naissance et la survie ne sont plus tout à fait le produit du hasard.

Les hommes d'Eglise qui, à l'époque même, semblent avoir pris conscience de l'importance sociale du phénomène, confirment cet état d'esprit. Mgr Bouvier, évêque du Mans, constate en 1842 que les pratiques contraceptives sont monnaie courante dans son diocèse. Elles sont le fait le plus souvent de bons catholiques qui ne semblent pas avoir conscience de désobéir par là aux lois de l'Eglise. « Interrogés par leurs confesseurs au sujet de la façon dont ils usent des droits du mariage, écrit-il, dans une lettre adressée au pape, ils ont coutume habituellement d'être choqués gravement. » Ils sont choqués à la fois parce qu'ils ignoraient l'interdit qui pesait sur ces pratiques et parce que la valorisation de la vie conjugale les a amenés à délimiter une zone d'intimité et d'autonomie sur laquelle l'Eglise n'a plus droit de regard.

Un témoignage plus ancien, *Le Catéchisme des gens mariés,* du Père Feline, publié en 1782, explique cette grave déviation de la vie conjugale par « une trop grande complaisance des maris pour leurs femmes... Ils ménagent leur excessive délicatesse ». Ce dernier trait permet de généraliser l'hypothèse, de la désenclaver du contexte religieux de la France du XVIIIᵉ siècle. Si l'absence de contraception ne devait s'expliquer que par l'interdiction prononcée par l'Eglise, on voit mal pourquoi elle s'est introduite en France, pays catholique, bien plus tôt que dans les pays protestants où les consignes religieuses étaient moins nettes, et pourquoi elle se heurte aujourd'hui à de fortes résistances dans de nombreux pays non chrétiens du tiers monde. La comparaison de deux expériences récentes d'introduction du contrôle des naissances, celle de l'Inde, pays non chrétien, et celle de Porto Rico[32], pays catholique, tend à prouver que le niveau culturel et surtout le type de rapports affectifs qui règlent la vie du couple, l'aptitude à communiquer, comptent plus que les interdits religieux.

La théologie a repris ses droits récemment dans le

champ historique avec la publication du livre important de J.-T. Noonan, *Contraception et mariage.* Il
montre une évolution très sensible de la position de
l'Eglise pendant notre période (du XVIe au XVIIe siècle)
qui tend à séparer, dans certains cas, les deux finalités
du mariage, le plaisir sexuel et la reproduction et en
fin de compte à reconnaître la valeur propre de
l'amour conjugal. Se fondant sur les distinguos du
grand casuiste jésuite Sanchez qui semble autoriser le
coitus interruptus, dans les rapports hors mariage,
pour limiter l'opprobre de la fornication, alors qu'il
les interdit dans les rapports conjugaux, J.-L. Flandrin[33] suppose l'existence, dès le XVIe siècle, de deux
comportements sexuels parallèles : dans les rapports
extra-conjugaux que le retard des mariages devait
rendre plus fréquents, les hommes utilisaient les pratiques contraceptives. Dans les rapports conjugaux
que l'Eglise voulait modérés (les théologiens condam-
naient les « débordements » amoureux entre mari et
femme) et féconds, ils les ignoraient. La révolution du
XVIIe siècle, c'est simplement le transfert du comportement extra-conjugal dans les rapports conjugaux.

Cette hypothèse restaure étrangement l'explication
moralisante de Moheau ou du Père Feline. La diffusion de la contraception : transgression consciente des
lois de l'Eglise, signe d'un délestage moral. Elle
appelle en outre plusieurs objections. Une telle dichotomie des comportements sexuels est-elle concevable ?
Comment ne pas supposer que les hommes avertis de
ses pratiques, les ayant souvent expérimentées,
auraient été bien vite tentés de les introduire dans leur
vie conjugale ? L'absence complète de preuve démographique rend l'hypothèse encore plus fragile. Il est
difficile d'en exiger pour le XVIe siècle. Mais si les
relations illégitimes avaient été au XVIIe aussi fréquentes que le suggère J.-L. Flandrin, même en admettant

l'utilisation de la contraception, un pourcentage sensible d' « accidents » aurait dû apparaître sur les registres de baptêmes. Pour le XVIe siècle, le témoignage auquel J.-L Flandrin se réfère le plus, mis à part les théologiens, est celui de Brantôme : témoignage précieux, savoureux. Mais permet-il de généraliser ? Imaginons que le seul témoignage dont nous disposions pour connaître les comportements démographiques parisiens dans la deuxième moitié du XVIIIe siècle, soit l'œuvre de Restif de La Bretonne. Nous en retirerions l'impression d'un libertinage généralisé alors que le mouvement saisonnier des conceptions montre exactement le contraire.

Quelle valeur enfin faut-il attribuer au témoignage des théologiens ? L'Eglise est jusqu'au XIXe siècle mieux informée que quiconque sur les comportements sexuels, d'abord par l'attention quasi obsessionnelle avec laquelle elle les surveille et surtout par le canal de la confession, porte ouverte en permanence sur la vie intime du grand nombre. Mais la théologie est avant tout un raisonnement abstrait. Elle s'efforce d'être conforme à la tradition doctrinale beaucoup plus qu'à la réalité sociale. Si les « pénitenciers » du haut moyen âge, par exemple, sont une source précieuse pour connaître la morale sexuelle de l'Eglise, il y aurait presque risque à considérer comme un reflet exact des comportements de l'époque la multitude des perversions exotiques et saugrenues qu'ils mentionnent. L'irréalisme, l'imagination débordante, le caractère livresque de la pensée cléricale comptent ici autant que l'expérience. Lorsque saint Bernardin de Sienne, au XVe siècle, s'exclame : « Sur 1 000 ménages, je crois que 999 appartiennent au diable », faut-il comprendre que la quasi-unanimité des couples siennois pratiquaient le *coitus interruptus* [34] ?

Il est encore plus difficile de savoir jusqu'à quel

point les fidèles étaient informés de l'attitude de
l'Eglise sur le mariage et la sexualité. En ce domaine,
les sources religieuses « de masse » (enquêtes, mande-
ments épiscopaux, etc.) sont un monde à découvrir.
Le public cultivé s'occupait jusqu'au début du
XVIIIe siècle encore volontiers de théologie. Des traités
de casuistique comme celui de Sanchez ont connu en
France même de multiples éditions. Le succès de
scandale qu'ils rencontraient parfois donne à penser,
comme le suggère Bayle, que ce genre d'ouvrage
servait autant à l'initiation sexuelle du public qu'à son
édification. Mais ce public est extrêmement limité.
Son comportement marginal, comme l'ont montré les
travaux sur l'aristocratie anglaise ou française, le place
en dehors du problème posé par la diffusion de la
contraception au XVIIIe siècle.

Le plus intéressant pour l'historien ce n'est pas le
contenu de la pensée théologique mais son évolution.
Dans les infléchissements de la doctrine s'expriment
aussi bien l'effort des théologiens pour adapter la
morale de l'Eglise aux conditions sociales nouvelles
que la pression de l' « esprit du temps ». Dans la
mesure où elle renvoie à un système de valeurs qui
peut évoluer, la théologie fournit un fil conducteur
pour atteindre les comportements. De ce point de vue,
le livre de Noonan peut à la fois éclairer et tromper. Il
montre la lente gestation d'une nouvelle conception
du mariage et d'une nouvelle morale du couple, mais
son souci de reconstituer l'itinéraire qui a conduit
l'Eglise à ses positions actuelles l'amène à présenter
cette évolution dans une perspective trop linéaire; elle
l'amène à privilégier les théologiens novateurs, même
lorsque leur influence immédiate sur le clergé est
moindre que celle des rigoristes.

Or, dans la deuxième moitié du XVIIe siècle, en
France particulièrement, un fort courant théologique

comprenant les jansénistes mais les débordant largement[35] (Bossuet, par exemple, s'y rattache) s'oppose
au laxisme des casuistes. Ce courant domine les
séminaires, contrôle la formation du clergé et par là
l'encadrement des fidèles. Comme l'a bien vu Pierre
Chaunu, c'est dans ce courant plus que chez Sanchez
que les comportements malthusiens du XVIIIe siècle
ont trouvé leur outillage mental. Filiation paradoxale
en apparence. Noonan a fort bien montré récemment[36] qu'une doctrine morale n'agit jamais directement sur les comportements démographiques comme
un système de propagande dont on appliquerait
immédiatement les consignes; mais en modifiant les
structures mentales, elle fait surgir ou elle refoule des
attitudes qu'elle était par elle-même incapable d'envisager. Ainsi le jansénisme restaure intégralement la
conception augustinienne du mariage : Le plaisir
sexuel est intrinsèquement mauvais. Sa seule justification dans le mariage est d'accompagner la procréation.
Ce refus global de la sexualité, incitant le fidèle à
rechercher l'ascétisme à l'intérieur même du mariage,
à limiter son plaisir, lui assure une meilleure maîtrise
de ses pulsions. D'autre part, jansénistes et autres
rigoristes hésitent entre deux attitudes : accorder dans
la confession une attention inquisitoriale à la sexualité
pour prévenir ou condamner les comportements cou-
pables; ou au contraire ne jamais en parler, de peur
que la simple évocation ne soit une occasion de
péché.

A cela s'ajoute pour le jansénisme tardif du
XVIIIe siècle une attitude antisacramentelle qui éloigne
les fidèles du confessionnal. On voit donc par quelle
déformation ce rigorisme moral a pu conduire à un
comportement contraceptif. L'ascétisme, en permettant une meilleure maîtrise de l'instinct sexuel, se
transforme en technique d'épargne et de plaisir

contrôlé. Le refus d'en référer à l'Eglise développe une
morale laïque, privée, individuelle. La sexualité s'en-
terre dans l'intimité de la vie conjugale. Le plus
difficile est de justifier géographiquement la filiation.
P. Chaunu établit une correspondance, pour la Normandie, entre zones de malthusianisme précoce et
refuges jansénistes[37]. Il est à craindre qu'une corrélation précise ne soit vérifiable ni pour l'ensemble de la
France ni même pour la Normandie. Le terrain
idéologique est lui-même diffus, il déborde le jansénisme. L'important dans cette thèse est qu'elle montre
comme Weber l'a fait pour le protestantisme, comment la dérive d'une idéologie religieuse pouvait agir
d'une manière imprévue sur les comportements de
base. C'est aussi qu'elle puisse rendre compte d'un
phénomène particulier à la France (la diffusion précoce des pratiques contraceptives) non par une hypothétique déchristianisation à laquelle plus personne ne
croit aujourd'hui, mais par le regain religieux du XVIIe
qui, dans son caractère tardif, dans ses orientations les
plus radicales (le jansénisme), est, lui aussi, particulier
à la France.

Il y a toutefois quelque chose de gênant pour
l'historien à devoir admettre qu'un simple infléchisse-
ment idéologique puisse être la source d'une modification aussi fondamentale des comportements démographiques. L'ascétisme qui imprègne la théologie
morale française dans la deuxième moitié du XVIIe siècle n'est pas sorti par hasard du crâne d'un théologien.
Il imprégnait déjà au moins virtuellement la société. Il
était préparé par un dispositif démographique qui, par
ses prolongements affectifs, devenait une véritable
propédeutique à l'austérité sexuelle. C'est le mariage
tardif. Entre cette première forme de contrôle et le
contrôle des naissances, le rigorisme religieux a pu
jouer le rôle de relais idéologique. Et l'on peut se

demander si ce relais est indispensable pour expliquer
l'évolution des comportements démographiques.

Si la mise en place du mariage tardif est difficile à
dater, sa réalité et son renforcement continu jusqu'à la
fin du XVIIIᵉ siècle dans une grande partie de l'Europe
occidentale ne font guère de doute. Dans la Toscane
du Quattrocento[38], les hommes se marient après
30 ans (âge modal entre 30 et 32 ans), les filles sont
presque toutes mariées à 20 ans. L'écart d'âge moyen
entre mari et femme est de treize ans environ. Dans
un village du diocèse de Parme, Riana[39], dans la
deuxième moitié du XVIIᵉ siècle, l'âge moyen au
mariage des hommes est de 33 ans, celui des femmes
de 25 ans. De 1700 à 1750, l'âge moyen au mariage
passe pour les hommes à 34 ans, pour les femmes à
30 ans. Un écart d'âge entre époux aussi grand était
sans doute particulier à l'Italie, au XVᵉ siècle. Il est
presque résorbé au XVIIIᵉ siècle (pour Venise[40], l'écart
d'âge moyen est de un an au XVIIIᵉ siècle). Remar-
quons que le retard de l'âge au mariage touche
exclusivement la femme. Sa finalité malthusienne est
donc évidente. Du XVIᵉ au XVIIIᵉ siècle l'activité repro-
ductive de la femme est ainsi réduite de dix ans.

Pour la France, les nombreuses monographies portant sur le XVIIᵉ-XVIIIᵉ siècle attestent la généralisation
du mariage tardif. Seules quelques enclaves subsistent
où telle coutume maintient une moyenne d'âge au
mariage sensiblement plus basse. On se marie entre
25 ans (pour les femmes) et 27 ans (pour les hommes),
dans les campagnes : l'écart d'âge entre époux est
faible. Dans les villes le mariage est peut-être encore
plus tardif. A Lyon dans la première moitié du
XVIIIᵉ siècle[41] (paroisse Saint-Pierre), l'âge moyen au
premier mariage pour les femmes est de 27 ans 1/2,
pour les hommes : 29 ans. On est beaucoup plus mal
renseigné sur le XVIᵉ siècle. Les Normandes se

mariaient peut-être en moyenne à 21 ans vers 1550, les Lorraines à 22 ans, alors qu'un siècle plus tard elles se marieront à 25 ou 26 ans; l'âge au mariage semble également plus bas dans la Région parisienne. Fait plus remarquable : nous pouvons, dans certains cas, déduire l'évolution non seulement du décalage entre les données du XVIᵉ siècle et celles du XVIIIᵉ, mais par une véritable photographie du mouvement. Ainsi dans cinq paroisses du Vallage (Champagne)[42] où l'âge moyen au mariage est de 24,8 pour les hommes, 24 ans pour les femmes entre 1681 et 1735 et 27,8 pour les hommes, 26,3 pour les femmes pour le reste du XVIIIᵉ siècle, on a pu vérifier, décennie par décennie, une hausse constante de l'âge au mariage pendant cette période.

Comment expliquer la mise en route du phénomène? Nous nous heurtons ici à une antinomie propre au raisonnement historique. Chaque fois que l'on remonte à la source d'un phénomène complexe, on ne trouve pas une cause ponctuelle, mais une série de causes possibles emboîtées les unes dans les autres. A phénomène démographique, cause démographique : on pourrait expliquer le retard des mariages, au début du XVIᵉ siècle, par un effort de rééquilibration du flux démographique. Tant que l'espérance de vie restait stable et faible, le mariage précoce correspondait à un rythme de reproduction normal. Mais son augmentation à la fin du XVᵉ siècle accroît brusquement le rendement du mariage précoce. L'explication est quelque peu tautologique. Elle prête d'autre part au régime démographique un pouvoir d'initiative exagéré. Un autre effet de l'augmentation de l'espérance de vie semble en revanche avoir joué un rôle plus important : c'est le retard des successions. Quel que soit le régime juridique, un brusque rallongement de l'âge moyen au décès perturbe les procédures de successions aussi bien sur la terre que dans les villes. Le retard du mariage a pu être ainsi une réponse au retard de l'établissement.

Mais encore faut-il que le mariage prenne le sens d'un établissement. Parallèlement à l'essor démographique, les mentalités évoluent au début du XVIᵉ siècle vers une nouvelle conception du mariage et de la famille. Cette évolution est lisible à plusieurs niveaux. Au niveau de la théologie, Noonan a fort bien montré que les conceptions laxistes à l'égard de la sexualité qui triomphent chez les casuistes du XVIIᵉ siècle, ont leur source dans une redéfinition des rapports conjugaux, une valorisation du couple qui s'esquisse à la fin du XVᵉ siècle. Le nominaliste parisien Martin Le Maistre semble avoir été l'artisan le plus important de ce renouvellement. On assiste également chez les humanistes et les réformateurs à une mise en cause générale du mariage à la fois comme sacrement et comme institution. L'humaniste allemand Albrecht von Eyt publie en 1472 un traité qu'il intitule *Ob einem Manne sey zu nemen ein eeliches Weib oder nit.* Panurge se pose la même question sur le mode comique. Une telle fièvre littéraire autour de ce problème atteste l'importance du malaise qui traverse tout le corps social. C'est peut-être dans le domaine du droit que la pression de la demande sociale est la plus sensible. E. Le Roy Ladurie a mis en lumière à propos du Languedoc la poussée lignagère et les diverses formes de regroupement familial (tel l'affrèrement) qui semblent avoir été la tendance dominante sinon générale du « siècle de l'homme rare ». L'essor démographique du XVIᵉ siècle rend ces regroupements à la fois plus fragiles économiquement et plus contraignants. Il met en cause l'autorité patriarcale et impose des formules d'émancipation juridique. L'exploitation et la famille se morcellent en même temps; on passe progressivement du mariage qui intègre au lignage, au mariage qui fonde une cellule familiale, une entreprise nouvelle. Le retard du mariage est le prix de l'émancipation.

Une étude sur le régime matrimonial bordelais au XVIe siècle[43] montre le recul progressif, dans les contrats de mariage, des clauses rigoureuses comme l'affiliation au profit de formules associatives, la « société d'acquêts ». Mais entre les deux, c'est-à-dire dans les deux premières décennies du siècle, on assiste à une diffusion, à partir de la ville et des milieux populaires, de la « communauté universelle entre époux », la forme la plus opposée aux droits de lignage. Cette communauté est parfois définie dans les contrats comme « ménage », affirmation du couple comme réalité indivise. Le mouvement communautaire du XVe siècle a donc favorisé de deux manières l'éclosion du mariage-établissement. En sécrétant des forces centrifuges qui voyaient dans le mariage le moyen de diviser l'autorité et la propriété; en fournissant le modèle unitaire qui pouvait garantir l'autonomie et l'établissement du couple.

En fait, le XVIe siècle manifeste à l'égard du mariage des tendances contradictoires. On critique à la fois l'indissolubilité que l'Eglise lui impose et l'indigence de son statut social. Contrairement à une idée assez répandue, le mariage n'est pas au XVIe siècle une institution sclérosée mais une institution sous-développée. L'Eglise s'était bornée pour l'essentiel à « baptiser » le mariage-contrat du droit romain ou des coutumes et à lui imposer des obligations morales. Elle n'administre pas le sacrement (qui est donné par la *copula carnalis*), elle l'enregistre. Il y avait donc une disproportion que beaucoup déploraient, à commencer par l'Etat, entre la légèreté de la procédure et la gravité de l'engagement. D'où de nombreux abus (enlèvements, mariages clandestins, etc.) qui violaient le libre choix des époux ou la tutelle des parents. En France déjà, un édit d'Henri II en 1556 donne aux parents le droit d'exhéréder les fils de moins de 30 ans et les filles de moins de 25 ans qui se sont mariés sans leur consentement. L'Eglise, de son côté, souhaite renforcer son contrôle sur l'institution (présence obligatoire d'un prêtre) et en même temps préserver la libre détermination des époux. Les décisions du concile de Trente tentent de répondre à ces deux exigences. Même si elles n'ont pas immédiatement été reçues partout – la France en particulier les refuse –, elles donnent au mariage tardif une assise juridique et morale.

Risquons l'hypothèse d'une évolution en deux temps : 1º La mise en place du mariage tardif au XVIᵉ siècle comme instrument d'une double conquête : l'autonomie morale du couple et son indépendance économique. Jusqu'aux années 1580, cette procédure sert essentiellement à supporter et freiner l'essor démographique. 2º La consolidation du mariage tardif comme clef de voûte d'un modèle d'austérité au XVIIᵉ siècle. De 1580 à 1730 l'effectif démographique est stationnaire. Le mariage tardif garantit cette stabilité. L'austérité s'installe alors dans les mœurs comme réponse du corps social à une économie contractée, mais aussi à l'idéal d'ascétisme : seule justification d'une habitude aussi frustrante. Tous les efforts de l'Eglise pour renforcer la célébration du mariage visent à discipliner la vie sexuelle. A cet égard l'histoire étrange des fiançailles révèle parfaitement le rigorisme moral que l'Eglise fait pénétrer progressivement dans les coutumes.

Les fiançailles, vieille institution du droit romain, mais plus vivace encore dans certains droits coutumiers, avaient mille raisons de déplaire à l'Eglise. Ce prémariage symbolisait le mariage-contrat, arrangement entre deux familles : il constituait pour beaucoup le temps fort de la procédure au détriment de la cérémonie religieuse elle-même qui se bornait à constater les faits[44]. L'Eglise dénonçait en particulier deux conséquences fâcheuses de cette institution : l'accord des futurs époux alors que le droit canonique insistait sur le consentement des époux. La promesse de mariage inaugurait une période de tolérance où les fiancés souvent entamaient une vie conjugale, bien avant la cérémonie religieuse du mariage. Au lieu d'attaquer les fiançailles de front, l'Eglise s'est attachée, comme elle l'a fait souvent face à des pratiques païennes, à les christianiser plus complètement et à les transformer en instrument de redressement moral.

En France, l'Eglise post-tridentine généralise et rend obligatoire la cérémonie des fiançailles – devenue une cérémonie essentiellement religieuse, là où l'institution était restée populaire. Elle l'interdit ou la néglige là où elle était tombée en décadence. On peut dresser ainsi à partir des statuts synodaux[45], une carte des fiançailles qui oppose assez nettement France du Nord et France du Midi. Les fiançailles deviennent un moyen de vérifier le libre consentement des promis et une préparation au mariage. Mais les statuts rappellent souvent – signe que la « mise au pas » ne s'est pas faite sans mal – l'interdiction formelle pour les fiancés de vivre ensemble ou même d'habiter sous le même toit. D'abord placée obligatoirement avant la publication de bans du mariage, la date des fiançailles se rapproche ensuite peu à peu de la date du mariage jusqu'à s'y confondre. Les fiançailles disparaissent progressivement. Comme un film qui se met à passer au ralenti jusqu'à ce que l'image s'immobilise complètement, les fiançailles austères du XVIIᵉ siècle se sont fossilisées et transformées en rites folkloriques. Une

pratique comme la « nuit de Tobie[46] », qui interdit
aux jeunes mariés de consommer le mariage le soir
même des noces et leur impose un délai supplémentaire, est sans doute l'un des vestiges de cet ascétisme
institutionnalisé. Cette vieille coutume médiévale fut
en effet encouragée et diffusée par l'Eglise après le
concile de Trente. On la retrouvait encore au début du
siècle dans certaines provinces françaises[47]. D'autres
rites comme « la mariée cachée » ou « la fuite de la mariée » appartiennent au même type de survivances.

Une institution religieuse, un aménagement juridique sont-ils capables à eux seuls d'entretenir pendant
si longtemps une habitude sociale comme le mariage
tardif? Dans nos sociétés où le choix du conjoint
n'obéit à aucune règle officielle – sinon les interdits
pour consanguinité imposés par l'Eglise –, une multitude de contraintes économiques, de coutumes, de
tendances viennent oblitérer la liberté du choix. Un
simple déséquilibre entre cohortes peut brusquement
retarder l'âge au mariage. C'est le cas, par exemple,
lorsque les écarts d'âge entre époux restant stables,
une augmentation brusque de la natalité amène dans
la sphère des mariables un plus grand nombre de
filles. Leurs partenaires correspondant à des classes
d'âge plus élevées, donc moins nombreuses, une partie
de ces filles devra trouver un mari plus jeune – ce que
les convenances ne permettent pas – ou attendre que
des cohortes d'hommes plus fournies atteignent l'âge
convenable. Il y aura donc retardement de l'âge au
mariage des filles[48].

Ce mécanisme a peut-être joué au XVIe siècle dans
des pays comme l'Italie où l'écart d'âge entre époux
était très marqué. Mais il est difficile d'admettre qu'il
ait pu jouer partout et qu'il ait pu jouer aussi longtemps. L'historien sera tenté de raisonner ici comme
le généticien face à la prolifération d'une tare congé-

nitale. Si une tare se maintient, c'est qu'au-delà de ses
aspects nuisibles elle a été sélectionnée par le milieu
naturel ou le milieu social : elle est devenue utile.
Comme dans le fonctionnement génétique, le hasard a
peut-être créé pour le mariage tardif, la nécessité. Le
hasard, c'est le déséquilibre démographique qui a pu,
au départ, modifier l'habitude. La nécessité, c'est le
phénomène d'accommodation générale qui de proche
en proche a mobilisé les pratiques juridiques, le droit
canonique, la morale religieuse, et créé une véritable
structure de comportement. Mais il est vraisemblable
que sans demande sociale, sans la lente gestation
d'une nouvelle conception du mariage que l'on perçoit dès le XVe siècle chez les théologiens, l'événement
démographique n'aurait pu enraciner durablement
l'habitude du mariage tardif.

Nous sommes en présence d'une sorte de modèle
démographique wébérien. Comme Max Weber à propos du capitalisme industriel, J. Hajnal a lancé l'idée
que le *marriage pattern*[49] occidental, avec mariage
tardif et taux de célibataires assez élevé, était une
exception historique. On ne le retrouve, avant le
XXe siècle, ni en Europe orientale ni dans la plupart
des autres civilisations. Son originalité tient peut-être
d'abord au fait qu'il impose un comportement antina-
turel, qu'il aggrave au maximum la distance entre
l'instinct et l'institution. Toutes les cultures imposent
une certaine attente entre la puberté et le mariage,
pour ritualiser le passage. Mais la marge est en général
faible.

L'Europe occidentale s'engage au contraire à partir
du XVIe siècle sur la voie de l'austérité. Détermination
au niveau du système moral qui nous rapproche une
nouvelle fois de Max Weber. Malgré l'hypothèse de
J.-L. Flandrin d'un double comportement sexuel, il
est difficile de mettre en doute, au moins pour le

XVIIe siècle, l'existence d'un ascétisme généralisé que l'Eglise exalte et que les registres paroissiaux confirment : rareté des relations sexuelles non conjugales et des pratiques contraceptives. Pourquoi imaginer nécessairement un exutoire sexuel aux pulsions réprimées par le système social? Nous savons depuis Freud que des névroses actives peuvent fort bien absorber ces pulsions et les canaliser vers d'autres objets. Non seulement les névroses spectaculaires, sorcellerie, hystérie et autres formes sauvages de la culture paysanne, remarquablement décrites par E. Le Roy Ladurie, mais un processus très large de sublimation que l'on pourrait retrouver dans le dynamisme social de cet âge austère.

L'autre trait wébérien de ce modèle, c'est en effet son efficacité sociale. Outre la régulation du flux démographique, le retard des mariages libère un supplément de main-d'œuvre à bon marché; ce surplus féminin augmente les forces productives et favorise l'accumulation primitive. Mais comme pour le puritanisme wébérien, c'est des valeurs sociales qui se cristallisent autour de lui que le mariage tardif tire le plus d'efficacité. Nous avons vu comment la société d'Ancien Régime, en retardant l'échéance du mariage, l'avait de plus en plus nettement identifié avec l'établissement. Cette autonomie se matérialisait souvent dans les campagnes par l'installation du couple dans une habitation séparée. Elle supposait le bénéfice d'une succession (fréquent dans le monde de la boutique ou de l'artisanat), d'un patrimoine, ou tout simplement la possession d'un pécule pour payer l'installation. A l'esprit d'alliance qui inspirait traditionnellement les stratégies familiales et l'inclination des jeunes époux, elle substituait progressivement l'esprit d'entreprise : la préoccupation du couple n'est plus simplement de fabriquer une famille, mais de savoir la gérer, de préserver et d'améliorer son statut social, devenu sa principale finalité.

L'austérité sexuelle a la même fonction dans cet esprit d'entreprise matrimonial que le sens de l'épargne dans l'esprit d'entreprise capitaliste. S'agit-il d'une simple analogie? La démographie historique découvre aujourd'hui le terrain de rencontre entre mentalités et comportements qui manquait à Max Weber pour relier sans discontinuité l'idéal d'austérité et le capitalisme. Craignons ici d'en dire trop ou trop peu. Il serait absurde de vouloir réduire l'aventure industrielle de l'Europe à un simple choix démographique. Mais il serait insuffisant de n'accorder d'importance qu'à la matérialité de ce choix démographique. La démographie européenne ne s'est pas bornée à poser les premiers jalons (population calibrée, espérance de vie accrue), les « préconditions » du décollage industriel. Elle a servi en même temps d'archétype aux comportements économiques. Du mariage retardé à la contraception, même si nous changeons d'instance, même si le système de valeurs semble peu à peu s'inverser, nous restons dans la même logique culturelle, celle qui inhibe la vie instinctive pour mieux inscrire le principe de réalité... et dans la même stratégie : prolonger la vie, fabriquer le bien-être.

NOTES

1. P. Guillaume et J.-P. Poussou, *Démographie historique,* Paris, 1970.

2. Dans : « Malthusianisme démographique et malthusianisme économique », *Annales E.S.C.,* 1972.

3. *Ibid.*

4. R. Baehrel, « La haine de classe en temps d'épidémie », *Annales E.S.C.,* 1952.

5. P. Goubert, *Beauvais et le Beauvaisis,* Paris, 1960.

6. M. Lachiver, *La Population de Meulan du XVIIe au XIXe siècle,* Paris, 1969; M. Garden, *Lyon et les Lyonnais au XVIIIe siècle,* Paris, 1971.

7. M. Garden, *op. cit.*

8. Cf. L. Henry et C. Levy, « Ducs et pairs sous l'Ancien Régime », *Population,* 1960; L. Henry, *Anciennes Familles genevoises,* Paris, 1956.

9. J. Henripin, *La Population canadienne au début du XVIIIe siècle,* Paris, 1954.

10. R. Deniel et L. Henry, « La population d'un village du nord de la France : Sainghin en Mélantois », *Population,* 1965.

11. P. Goubert, « Legitimate fecondity and infant mortality in France during the XVIIIth », *Daedalus,* 1968.

12. E. Gautier et L. Henry, *La Population de Crulai, paroisse normande,* Paris, 1958; J. Ganiage, *Trois villages de l'Ile-de-France,* Paris, 1963.

13. P. Valmary, *Familles paysannes au XVIIIe siècle en bas Quercy,* Paris, 1965; A. Zink, *Azereix, la vie d'une communauté rurale à la fin du XVIIIe siècle,* Paris, 1969.

14. J. Robert, *Les Ammassalimut émigrés au Scoresbyzund. Etude démographique et socio-économique de leur adaptation (côte orientale du Groenland),* Cahiers du C.R.A., 11-12, in *Bull. et Mém. de la Soc. d'Anthropologie de Paris,* t. 8 12e série, 1971.

15. E. Wrigley, *Société et population,* Paris, 1969.

16. P. Goubert, « Recent theories and research in French population between 1500 and 1700 », in *Population in History.*

17. In *Beauvais et le Beauvaisis, op. cit.*

18. En 1950, le docteur R. de Guchteneere avait soutenu que l'ovulation est inhibée naturellement pendant la période d'allaitement. Cette hypothèse étayait la position de l'Eglise qui autorise, comme seule forme de contraception, l'utilisation des périodes stériles; cité par J.-T. Noonan, *Contraception et mariage,* Paris, 1969.

19. Yebamoth, 34*b* (Rabbi Eliezer).

20. P. de Ledesma, *Tractatus de magno matrimonii sacramento,* Venise, 1595 (cité par J.-T. Noonan).

21. A. d'Angeville, *Essai sur la statistique de la population française,* réimpression, Paris, 1969.

22. P. de La Palud, *Quartus sententiarum Liber,* cité par E. Helin in *La Prévention des naissances dans la famille,* Paris, 1960.

23. « Amour illégitime et société à Nantes au XVIIIe siècle », *Annales E.S.C.,* 1972.

24. Cf. P. Laslett, *Ce monde que nous avons quitté,* Paris, 1969.

25. G. Bouchard, *Le Village immobile : Sennely en Sologne au XVIIIᵉ siècle,* Paris, 1972.

26. In *La Civilisation de l'Europe classique,* Paris, 1966.

27. In « Malthusianisme démographique et malthusianisme économique », *op. cit.*

28. La synthèse la plus complète : J.-T. Noonan, *Contraception et mariage, op. cit.*

29. Cf. J. Depauw, « Amour illégitime et société à Nantes », *Annales E.S.C.,* 1972.

30. Cf. F. Lebrun, « Naissances illégitimes en Anjou », *Annales E.S.C.,* 1972.

31. In *La Prévention des naissances dans la famille. Ses origines dans les temps modernes, Cahiers de l'I.N.E.D.,* nº 35, Paris, 1960.

32. Voir M. Brewster Smith, « Motivation, communications Research and Family Planning », dans *Public Health and Population Change,* Pittsburgh, 1965; pour l'Inde : T.-R. Balakrishnan, « India. Evaluation of a publicity program of family planning », in *Studies in Family Planning,* 1967; pour Porto Rico : Reuben Hill, J. Mayone Stycos, Kent W. Back, *The Family and Population Control. A Puerto Rican experiment in social change,* University of North Carolina, 1959.

33. J.-L. Flandrin, « Contraception, mariage et relations amoureuses dans l'Occident chrétien », *Annales E.S.C.,* 1969.

34. Cité par J.-T. Noonan, *op. cit.*

35. A la tête des rigoristes, la faculté de théologie de Louvain, avec Jean Sinnigh, Irlandais exilé.

36. J.-T. Noonan, « Intellectuel and demographic history », *Daedalus,* 1968.

37. In « Malthusianisme démographique et malthusianisme économique », *op. cit.*

38. D. Herlihy, « Vieillir au Quattrocento », *Annales E.S.C.,* 1969; C. Klapisch, « Fiscalité et démographie », *Annales E.S.C.,* 1969.

39. Cité par J. Hajnal, « European marriage patterns in perspective », dans *Population in History,* Londres, 1965.

40. D. Beltrami, *Storia della popolazione di Venezia,* Padoue, 1954.

41. M. Garden, *op. cit.*

42. G. Arbellot, *Cinq Paroisses du Vallage aux XVIIᵉ et XVIIIᵉ siècles,* dactylographié, Paris, 1970; J.-T. Noonan, *Contraception et mariage.*

43. J. Lafon, *Régimes matrimoniaux et mutations sociales : les époux bordelais (1450-1550),* Paris, 1972.

44. Par exemple, dans le cas des *matrimonia praesumptia.*

45. Cf. C. Piveteau, *La Pratique matrimoniale en France d'après les statuts synodaux,* dactylographié, Paris, 1957.

46. Cf. A. Van Gennep, *Manuel du folklore français contemporain,* t. I, 2 : « Mariages-funérailles », Paris, 1946.

47. En particulier en Bretagne-Normandie, Bresse, Savoie.

48. Voir, à propos d'un phénomène semblable affectant la France actuelle, l'étude de Louis Roussel, « La nuptialité en France », *Population,* 1971.

49. J. Hajnal, *op. cit.*

La religion
– Anthropologie religieuse

PAR

ALPHONSE DUPRONT

L'anthropologie religieuse s'établit comme connaissance – ou science – de l'homme religieux. Regard partiel sans doute sur la totalité de l'exister humain, mais l'un des plus préhensifs, car toute vie religieuse, qu'elle soit individuelle ou collective, est clé d'unité. En ce sens qu'elle exige et pose « au-delà » – cet « au-delà » nécessairement lié à l'exister humain –, comme, dans sa souveraine lecture de l'univers, elle implique le plus grand nombre de participations à tous les aspects du cosmique. Enfin, quel qu'ait été l'acharnement de l'esprit moderne à dichotomiser jusqu'à prétendre les séparer la religion des autres formes de l'existence, consciemment ou subliminairement, le besoin religieux, qui harmonise autant qu'il peut rationnel et irrationnel, demeure service essentiel de l'équilibre humain comme de la puissance de témoigner : ce qui est tout ensemble création et violence. Ainsi l'homme en acte de religion est-il, à l'encontre d'analyses aujourd'hui dépassées, en exercice ou en quête de toute-puissance. Le religieux exprime l'humain quasi dans sa plus haute et plus énergétique mesure. Et – ce qui importe à l'histoire – à travers une épaisseur temporelle considérable. Le phénomène religieux appartient, en un regard temporel, à la longue durée. Plus encore, ses transformations, voire son évolution sont fort lentes, pour ce qui concerne les habitudes acquises aussi bien que pour la vision du monde.

Que la religion soit cosmogonie ou religion éthico-normative, on ne saurait altérer à la légère la puissance des clés ou d'équilibre qu'elle délivre. Entre les différentes expressivités de la société des hommes, celle-ci est la plus profondément stable. En vertu aussi de cette réalité anthropologique que la durée crée vénérabilité et que celle-ci une fois établie épaissit plus intensément encore la durée. Solidité des religions sur laquelle notre temps légitimement s'interroge; mais que les explosions, parfois vertigineuses, de l'après-Vatican II ne nous illusionnent pas dans notre lecture occidentale des choses : soudaines sans doute ces explosions, mais dans le monde catholique depuis trois siècles préparées comme une lente assimilation des puretés religieuses de la Réforme, quelle qu'ait été la vitalité tenace, voire « triomphale », des équilibres tridentins. A travers l'expérience religieuse, l'homme vit un ralenti, qui offre, saisi dans son mouvement même, une extraordinaire et peut-être unique possibilité de déchiffrer aveux, besoins et le double sens et du combat d'exister et de l'interprétation que l'homme s'en donne à lui-même. Longue durée et éternité, ou plutôt extra-temporalité, sont à la vérité, dans le mental collectif, normalement confondues. Ainsi l'histoire des faits religieux peut-elle valablement s'établir comme pourvoyeuse de matériau anthropologique.

Comme toute histoire d'ailleurs, mais avec l'élection particulière de procéder d'un mouvement extrêmement lent. Cette masse des profondeurs, toute d'entrailles, se déplie dans la durée avec une lourde gravité révérente. Aussi bien l'histoire, dans son double développement à travers l'espace et le temps, permet la quantification. Et quantifier est traitement statique du massif, à la fois manifestation de celui-ci, saisie de son épaisseur en même temps que mesure de sa dispersion. Ce qu'il y a d'ambition d'universel, dans la vieille formule, si commode à l'esprit moderne, de l'homme « de tous les temps et de tous les pays » se fonde avec une autre force par la quantification. L'apologétique moderne, elle aussi frileusement universalisante, invoquait sans cesse le *consensus omnium*. Tous, qui donc peut le saisir ? Mais, de par le chiffre, faire sortir l'ampleur du besoin, de l'attitude, de la pratique ou de la vision dans la société des hommes, c'est à coup sûr dépasser les fragilités d'un comparatisme ponctuel, trop naturellement enclin à induire sur des rapprochements nécessairement occasionnels. Perspective seulement, ce langage du chiffre, pour l'établissement du commun anthropologique. Mais issu de l'histoire, il prend particulière sûreté, car l'histoire, si elle doit abstraire le matériau de la quantification, se renierait elle-même à ne pas conserver, pour chaque donnée qu'elle apporte, les garanties de l'enracinement temporel. Ce qu'elle confronte dans l'homogénéisation naturelle du nombre garde toujours quelque chose de son terroir originel. La quantification, au partir de l'histoire, n'est jamais totalement désingularisante. Ce qu'elle apporte, c'est l'assiette solide d'un « commun », qui est surtout vision mentale de similitudes, le regard du « même » dans le déploiement temporel de la présence, voire de l'agitation humaine. A prendre l'exemple le plus aisé encore que peut-être, quant à l'établissement du matériau, assez grossoyant, il est certain que les nombreuses études de « pratique religieuse », développées avec une autorité particulière par Gabriel Le Bras et son école, apportent une lecture solidement fondée des comportements collectifs de religion dans le champ géographique français. On peut la conduire selon la diachronie, mais, quasi au-delà des rapports synchronie/diachronie, il y a des évidences massives : celle du besoin sacramentaire d'abord, largement conditionné par la pression sociale, donc une fixation des rapports de participation entre nature et surnature; les correspondances au cosmique de la vie liturgique collective et, dans la vie de cette correspondance et les rythmes des travaux d'une société agraire, le conflit quasi permanent entre la fête liturgique et le champ; oppositions ou conciliations entre la société ecclésiale et les sacralités cosmiques, considérées comme païennes; plus profondément encore, les composantes psychosociales du conformisme ou du besoin sacramentaires; enfin les différences de comportements liées au milieu physique et à l'environnement. Tel le massif, ou une partie de celui-ci, dont il est aisé de mesurer combien la lecture en importe pour atteindre à une certaine quintessence de l'*homo religiosus*; mais seule l'histoire, c'est-à-dire le donné et la mémoire de base, peut en permettre le traitement en finesse hors lequel le risque serait grand soit de généralisations égalisantes – ce qui est de toutes les formes d'abstraction la plus dangereuse –, soit d'un verbalisme séducteur, dilapidant le patrimoine des expériences mortes.

Ce profil de compénétrations entre la vie de religion dans le temps et l'histoire établit le concert possible et fécond de deux démarches de connaissance ou regards sur les réalités de l'expérience humaine, collective et individuelle. Mais afin d'en mieux fonder la certitude, utile doit être de cerner, plus avant qu'il ne vient d'être fait, ce que veut ou peut être une anthropologie religieuse. Connaissance évidemment de l'homme dans ses comportements religieux, les créations de l'espèce, de la race ou du milieu se conditionnant sur eux-mêmes pour une quête d'au-delà, l'analyse des mythes ou cosmogonies, leurs structures nourricières, le développement de la double démarche en quoi s'exprime la volonté de puissance qui est la dynamique même de toute existence religieuse, dépas-

sement dans l'au-delà ou dans la sublimation, plénitude du présent dans la possession de l'instant et vie
des sources pour la recharge énergétique de la quête.
A cette connaissance, tous les signes de l'expérience
ou l'état religieux naturellement concourent, de la
massivité des phénomènes de pratique, mesure d'un
impact vital collectif, jusqu'à l'analyse des mécanismes mentaux, des postulats surtout, enclos dans les
élaborations doctrinales. Définition et vie des institutions, leurs rapports avec l'environnement ou même,
comme cela demeure passion et labeur du monde
contemporain, coexistence plus ou moins harmonisée
en l'homme même de l'univers religieux et d'autres
univers non moins accaparants sinon également nour-
riciers, économie mentale et verbale du cérémonial
liturgique, constitution de modèles exemplaires sous
forme de saints ou de héros, rhétorique sermonnaire ou
logique catéchistique, autant de saisies convergentes
de comportements, de besoins, de constitutions d'univers où se découvre le mystère de puissance de
l'homme en sa vie de religion, son façonnement de ces
confins où il est possible de passer de l'un à l'autre
monde ou de manifester l'un à l'autre. Ces signes,
quelquefois démesurés, parlent l'homme. Une anthropologie religieuse est lecture de ce discours, réunion
patiente d'abord des éléments qui l'établissent, puis,
après en avoir retrouvé la cohérence, compréhension
jusqu'à entendre, sans induction précipitée ou méca-
nisation banalisante, la portée même des symboles.
Ambition grande autant que nécessaire, mais pour
l'assouvissement de laquelle il faut reconnaître qu'en
notre monde occidental du moins, nous en sommes à
peine au premier temps de l'élaboration du matériau,
et encore fort petitement – la vision anthropologique
est chose neuve, donc le regard aussi sur un matériau
abondant certes, mais qui a été jusqu'ici traité d'autre

manière, par l'histoire en particulier. Aussi peut-il être de sûre démarche de tailler, dans l'immense champ de l'anthropologie religieuse, une démarche, d'exploration immédiatement plus aisée. Elle apparaît constituable dans une anthropologie du sacré.

Dans la rigueur des mots et des choses, une anthropologie du sacré peut sembler dès l'abord comme plus large qu'une anthropologie religieuse.

Faire de l'une province de l'autre serait paradoxe ou inconscience. On le pourrait à s'en tenir à d'élémentaires durcissements, limitant à l'institution établie le contenu vivant et vécu de la religion. Mais religiosité est encore pulsion religieuse et toute une vie, quête ou conscience même élémentaire de sacralité, pose un univers religieux ou une approche religieuse de l'existence et des choses. Prise dans son ensemble, l'anthropologie du sacré est quasi de donnée immédiate; son matériau, brut sans doute, est souvent manifeste, surtout massivement étalé, car l'un de ses champs d'évidence est constitué par les cultes populaires. Donnée innombrable où pratiques, gestes, rites apparaissent comme un langage d'expressivité commune, de l'anthropologie en place. Cette facilité d'approche, où la principale difficulté devient l'immensité du matériau, ne saurait cependant conduire à trop sommariser le sacré. Celui-ci est essentiellement vie de l'objet; mais il y a une création sacrale, qui précède l'objet ou qui peut demeurer sans objet. Double, cette création, si nous gardons la seule lecture qui compte par révérence au total, celle de l'ambivalence : la création surnaturelle et tout ce qui est, par quelque voie que ce soit, sacralisation d'en haut; la création collective intrahumaine, où groupe, milieu, société se reconnaissent dans l'instant ou dans le temps porteurs de puissance sacrale.

Une anthropologie du sacré qui entend se constituer

telle doit donc réunir les apports de ces trois voies essentielles où se manifestent, dans l'expérience humaine, sacré et création sacrale. Au regard de l'intrahumain, souvent le moins scientifiquement discernable, l'inventaire des valeurs dites sacrées, les interdits, les cultes dits de mémoire, tels que les monuments aux morts des dernières guerres, les habitudes de langage et jusqu'aux cursivités de celui-ci fournissent le matériau du reconnu, de l'admis, essentiellement de l'hérité, ainsi d'un patrimoine constitué dans le temps. On ne saurait pour autant négliger la création sacrale dans le présent. Les communautés dites de base qui se développent aujourd'hui dans certains milieux des Eglises chrétiennes occidentales vivent incontestablement, fondée sur leur lecture de l'Evangile, sur leur propre réception de la parole et leurs affinités électives, une création sacrale. Alentour de la tombe de Charles de Gaulle se transfère un culte de corps, de mémoire historique et d'idéalisation collective, autour, sans doute, d' « une certaine idée de la France ». Des assemblées éphémères vivent, devant une tombe, dans des paroxysmes d'exigence, de tension ou de conjuration lors de grands déploiements culturels, fussent-ils parades ou revues militaires, des états de sublimation : motivations, mécanismes et ferveur marquent besoins fort diffus certes, mais aussi sens sacral d'une collectivité donnée. Ces quelques éclairages du sacral intrahumain ont d'ailleurs tous une source commune, les pulsions, la vie de l'irrationnel dans l'âme collective, irrationnel dont la dynamique « existentielle » cherche l'Autre, dépassement, accomplissement, puissance, sublimation. Essentielle en effet, cette réalité du sacré de n'être jamais égolâtrie – l'idole personnelle est de soi séparée du troupeau – et cristallisation narcissique stérile; il jaillit au contraire, ou sourd vers son lieu naturel, qui est l'au-delà, plus ou moins immanent à l'exaltation ou au panique présents. Dynamique, qui débouche sur la rencontre de l'autre création sacrale, la manifestation surnaturelle. Lieux consacrés d'en haut par la geste de l'histoire sacrée, l'enracinement cosmogonique, l'existence humaine de l'être divin, l'apparition ou le message; mise en présence de l'événement ou vie de l'eschaté ou de l'accomplissement de la promesse divine; conscience collective de la participation à une histoire sacrée, ou plus élémentairement, dans la vie sacrale collective, besoin de la présence; incarnation du Livre ou de la Parole, réalisation de ce qui a été écrit ou annoncé; mythiques ou légendaires unissant, au niveau de l'existence et de la conscience collective, nature et surnature, autant de voies grandes par où l'humain cherche la sacralisation de la présence. De la démarche humaine, l'on peut dire qu'elle demeure encore pulsion de puissance irrationnelle. La manifestation du surnaturel, comme telle, est d'un autre ordre. Notre connaissance, qui se doit vis-à-vis d'elle une parfaite révérence, ne peut qu'en enregistrer traces, fécondités et charges psychiques dans le collectif humain qui la reçoit d'en haut ou d'au-delà. En ces confins entre transcendance et immanence, nature et surnature, la ferveur sacrale connaît une frémissante intensité, une ardeur créatrice et nourricière exceptionnelle. Tous ses signes dans l'humain prennent une puissante expressivité d'ambition sacrale, depuis les paroles de l'apparition jusqu'aux légendaires innombrables par quoi l'imaginaire humain concrétise le commerce quasi ineffable entre les deux mondes.

Mais le matériau le plus immédiat d'une anthropologie du sacré demeure bien le sacral-objet. Culte de corps saints ou de reliques, cultes de lieux sacrés diversement inscrits dans le cosmique et dans l'historique, latrie d'images ou d'autres objets, oratoires au

bord des chemins ou croix de carrefours, ces pulsions
d'adorer ou de recourir qui travaillent l'âme collective, toutes ont leur objet de fixation. Fixation qui
évidemment impose conscience et réponse. Par l'objet, l'influx sacral revient à l'orant, multipliant son
énergétique créatrice. Au cœur du silence et du mystère, ce dialogue dont il est beaucoup parlé
aujourd'hui – souvent trop et de mots seulement – a
été, du fond des siècles, précédé de cet échange en
ressourcement sacral, où l'objet, sans paroles et hors
toute raison, impose la manifestation. C'est d'ailleurs,
dans sa pulsion conjuratoire, le langage de l'immense
multitude en acte de dépassement de soi, et donc de
religion. Ici la matérialisation est vie foisonnante des
profondeurs. Démarche du dedans au dehors, à l'encontre d'une démarche que l'on pourrait dire de
connaissance ou de culture, qui se déploie du dehors
au dedans et qui naturellement tend à supprimer
l'objet. Ces cultes extérieurs et innombrables, où il n'y
a ni Grec ni Gentil, ni non plus « cultivé » ni
populaire, où dans l'acte collectif de quête et de
participation au sacral tous se trouvent confondus,
s'imposent comme une donnée anthropologique élémentaire, mais déjà racine et sève de l'*homo religiosus*. D'autant que quasi tous, cultes de conjuration ou
de recours, sont des cultes thérapiques. Cette instance
de guérir est la forme la plus commune, la plus
quotidiennement poignante aussi, de la pulsion fondamentale de l'exister humain en son déploiement de
puissance, et qui est ne pas mourir. Les sotériologies
enseignent aux sociétés humaines les voies de vaincre
la mort ou de ressusciter. Avec le recours thérapique,
qui lui n'a jamais été enseigné mais seulement
exploité – ce qui garde à la pulsion son caractère
originel de besoin vital, voire animal –, il s'agit de
libérer du mal physique la vie quotidienne. Dans cette

crispation ou cette angoisse de l'équilibre vital, donc de la puissance d'exister, le sacral garde une étonnante vertu. Là où « simples » et médecine populaire ne suffisent pas, en une rencontre extraordinaire où interviennent la croyance au surnaturel, parfois la manifestation de celui-ci, l'exigence humaine de l'intégrité, du normal et du non-souffrir et le déploiement d'une énergétique vitale sans mesure, l'objet sacral de fixation guérit. Anthropomorphisé dans le monde chrétien : ce qui donne justement la ressource de la parole, même muette. Et prier la guérison, c'est déjà guérir. Aussi commune donc, et poignante, que le mal, la thérapie. Pour elle, la vie la plus diffuse des sacralités, à dominante populaire certes, mais sans cesse au tréfonds du viscéral collectif. Immense matière offerte, et presque aisément lisible, hormis dans son mystère guérisseur, à l'enquête anthropologique.

Dans nos vieilles sociétés occidentales, l'anthropologue, s'il veut connaître à même l'entièreté du matériau, doit d'abord constituer celui-ci. C'est l'enquête plus ou moins ethnologique, aussi diversifiée dans ses voies et moyens que d'une extrême différence de nature et d'approche des données, qui servira à établir son matériau. Enquête au présent, et qui, dans son développement, peut être tentée de cristalliser justement dans un éternel présent, tant, dans l'inventaire des sacralités, le témoignage s'accumule de choses qui durent « depuis toujours ». Que l'on inventorie par exemple à même le pays pèlerinages et cultes populaires, même à un moment – le nôtre – d'une mise en cause aussi résolue qu'anarchique, la réponse est banale quant à la durée. Hors du temps, « toujours » c'est la mesure populaire du sacral. L'âme collective ne conçoit pas, dans l'élémentaire de son énergétique sacrale, une immersion dans la durée de cette réalité, qui pour elle est d'éternel. Le sacré défie le temps, car il est moyen ou arme pour vaincre celui-ci. De sa nature, il refuse l'histoire. Et cependant tout inventaire de sacralités nous conduit à l'histoire. Fût-ce d'abord par l'état d'usure respectif où se situent ces cultes. D'une survie de mémoire encore intacte à une durée toujours épanouie, quelquefois depuis plus d'un millénaire, l'échelle de continuité simplement s'établit. Ce qui pose, en gerbe, les problèmes de la vitalité du besoin collectif, des conditionnements ou des mécanismes épuisés ou toujours actifs qui entretiennent cette vitalité, de la disparition ou de la permanence de circonstances historiques, de transferts soit sur place soit ailleurs. Autant de questions où la réponse est d'analyse de la vie dans le temps, donc historique. Au champ français par exemple, un dénombrement exhaustif des cultes populaires dans une région déterminée, cultes tous thérapiques et qui s'expriment sous forme de pèlerinages institutionnels, individuels ou cryptiques, impose un certain nombre de premières évidences. Dans une vision du temps à rebours, au plan contemporain d'abord, soit notre siècle et bonne part du XIXᵉ, un « modèle » du pèlerinage, en une manière de centralisation mentale, s'est imposé. Non seulement chaque diocèse français a son pèlerinage annuel à Lourdes mais nombreux s'avèrent les cultes de la Vierge de Lourdes reconstitués un peu partout, à l'intérieur de l'église paroissiale ou au-dehors, profitant par exemple d'une anfractuosité naturelle ou d'un rocher dans lequel ouvrir une grotte, quand celle-ci n'est pas artificieusement construite de toutes pièces. Dernier perfectionnement de l'*imago* lourdaise qui tend beaucoup à se répandre ces années : le dialogue pétrifié entre la Vierge dans sa grotte et, à distance révérente, une Bernadette à genoux dans ses habits de petite paysanne pauvre. Pourquoi ce modèle, et non pas d'autres, La Salette ou

Pontmain par exemple? Seule l'histoire répondra, soulevant quantité d'impondérables et inscrivant aussi le fait dans ce phénomène plus large, patent au niveau des cultes pèlerins dans la période contemporaine, d'une action d'Eglise tendue, par des voies conscientes mais aussi inconscientes, à regrouper l'assouvissement collectif du besoin pèlerin dans de grands centres, quitte à déraciner de ses cultes autochtones une population jusqu'alors sédentaire. Entre les réponses de l'histoire, l'analyse marxiste trouvera aisément place : le développement des chemins de fer a sûrement dilaté l'espace sacré, tout en l'affaiblissant passablement, du moins en transformant dans ses humeurs, ses attentes, ses valeurs pénitentielles, la quête pèlerine, peut-être aussi en en atteignant l'énergétique, donc la réception de grâces.

L'extraordinaire poussée mariale du XIXᵉ siècle avait été précédée, et sans doute aux profondeurs préparée, par la surgie, au temps de l'épanouissement de la Réforme catholique, dans la première moitié du XVIIᵉ siècle surtout, de nombreux sanctuaires exaltant l'intercession toute-puissante de la Vierge, combattue par le christianisme viril et dénonciateur de latrie de la Réforme. Mémoire patente dans le donné de l'enquête d'aujourd'hui, conservée dans les écrits dévotieux de la littérature de pèlerinage, et souvent dans des inscriptions d'époque, un mobilier ou une architecture du sanctuaire qu'il est aisé de dater. Immédiat donc, l'établissement de la strate historique, confirmé, dans l'élargissement de l'enquête, par des concordances évidentes. Autre concordance, issue du légendaire celle-ci : la plupart de ces cultes sont justifiés par des récits d' « inventions » : la statue, objet du culte, a été miraculeusement découverte au creux d'un arbre (Vierges du chêne ou de l'orme, ou de telle essence dominante dans la région ou bien au contraire rare), en un recoin du sol ou dans l'eau translucide d'une fontaine ou d'une mare. Et la découverte, chaque fois, œuvre d'un laïc parmi les plus simples, berger ou petite paysanne gardienne du troupeau, voire par un des animaux de celui-ci. Manifestement ni clerc ni Eglise n'interviennent dans l'immédiat de la découverte. Constatation qui impose de conclure à une compensation laïque évidente, face à l'institution d'Eglise, à un peuple fidèle se donnant à lui-même avant que discipline ecclésiastique il n'y ait, l'objet sacral dont il a besoin. Lecture de l'histoire qui se fait ainsi dans le présent d'aujourd'hui, comme cette autre de deux niveaux de sacralisation, cristallisés dans le légendaire de nombreux pèlerinages. L'un, autour des Vierges noires, est l'explication habituelle d'une provenance orientale de la statue, avec, pour rendre « naturel » son voyage, le fait historique des Croisades et l'apport soit par un croisé soit par un pèlerin. Associations qui, pour le mental pèlerin, ont leur cohérence de certitude, et donc leur diffusion commune. A travers elles, la lecture s'impose d'une dépendance sacrale à l'Orient, qui est fait banal de nos sacralités occidentales intrachrétiennes, et, plus profondément, la portée chthonienne de tous ces cultes où se trouvent liées négritude et maternité, le type iconologique de la *Sedes sapientiae* étant le plus souvent celui de la statue. Nous sommes en présence du mystère de la naissance et du retour, pour quoi il y a garde de sagesse. L'autre association, moins diffuse, soulève toute une histoire : c'est le besoin du collectif de situer son culte soit à la hauteur des temps carolingiens, avec l'immense stature mythique de Charlemagne, soit dans les épisodes de même époque, de la lutte contre l'Islam, Charles Martel en étant la figure ou le nom expressif. La fixation de pareil niveau définit devant nous une épaisseur de temps, sacralisante de vénérabilité et un imaginaire des sources. Ainsi, dans le seul dénombrement d'aujourd'hui, s'établit une analyse spectrale du passé avec cette échelle de montée – ou descente – aux profondeurs du temps : Vierges d'apparition des XIXᵉ et XXᵉ siècles; « inventions » mariales du XVIIᵉ siècle quelquefois prolongées jusqu'à la fin du XVIIIᵉ siècle; Vierges de pitié qu'il faut ici introduire, dans leur épidémique propagation sur XIVᵉ et XVᵉ siècles; enfin Vierges de majesté, de règne et de sagesse, pour lesquelles est patent le cordon ombilical à l'Orient. Histoire des profondeurs transparente au présent : le schéma qu'elle découvre remue les blocs énormes de mutations religieuses, c'est-à-dire des transformations de la vision et de la participation sacrale par des masses immenses et jusqu'ici silencieuses, auxquelles le simple profil qui vient d'être présenté restitue déjà un langage.

Faut-il encore multiplier les exemples de cette instance du passé au présent, voire instance de l'éternel, celui-ci posé en sa mesure humaine? Deux semblent devoir être retenus, qui sont de notre quotidien et donc de notre moindre sensibilité. L'un concerne la répartition des lieux de culte; l'autre, les titulatures. Tous deux, choses inscrites en nos terroirs, dans nos paysages familiers, de celles que nous ne lisons plus.

Quant aux lieux de cultes et à leur répartition, il y a des densités urbaines, il y a la dispersion plus ou moins grande du plat pays; il y a aussi, dans villes et campagnes, des églises ou chapelles transformées en garages ou en étables, quelquefois même, moins naturellement, en restaurants; enfin cartes anciennes, toponymes, et parfois mémoire collective toujours cultuellement fidèle ou toutes autres traces attestent d'églises ou de chapelles disparues. Mettre en évidence ces faits peut s'arrêter au plan historico-géographique et ne pas dépasser l'apport de données bien des fois établies, telles que l'urbanisation mendiante, la poussée concurrentielle intra-muros des congrégations nouvelles et des familles religieuses anciennes retour des champs, les passions contrastées des grands et des riches dressant dans le théâtre urbain leurs lieux de culte et de gloire, les plaintes sans cesse renouvelées, dès que le bon peuple commence à parler à travers son curé dans les visites canoniques, sur l'éloignement de l'église, les difficultés de la gagner l'hiver ou par mauvais temps, l'imposition du lieu de culte castral ou la complexe mais signifiante répartition entre église paroissiale et succursales, plus lointainement encore église mère et églises paroissiales postérieures, enfin la prolifération le plus souvent historicisée de chapelles souvent votives ou d'oratoires. Mais, pour partir du plus élémentaire, densité et raréfaction sont déjà des données d'âme, et non moins, dans la carte des répartitions, les vides. A partir de quoi accrocher l'investigation du besoin sacral. Dieu ou maison de prière proches ou lointains, l'un et l'autre pouvant s'établir en raison inverse; avidité cultuelle qui va tout de suite mettre en cause qualité sociale, réalité biologique des fidèles, leurs supports sacraux de cristallisation et découvrir ainsi cultes clos ou cultes ouverts; enfin tout élémentaire mais parfaitement signifiant, l'aveu d'un espace « moyen » de sacralisation à parcourir pour atteindre à la maison-Dieu, autant de traits menus, parfois à peine ébauchés, qui découvrent des pulsions d'âme collective, un besoin de l'église et le sens de celle-ci comme noyau de concentration sociale. Encore mieux les vides : il y a des régions interdites de sacralités, en général les plus marquées d'intensité cosmique. Là intervient la lecture de l'incessant, dramatique et souvent fatal dialogue entre l'homme et la nature : donc une libération d'état profond, une donnée de génie, au sens où celui-ci est nature et une nature qui est fondement d'exister, ainsi réalité anthropologique éminente. Ce qui peut, dans les sociétés historiquement chrétiennes, permettre de mesurer jusqu'où est allée l'audace ou la puissance d'anthropomorphiser, le baptême chrétien des lieux de culte étant quasi toujours anthropomorphisation d'un *locus* cosmique.

Aussi parlants que les lieux de culte habituels, chapelles, oratoires ou croix égrenés le long des chemins. Leur nombre, leur place, leur espacement content une histoire complexe où éclatent le besoin de l'objet, support ou prétexte de la prière, les rythmes d'un espace sacré, les exigences de sublimation selon la route ou le travail, la sacralisation nécessaire de certains lieux de l'espace, tels que carrefours ou entrées de domaines. Au dénombrement de ces signes, on peut donner une première interprétation cursive sur habitudes ou besoins religieux d'une terre, de même que pour la multiplication ou au contraire l'absence des niches ouvrant sur la façade des maisons paysannes ou citadines le rayonnement d'une statue protectrice. Enracinement, c'est-à-dire localisations et formes, à condition de pouvoir être analysées avec rigueur, découvrent une autre profondeur, au-delà du détail historique : soit, pour l'oratoire souvent, un acte exorcistique, soit, quant à la croix, une multitude d'appels dépassant le tréfonds chrétien. Sommairement, peut-on dire, tout un réseau de protections pour que la nature, cependant assumée, ne règne pas d'une implacable et solitaire souveraineté, anéantissante de l'homme. Les croix surtout disent justement l'autre souveraineté, celle de l'homme, érigées qu'elles sont d'œuvre d'homme et gouvernant l'espace (bien que les croix chrétiennes soient appauvrissement ou réduction de la croix à quatre branches, elle véritable maîtrise de l'étendue physique, voire psychique); symbole solaire d'autre part, elles confirment par leur condensation symbolique la maîtrise humaine de l'astre et le font irradier à merci, jusque dans le geste même de l'orant ou du passant qui se signent. Leur langage est plus explicite encore dans la rude confrontation entre les différents types de croix (les modèles choisis exprimant un état d'âme collectif ou bien, par contre, l'ayant à longueur de temps façonné), dans l'opposition surtout entre croix de pierre brute et croix historiée. L'apparition du corps divin, curieusement réaliste ou d'un pathétique usé dans les périodes contemporaines, charge la croix d'une autre présence. Et ce seul choix dit conformisme mental d'une culture ecclésiale, accentuation humanochristique et en un certain sens affaiblissement d'une symbolique de la croix : toute humanisation décidément antidotique du sens de l'objet nu, cette croix souveraine de pierre sans figure. Au travers des lieux marqués de signes cosmiques ou des simples croix de carrefour, la donnée anthropologique de notre vieux monde chrétien s'étale saisissante : l'image anthropomorphique, non moins anthropocentrique, est constitutive de la société sacrale chrétienne, dans une volonté tendue de recouvrir l'objet brut. Découvrir l'immensité de ce processus devient aujourd'hui une manière de délivrance, soit de la puissance d'un ordre traditionnel, soit d'une révérence baptismale, soit au contraire d'une richesse perdue, donc manifestation d'un exister humain, aux confins mêmes de l' « être ».

Avec le dénombrement des titulatures, nous plongeons dans l'anthropomorphe. La puissance sacrale est délivrée ici de nom d'homme ou de Dieu fait homme, ou plus rarement d'une donnée théologique, voire historique, touchant les personnes divines. D'évidence le nom comporte choix. Cette élection collective du patron, que complète souvent un secon-

daire – patron d'église ou de chapelle, et non moins
patron de paroisse – enferme un sens religieux, souvent au cours des siècles fort évanoui, mais la trace du
choix demeure, et qui est justement le vocable imposé
à l'édifice religieux. Souvent vocable double d'ailleurs,
car la piété populaire transpose ou, pour bien des
raisons contingentes qui prennent vite force d'habitude, dénomme différemment de la titulature ecclésiale... Mais simples ou doubles, titulaires et secondai-
res accouplés, l'inventaire massif de ces titulatures
découvre au jour d'aujourd'hui un document immense, à double lecture, selon le temps et selon l'espace.
Saisissante, quasi pour n'importe quel diocèse français, la lecture immédiate d'une quantification toute
brute. La Vierge et les saints s'y livrent le combat
multiséculaire et à l'encontre des pulsions mariolâtri-
ques contemporaines, les saints y tiennent numérique-
ment la plus grande place, avec l'imposante assiette
martinienne, qui dit l'évangélisation fondamentale du
monachisme noir. Autre évidence, toujours dans la
liste brute, les vocables récents se révèlent à leur
formulation théologique, produits d'Eglise en transformation de ses valeurs théologiques ou du moins en
variation d'accentuations : tous concernant des paroisses ou des lieux de culte dans des zones d'extension urbaine ou d'urbanisation en cours. Ce que l'on
disait jadis le plat pays découvre, et de quelle massivité, sa fidélité à ses saints. Au-delà de ces impressions
objectives, le donné : titulature apparaît, de toute
évidence, comme parfaitement établi dans la longue
durée. Quelques ajouts ou variations d'aujourd'hui
n'altèrent pas le caractère puissant du monolithe,
comme suscité du fond des temps. Si bien que par
confrontations successives et de l'éclairage convergent
d'études historiques, des strates d'imposition de cultes
se détachent, découvrant les réceptivités successives

des groupes humains religieux empris dans la structure diocésaine.

Soit une chronologie des choix, signifiante de par les concordances établies, des grandes pulsions d'apostolat, d'une dynamique conquérante et d'un accord théologico-populaire entre l'enseignement d'Eglise et le conditionnement cultuel des masses. Moins signifiant sans doute cet accord que dans la liberté implicite des pèlerinages ou des cultes populaires plus ou moins élaborés, publics ou cryptiques mais dans l'épaisseur pleine de ces choix, dont bien souvent l'histoire ignore les responsables, il y a un roc d'âme collective sur lequel les siècles ont passé sans l'user. A quoi se sont accrochés légendes ou récits historiques, narrant d'une vérité de conte, l'existence vraisemblable ou réelle du saint patron, récits dont la structuration et la cohérence portent une date historique, témoins des critères de sacralisation ou du « modèle » de sainteté d'une époque et d'une société déterminées. Jusque dans la fadeur saint-sulpicienne de l'image, même si la statue du patron risque aujourd'hui la relégation dans un coin d'ombre de l'église, flottent encore la nostalgie ou les derniers traits du « modèle ». Modèle révélant plus que lui-même dans le traitement quantifiant : s'il y a en définitive peu de titulaires issus de canonisations modernes, de grandes masses s'imposent dans un classement quantitatif même élémentaire. Par exemple, ce que l'on pourrait appeler l' « épiscopalisation » nécessaire du saint patron pour compenser la puissance d'une société à dominante monastique; l'importance respective du patron autochtone ou considéré comme tel et de l'étranger; la strate essentielle des saints venus d'Orient ou la part des cultes apostoliques, voire des cultes romains. Ces grandes divisions qui s'établissent comme d'elles-mêmes sur des listes numériques fixent toute une histoire de propagation encore quasi secrète et la succession des modèles ou des types de modèles reçus époque après époque. Le tout écrit dans notre présent, alors que l'enquêteur peut si souvent constater et l'ignorance du collectif alentour quant à l'identité du titulaire de l'église et les erreurs relativement nombreuses que passivement conservent les ordos diocésains.

Quant à l'espace, l'inventaire des titulatures établit, sur un secteur géographique déterminé et qu'il y a intérêt à prendre aussi vaste que possible, tout en le gardant historiquement cohérent, des rayonnements, des circulations, des errances. A quoi il faudrait ajouter pour que l'expérience soit pleine, des stabilités : ces saints aux pieds d'argile qui ne circulent pas, que sont-ils? Et quels conditionnements historiques les fixent, alors que d'autres couvrent un monde? L'extraordinaire diaspora martinienne est un fondement culturel de l'Occident chrétien par exemple, et la diagonale Bourges-Trèves a été voie migrante de cultes, comme il y a un axe rhodanien. Toutes données d'inventaire que des conditions historico-géographiques peuvent parfaitement expliquer. Au-delà il y a la cohérence des choix, les procès d'acculturation, et cette acceptation extraordinaire de l' « autre » en quoi se mesure la distance d'éloignement valablement sacralisante pour un collectif donné. *Major e longinquo reverentia*, cela ne vaut pas seulement dans l'écriture classique, mais clé des mécanismes sacralisants de l'âme collective. Une palette d'exigences d'âme doit s'ébaucher de ce tableau des mesures de la distance sacralisante. Cet accès au sacral par l'espace est une approche anthropologique, parmi les plus sûres, pour pénétrer le mystère par quoi l'énergétique sacrale enclose en l'âme collective se concentre sur un objet. Outre que toute étude des circulations sacrales

par le biais des titulatures au champ européen par
exemple fixe les données premières d'un commerce
fondamental des sacralités, à différentes époques uni-
fiant, à d'autres au contraire sans vertu de communication religieuse. Il y a là un système de langage
religieux qui, au-delà des langues vernaculaires ou
même de la langue sacrée, impose déchiffrement.
D'autant que la propagation des cultes et cet acte
fondamental qui est pour un lieu de culte la marque
élective du patron se trouvent étroitement liés à la
circulation et à la vénération des reliques. Autre
aspect de l'anthropomorphisme chrétien, ce culte du
corps saint dont témoigne la relique. Authentiques et
artificieuses, ces reliques se trouvent ou naturellement
ou psychiquement chargées de sacralités, et leur commerce aura été sur un millénaire au moins la faim
sacrale de l'Occident chrétien. En lui se sont tramés
des liens souvent de filiations, voire de rapports de
groupes ou de circulation, dont l'analyse doit permettre de déceler certains plans psychiques du besoin
sacral comme les voies de son assouvissement. Dès
que les choses ainsi se matérialisent – il faudrait
écrire : s'humanisent –, le simple déroulement géographique d'une expansion du culte livre des proximités
d'âme et, dans la mesure où il s'agit de sociétés
ethniques différentes, soit une pulsion irrationnelle
d'unité, soit des contrastes affabulants et personnali-
sants, soit, dans une manière de « commun », une
exigence sacrale plus essentielle à la condition chrétienne.

Jusqu'ici nous avons gardé le niveau de l'enquête.
Rigoureusement conduite à la surface du présent,
l'enquête impose l'histoire. Disons mieux, elle la
délivre. A trois conditions cependant. De ne pas se
limiter d'abord, comme trop souvent fait l'ethnologie,
au cas singulier. Non plus qu'entre cas singuliers, se

satisfaire de comparaisons hâtives et d'induire sur des
similitudes plus ou moins superficielles : cette opération mentale de connaissance preste est de toutes la
plus traîtresse. La comparaison doit être confrontation, et plus donnée associative, porteuse de sugges-
tions de liaisons ou d'enracinements que parallélisme
trompeur jusqu'à la réduction au même. Après les
mises en garde, la troisième condition est positive :
elle est la quantification. Partout où elle est possible
évidemment, et composant choses de même nature.
Mais massivement la quantification est payante. Elle
distingue et, paradoxalement, elle nuance, confrontant
massif et singulier, donc manifestant les choix et ce
qui d'autre part rend l'histoire nécessaire : tout singulier en effet est cas d'histoire. Comme les évidences
massives issues du grand nombre portent l'interrogation historique à un niveau plus entier de profondeur
que la monographie récurrente. Le massif ici n'obli-
tère pas l'histoire; il la contraint au contraire à fouiller
plus avant. Il en libère les aveux jusqu'ici confinés au
silence. Ainsi les rémanences quantitativement attes-
tées de cultes encore vivants de la Vierge de Pitié
d'une part établissent la longévité du culte, d'autre
part contraignent à retrouver le niveau de surgie,
d'évidence elle aussi quantitative, le XIVe siècle – ce
qui peut permettre dans des cas incertains une induction discrète –, enfin et surtout imposent l'analyse des
motivations de ce culte dans le psychodrame collectif
des rapports de la mère ou du fils mort ou bien la
scénographie d'une exaltation matriarcale non plus
souveraine mais dolente, voire le jeu souverain de la
douleur apaisée. Autre exemple, susceptible lui de
cautionner une induction explorante, cette donnée
manifeste quantitativement que les pèlerinages des
lundis de Pâques ou de Pentecôte sont des pèlerinages
de fort ancienne institution ou habitude. Un culte

historiquement plus récent peut s'être emparé de ce jour de fête aux champs, mais peu de recherches suffisent le plus souvent à mettre en évidence la superposition du moderne à des célébrations plus anciennes.

Histoire présente au présent, nous le savions. Mais dans la multiplicité même de ses démarches, l'histoire conforte et approfondit toute analyse d'anthropologie du sacré. D'abord, pour que tout l'évident soit mis en place, ce qui nous est attesté aujourd'hui de la durée d'un culte procède d'une quelconque investigation historique, d'un document, d'une architecture, d'une convergence d'informations où passé et présent s'emmêlent dans un matériau objectif. Le témoignage oral diffus, lui, ne s'intéresse qu'à l'épaisseur massive de durée, – en un sens donnée anthropologique sûre de la longue durée. Mais il ne mesure pas. La fixation historique, quand elle est possible et elle l'est plus souvent qu'il ne paraît, cerne des hiérarchies de durée. Ce qui est de soi un document neuf. Le confronté de ce qui dure et de ce qui passe éclaire les nourritures secrètes. Car il y a effectivement des cultes qui passent. On errerait singulièrement à traiter comme culte vivace celui de Jeanne d'Arc, malgré la présence dans le plus grand nombre de nos églises de la statue de la vierge lorraine. Il y a eu un temps de besoin, temps très court qui a conditionné une mode : le besoin a-t-il disparu, ou l'objet, l'image n'ont-ils pas répondu au besoin ? C'est un fait que l'inévitable statue est une statue quasi morte. Hérissée de son étendard, cette jouvencelle en armure, malgré son visage angélique et ses yeux haut levés, quand elle n'est pas figurée les mains jointes tenant à la verticale le glaive de la mort, ne suscite guère plus d'élan religieux. Il y a bien une manière de pèlerinage d'intellectualité historique à Domrémy-la-Pucelle, mais quasi pas d'ex-voto auprès des statues de nos églises. Dans l'habituel face à face aux piliers ou aux murs des nefs de la sainte lorraine et de Thérèse de Lisieux, la religieuse aux roses l'emporte à tout coup. Mais elle encore, pour combien de temps? Au niveau d'aujourd'hui, ces cultes contemporains, d'un demi-siècle à peine, paraissent déjà usés ou en train de l'être. Fragilité de jaillissement, ou dans ces créations nécessaires, besoin, organique à la frénésie du temps, d'autre chose et de mieux? Tous les modèles de sainteté ne sont pas en tant que tels porteurs d'une puissante sève de culte. Le constater, c'est reconnaître les voies par lesquelles s'exprime la quête de perfection ou de puissance des profondeurs. Leur conditionnement aussi, car jusqu'où le culte de saint Antoine de Viennois, curieusement relayé, il est vrai, par celui d'Antoine de Padoue, correspond encore, là où il demeure en place, à un modèle de sainteté, le temps de l'érémitisme étant quelque peu forclos? Mais avec le guérisseur du « mal des ardents », c'est un immense pan de souffrance humaine multiséculaire dont la mémoire demeure inscrite dans la vénération collective. Qu'importent d'ailleurs les raisons : à l'analyse de les manifester. Ce qui la contraint, c'est le tableau brut des temps longs et des temps courts. Durée des cultes s'entend, car il est d'étranges surgies comme celle qui s'impose dans l'Occident de diffusion chrétienne d'aujourd'hui, dans la pulsion conjuratoire devant Rita, la sainte des causes désespérées, religieuse augustine du XVe siècle ombrien, portée sur les autels seulement à la fin du XIXe siècle et depuis, des œuvres en particulier de telle congrégation italienne, promise à être chaque jour la sainte du recours de l'angoisse commune, si étrangement poignante dans les mutations de notre époque. Le brut de la durée vénérante ou conjuratoire délivre, dans un collectif donné, le langage de l'au-delà, cet au-delà qui n'est pas seulement l'autre vie, mais qui tout ensemble unit le dépassement de soi et la délivrance du modèle, la libération du mal, aussi bien physique que moral, cette plénitude de puissance qui est le sens même de l'acte religieux vécu dans l'entier de sa tension créatrice exaltante et fécondante. Dès lors l'âme intérieure d'un groupe humain donné se délivre en cette orchestration historiquement hiérarchisée. Les huit siècles bien comptés du culte de la vierge Catherine, les innombrables autels ou chapelles et non moins les représentations encore si répandues de la sainte à la couronne princière et à la roue à dents de fer, figure de son martyre, imposent dans la conscience collective de l'Occident chrétien l'instance de la nubilité féminine, cristallisée autour du légendaire de la princesse orientale, au corps miraculeusement conservé dans le monastère du Sinaï. Parfois, dans l'image, vierge au glaive, plus ou moins inconsciemment castratrice comme il y a dans le bonnet des Catherinettes, tentation de désespérance quant à l'accomplissement sexuel et à la fécondité. Les enquêtes de démographie historique n'ont pas encore dénombré les formes du culte catherinien : celui-ci détient cependant bien des secrets de la vie sexuelle féminine dans l'Occident chrétien médiéval et moderne. Aussi bien que maladies ou peurs collectives se lisent dans les continuités de cultes des grands thérapeutes, des saints pesteux ou autres thaumaturges, soit de désignation savante, tels que le couple médecin Gervais et Protais, soit d'élection populaire, celle-ci évidemment orientée souvent par les grands établissements monastiques, en quête de ressources matérielles.

Situer le tableau des durées sacrales, pour éloquent qu'il soit, ne saurait en effet suffire. A l'intérieur de ces continuités brutes, il y a des variations, voire des sautes, des substitutions, des transferts plus ou moins évidents. Une histoire de la vie des sacralités, si elle veut épouser les pulsions de la vie collective à la fois passive et traditionnelle en même temps que frémissante de changements et prompte à se lasser, s'impose à toute anthropologie du sacré. Prendre l'univers cultuel comme du multiséculaire en place serait une autre fiction. Les grands mouvements ou variations y sont lents, mais les épisodes multiples.

On peut éclairer l'évidence à trois niveaux au moins. L'un autour d'un cas circonscrit. Tel, au chapitre des cultes par exemple, la nécessaire fixation, autant que les documents permettent, de niveaux diachroniques successifs pour la vie des titulatures. Quand il s'agit d'un culte manifestement ancien, d'apôtre ou de saint oriental et que les ordos d'aujourd'hui rapportent encore ce titre, il serait quasi normal de conclure à une fixité quasi hors du temps. Au diocèse de Chartres en particulier, des coupes temporellement plus serrées établissent différemment que durant tout le XIXᵉ siècle et sûrement avec un recul plus grand encore le titulaire d'apparence immuable a souvent été en fait remplacé dans la vénération du peuple fidèle par un secondaire, aujourd'hui estompé, et qui en général est un saint thérapeute. L'aveu autrement eût été enfoui, et il découvre que la ferveur populaire avait choisi son saint plutôt que celui imposé à un niveau canonique ou culturel supérieur. Sans le profil historique, les « obscurs », dans l'expression de leur culte, eussent été décisivement condamnés au silence.

L'autre, au plan de la création mythique. Disons bien : création ou conscience et non pas vie des mythes, car c'est truisme de relever qu'au niveau de la vie dans le temps, il n'y a pas d'autre approche qu'historique. La création est acte d'aveu anthropologique. On le peut mesurer sur l'exemple de la croisa-

de. Croisade-mot ou notion, sinon croisade-histoire.
Aucun mimétisme historique – car l'on ne libère plus
Jérusalem – entre les épisodes historiques des
XIᵉ-XIIIᵉ siècles, voire plus tardifs, et la croisade d'aujourd'hui, telle que le signe ou l'invocation circulent.
Mais depuis l'extrême fin du XVIIIᵉ siècle, à travers les
crises révolutionnaires, le nom commun de croisade –
non plus les « croisades » de l'histoire – surgit quasi
mystérieusement comme support d'expression, de
cristallisation, de pulsions collectives confuses. Mot
emprunté selon les facilités pillardes du langage ou au
contraire résurgence correspondant à d'analogues
besoins entre présent d'usage et passé de mémoire ? En
dépit de gaspillages évidents, le langage a ses rigueurs :
il ne reprend pas au hasard, ni non plus sans héritage.
Par le lien ténu et tenace du signe, se trouvent
ensemble rapprochées et des continuités d'un phénomène historique multiséculaire, celui de la croisade
pour la garde chrétienne de la Terre Sainte prolongé
par la guerre turque quasi jusqu'à l'entrée de la
période contemporaine et la résurgence progressive
d'un signe d'appel, à peu près d'ailleurs au moment
où s'épuise le dégradé du fait historique. Sans qu'il
soit le moindrement question de poser d'artificieuses
continuités, il suffit, l'expérience temporelle entièrement déroulée, de constater synchronie et transfert,
celui-ci fût-il du signe seul. Dès lors l'analyse du
contenu psychosocial du signe contemporain, le
recours sur nos lèvres ou en tête de proclamations à
l'appel de « croisade » n'est pas sans importance pour
pressentir d'une part le mûrissement des latences,
c'est-à-dire un épisode non négligeable de la vie des
profondeurs autrement insaisissable et d'autre part la
double induction possible des contenus d'aujourd'hui
à ceux de l'acte d'un passé lointain et de notre
pénétration analytique du phénomène ancien au non-

exprimé ou non-conscient d'aujourd'hui. Rien en ces données subtiles ne saurait être durci, mais de par la ténuité du signe et le déploiement diachronique, une opération anthropologique s'affirme d'un besoin collectif de création de « sursociété », de sublimation collective faisant éclater servitudes, habitudes et quotidienneté, d'accomplissement de puissance épanouissant la condition humaine dans un au-delà d'elle-même, l'autre monde enfin conquis. Dans la croisade, une dynamique du « passage », à la fois énergétique de maîtrise des éléments et possession des clés entre les deux mondes, en même temps que thérapie du panique collectif. Et sur l'appel comme sur l'acte, l'empreinte solaire de la croix. C'est un fait que les langues vernaculaires de l'extrême Occident, français et monde anglo-saxon, n'ont pas trouvé d'autre signe pour exprimer dans la communication contemporaine le meilleur, le plus grand, le plus sublimant d'un acte collectif que celui tardivement mis sur l'aventure hiérosolymitaine, portée dans ses premiers élans par un souffle irrésistible d'accomplissement salvateur. Retrouver les vicissitudes du signe, les décantations, voire les transferts de contenus successifs dans le flux d'entre XIᵉ et XXᵉ siècle, la voie diachronique était seule libératrice tant des appels silencieux et exaltants d'aujourd'hui que du mystère de ces migrations tumultuaires au corps de l'ancienne chrétienté. Donc l'histoire pour éclairer la parturition des profondeurs dans l'acte collectif de transgression de monde, acte éminent, au plan humain, de toute-puissance sacrale.

Troisième niveau peut-être plus profond. Après la création mythique de toute-puissance collective, ses pompes et ses œuvres, la vie des temps. Plusieurs et non un seul. En arabesque au temps que l'on peut dire linéaire des continuités historiques s'entrelace le temps émotivo-sacral de l'attente, qu'il soit de la prophétie ou plus solennellement encore de l'*eschaté*. En ce temps eschatologique, plus d'homogénéité apparente, mais des rythmes, des périodicités. Au retour de chaque siècle neuf par exemple ou à l'approche du millénaire. D'autres peut-être, encore mal explorés. Quant à la prophétie, quel écart entre l'annonce et la survenue et sur quels fonds de motivations traditionnelles, de quelles crispations enfouies, peurs, angoisses, revanches, usure de la volonté d'exister s'établit-elle et surtout revient-elle? L'inventaire tout élémentaire et objectif des manifestations prophétiques, des événements eschatologiques découvre une lecture du temps eschatologique, absorbé sinon ou englué dans le nivellement historique. A son niveau seulement, la poignante vie de la durée, celle où il n'y a plus ni horloge ni calendrier, mais tension parfois jusqu'à craquer où monte, ici encore en se dépassant elle-même, l'énergétique humaine d'accomplissement. Pour que la promesse se fasse acte ou que s'accomplisse ce qui avait été annoncé, à la fois vérité de l'annonce et maîtrise humaine de l'avenir, donc autre déchaînement ou exercice de puissance. Mesurer l'ampleur de ces contractions spasmées de l'exister collectif dans la durée, seul le descriptif historiographique le permet, fixant les retours, les scansions, l'inégalité des attentes et donc dans le combat d'immortalité, sotériologique en quelque sorte, l'exercice de puissance. Vaincre le temps est en effet autre aspect et fondamental de la quête humaine de la toute-puissance. Que les temps finissent, c'est la dimension de l'éternel, et l'atteindre ou seulement tendre vers, création sacrale en acte. Nous vivons trop sur un commerce du sacré-objet, extérieur et comme déposé, au milieu des groupes humains qui en vivent, par une main d'au-delà. A prendre l'acte dans sa dynamique, la tension de création sacrale à l'inverse s'impose et il n'en est sans doute pas de plus grande, au regard de la condition humaine, que cette maîtrise du temps, souverainement établi en dépendance, que représente l'immortalité. Dynamique qui sans doute historicise l'anthropologique, mais sortir celui-ci de son éternité apparente est sûrement le mieux incarner, c'est-à-dire le rendre plus expressif de certains besoins de l'humain normalement tus. Fixer quand les hommes craignent d'avoir assez d'eux-mêmes et se ruent à sortir de leur histoire, vivant la folie panique de le pouvoir, est mesurer leur énergétique profonde, leur capacité de supporter ou de vivre la durée et donc de l'accepter telle. A ce niveau du combat de l'homme et de son histoire, comment celle-ci ne serait-elle pas encore essentielle? Comment, du combat même, ne pas découvrir mieux sa réalité existentielle, autant qu'elle livre, groupe humain par groupe humain, la capacité respective de chacun d'exister? Au cœur de cet éclairage, le choix capital entre événement et avènement. Le premier est la trame même de l'histoire; le second, la surgie autre, que précède la sortie hors. Illumination ou transcendance, l'avènement. Cette puissance de l'avènement nourrit-elle également sociétés ou groupes humains? Ou bien y a-t-il ceux qui redisent l'*in illo tempore* des cosmogonies originelles et en face, libérés de la mémoire des commencements – lien édénique évident – ou se croyant tels, ceux qui vivent l'attente du retour, plus portés à annoncer qu'à redire? Question qui se gardera certes de classifier, toute classification étant mécanisante aussi bien pour l'objet que pour l'acteur, mais qui seulement ouvre une autre démarche d'analyse, imposant le concours descriptif de l'histoire. La description fixe le matériau à partir duquel il sera possible d'estimer proportions, variations ou transferts et le conditionnement de ceux-ci, entre mémoire et progrès, ou peut-être, pour parler théologalement, entre foi vécue et espérance. A prospectives et futurologies, les résultats peuvent être d'importance, sans pour autant limiter : mais toute connaissance des comportements collectifs est trésor anthropologique. Surtout pour une anthropologie du sacré, où le sens du temps sacral, la démarche même de sacralisation comme les inversions survenantes sont autant de lumières sur la créativité sacrale de l'*homo religiosus.*

Ce qui vient d'être dit du descriptif historique doit être maintenant situé plus fortement, comme le troisième apport « évidentiel » de l'histoire à l'anthropologie. L'histoire en effet, autant que la convergence des documents permet et établit tout ensemble continuité et changements. Autrement dit elle figure, en son devant de scène, le travail élaboré aux profondeurs de la création collective : en une part grande, elle en est l'expression, donc le langage. Le rapport de ce langage au sens, c'est-à-dire à la motivation créatrice, est fort loin d'être exploré : il n'est possible présentement que de le poser et donc savoir, au regard de toutes nos analyses, qu'il est. D'où le service de truchement de l'histoire d'établir ce langage en une approximative cohérence, jusque dans la discontinuité même. Au regard d'une anthropologie du sacré, quelques exemples en illustreront l'utilité. Quant au culte marial d'abord, culte nourri dans la période contemporaine surtout d'apparitions, et d'apparitions de la Vierge seule. Sur huit siècles une mutation sacrale s'est opérée si l'on rapproche le culte de l'image de Lourdes aujourd'hui et les Vierges noires en type de *sedes sapientiae* de l'épanouissement roman. Ici la dame éclatante de pureté proclamant sa conception immaculée, figure solitaire et d'une rayonnante lumière dans son ove de rayons, comme une ténacité de mandorle; là une Mère de règne, obscure comme les profondeurs chthoniennes, icône support de la manifestation, imposant culte silencieux et sublimant. Dans la Vierge d'aujourd'hui, une puissance de dialogue – ce que se hâte d'exprimer dans nos églises la prolifération toute récente des statues de Bernadette à genoux, à quelque distance de la « dame » de Lourdes. Devant la statue romane, seul le commerce de l'idole, à la fois plus lointain et plus proche, sûrement plus extrovertissant, donc libérateur. Entre l'une et l'autre forme, dans l'épaisseur pluriséculaire, quelle cohérence? Pour la fixer sûrement, un répertoriage rigoureux de toute l'imagerie mariale cultuelle s'imposerait par grands secteurs d'aires culturelles, mais déjà de sondages resserrés une chaîne s'établit qui montre la très lente désagrégation du couple Mère-Enfant vers une affirmation lumineusement virginale. Entre les deux, expressive sans doute d'un processus progressif d'arrachement, la Mère de douleur solitaire, cette Addolorata que la ferveur méditerranéenne, d'animale émotivité matriarcale, va traiter aussi en Vierge des douleurs transpercée des sept glaives. Mais l'Addolorata porte en elle le déchirement de l'enfant mort. Le couple apparemment se défait; il demeure cependant dans l'expression même de la douleur. Les Vierges d'apparition contemporaines seront désormais seules pour délivrer leur message, maintenant oral et non plus figuré. Autant de traits – et il en est beaucoup d'autres – qui livrent le travail silencieux, modelant l'image cultuelle pour la rendre plus instamment conjuratoire et qui, chacun, composent le langage de l'âme collective autrement inaudible. Seul l'établissement de séquences historiques regroupant objectivement les séries fortement mutilées qui nous restent peut permettre de scruter quant à la Dame d'intercession les profondeurs d'un commerce de libération par la femme, soit acceptant l'épreuve mortelle de l'incarnation, soit tendant à représenter la sublimation possible du péché de la chair. Ce combat entre les deux natures, charnelle et spirituelle, les images et leur lente transformation en portent les épisodes. A travers ceux-ci, les accents se découvrent et d'une conscience de règne de la Mère chthonienne, souveraineté quasi impersonnelle, et d'une dramatique de la chair mortelle et d'une génétique « existentielle » à support essentiellement féminin et d'un refus possible de la condition humaine dans ses limitations proprement biologiques, réalité sans doute du péché originel. Derrière les épisodes et par eux, ces données du vivre humain, d'autant plus anthropologiques qu'en les profilant seulement, l'impression s'impose de retrouver les grandes imageries des cosmogonies ou mythologies plus ou moins originelles. Comme s'il fallait atteindre à ces niveaux de langage pour qu'enfin le silence parle.

Inépuisable pour la plongée au silence, le chapitre de l'image plastique de sacralité. Séries d'élection pour entendre les voix intérieures, les représentations de mystères. Ainsi celui de la Trinité ou cette figure de l'Incarnation qu'est l'Annonciation. Le premier mystère est devenu aujourd'hui mental et théologique; l'image des trois personnes liées ou concertées avec l'étrange et signifiant lien colombaire de l'Esprit est maintenant défaite ou ensevelie. Comment représenter cette clé divine de la vie de l'univers devenu soit impossible, soit inutile ou indifférent, il appartient au seul descriptif historique de l'établir. D'autant qu'un événement notable est survenu pour y servir, la quasi-interdiction tridentine de la représentation du mystère. Ce long procès de non-correspondance atteint un secret d'âme. Seul un matériau sériellement constitué, historiquement enraciné peut apporter des lueurs sur ce non-besoin grandissant, ou la crainte ou le refus de fixer désormais en objet l'étrange. Cet étrange extraordinairement souverain dans le vénérable *Codex Calixtinus* de Santiago de Compostela, œuvre d'environ la mi-XIIᵉ siècle, décrivant, au ciborium de l'autel de l'Apôtre, un monument faîtier triangulaire, placé au sommet de l'édicule. Tourné vers l'occident, le Père; vers le midi et l'orient, le Fils; au nord, l'Esprit. Hasard ou conscience, le manuscrit ne précise pas, mais la notation rigoureuse découvre un ordre de correspondances qu'il ne faut pas perdre, c'est-à-dire un règne d'univers. Avec l'Annonciation, la moisson documentaire peut devenir considérable. Ici sûrement le sériel parlera, surtout s'il est interrogé quant à la permanence de structures et quant à la portée signifiante d'une infinité de détails. Les éléments constitutifs du lieu ou cadre d'abord; les rapports d'espace et d'attitude entre les deux personnages; les atours et les objets de la Vierge; surtout le besoin ou non de la parole écrite dans un phylactère d'annonce; l'espace clos de la scène ou bien son ouverture et sur quoi, ces traits, parmi bien d'autres, appellent autant de paroles diverses dans un effort émouvant pour entendre et parfois comprendre le mystère, ou plus simplement encore pour que l'image en soit recevable, mémorialisable et donc à tout moment reconnue. Cette geste de la réception des images sacrales déroulée sur des siècles découvre cette autre entreprise de la condition humaine, la recevabilité, la communication du mystère : ouverture donc sur l'atelier de Vulcain, aux ténèbres de l'âme collective, là où se forge dans l'énergétique des pulsions aussi instantes que confuses le vocabulaire d'extroversion pour équilibration et thérapie.

Où le profil historique est encore plus indispensable, c'est dans l'élaboration du langage liturgique et l'histoire de la liturgie. Avec la liturgie en effet, nous sommes au cœur de la cérémonie sacrale. Langue et rites y composent le conditionnement sacral. Aucune langue, semble-t-il, n'est aussi adhérente à l'acte, à l'objet ou à la conjuration que celle de la prière liturgique. Chaque mot y est essentiel car il porte l'entier exercice. Sur pareille matière, les siècles ne pouvaient travailler qu'avec une infinie délicatesse. Outre la langue, le vocabulaire, le rythme de la phrase modulée ou chantée, il y a la composition des temps, des actes, du cérémonial. Dans le monde catholique à assiette monastique ancienne, les heures canoniales sont un livre de vie et jusqu'au XVIIe siècle avancé, le rayonnement du livre d'heures dans les milieux laïcs de quelque religion atteste d'une obédience profonde à cet ordre de la vie, qui est aussi maîtrise sanctifiante du jour, donc du temps. Ainsi voie nouvelle pour l'analyse anthropologique du combat de l'homme avec le temps ou des formes thérapiques, voire conjuratoires, définies par l'expérience monastique, expérience éminente de société communautaire monosexuelle. Au-delà du bloc monastique, éducateur de l'Occident et dont la recherche historique est fort loin d'avoir pénétré l'envoûtante et fécondante créativité, dans la composition même de la *lectio divina*, les rapports de la prière et de la lecture des Psaumes, l'éclairage des antiennes, l'orchestration subtile et contrastée des psaumes de pitié et de ceux d'espérance ou de gloire, l'extraordinaire progrès purgatif et apaisant des Complies, le jour achevé, avec le *Salve Regina* des ténèbres, refuge au sein protecteur de la mère, tout cela fut d'élaboration lente, et dans la constitution de ce procès sacral, un ordre des rapports de l'humain et du divin se découvre, un commerce et une énergétique sacraux tout ensemble, c'est-à-dire une manière de faire pour acquérir la puissance ou la paix de Dieu. Dramatique ou scénographique si l'on veut de ce qui est un jeu sacral, par où se transcende la condition humaine. La mise en évidence ou la découverte seulement des motivations emmêlées dans l'histoire liturgique d'une société donnée situe l'homme en sa plus noble ambition ou livre les secrets mantiques de son équilibre. Comme la fête est aveu magnifiant des pulsions d'exister *et nunc et semper*, nostalgie ou attente d'accomplissement et, aux profondeurs, retour aux sources, fût-ce seulement d'une recharge physique. Les temps de la fête, le déploiement spatial, les compositions de masses ou de groupes, l'intégration ou non de l'individu dans la fête, la discipline ou la purgation panique, l'orchestration de la représentation, autant d'aspects qui nouent les moyens par lesquels ensembles ou sociétés humaines célèbrent, c'est-à-dire s'illustrent et se retrouvent créateurs de gloire, de joie et, au plus haut sans doute, de paix. En ces domaines complexes, à la limite du discours d'éternité et surtout sans problème de communication, – le langage liturgique comme la fête sont des actes de soi sur soi –, les mutations découvrent le travail des fonds. Ainsi, dans l'expérience de l'Occident moderne, les « Réformes » et, dans le monde de l'Europe centrale très expressivement les impositions successives de l'ecclésiasticisme, ou, dans une autre perspective mais non moins éclairante, l'élaboration de la fête révolutionnaire. Le profil historique de ces aventures essentielles, les syncrétismes ébauchés, les refus, les impuissances, les abandons seuls diront la juste dramatique sacrale de la vie du temps dans une société donnée, le dynamisme propre à élaborer la fête et quelles valeurs, images ou rites en doivent demeurer, soit indispensables, soit bloqués en un tréfonds d'habitudes. L'histoire de la cérémonie et celle de la fête sont tout entières à écrire, et nulle ne saurait être

plus essentielle pour découvrir la vie collective silencieuse de l'Occident, ses inventions cathartiques ou
son empirisme thérapique : ce qui fait tout de même
un grand pan de l'expérience humaine.

Si de la fête, on fait retour à la liturgie, dans le
maniement des livres liturgiques, outre l'histoire du
comportement collectif, il y a provision de « modèles ». Modèles scripturaires d'abord, ces versets du
psautier qui vont faire choc et trace dans l'âme
collective. Rien ne serait plus illustrant des associations ou des pulsions de la vie religieuse chrétienne en
Occident que de quantifier, époque après époque, les
versets de l'Ecriture et plus particulièrement des Psaumes, retenus pour la méditation collective dans les
écrits les plus divers. En clair, une grille de l'Esprit,
délivrant les mots, images ou représentations par quoi
quelque chose a passé du besoin ou de l'attente jusque-
là silencieux, – compte tenu évidemment des temps
d'habitude, d'inertie ou de sclérose et donc passivement répétitifs, connaturels à toute vie sacrale surtout
largement étalée dans la durée. Mais œuvre immense,
qui découvrirait nos chemins de religion dans un
millénaire et demi au moins d'imprégnation scriptu-
raire. Comment n'y pas lire au travers, si elle est un
jour constituée, des mécanismes jusqu'ici inatteints de
l'âme collective dans sa nourriture d'énergétique
sacralisante. Au-delà des mots, les images anthropo-
morphes. Il a déjà été dit combien le type du saint
était un révélateur de l'imagerie collective de puissance, car il faut lire le saint dans son œuvre de
puissance bien plutôt que comme exemplarité éthique. Outre la diversité historique du génie des canonisations et la conduite même des procès – ces actes
collectifs qui instruisent de la réalité possible du saint –,
un matériau considérable, encore tout entier historique, est offert par les calendriers liturgiques et les

bréviaires. Acharnée en effet, dans le progrès des siècles modernes, la révision des calendriers et des bréviaires, pour en expurger saints devenus hypothétiques ou simplement indésirables, comme trop anciens ou trop hétérochtones, parfois même trop ultramontains. La passion de la vérité s'est déchaînée surtout sur les troisièmes leçons du Bréviaire. Tant dans la rédaction même de la leçon que dans sa structure mentale, des cadres s'imposent d'une saisie du « modèle », selon une présentation à la fois commune et singulière. Les contenus accentuent la vision et l'on peut, époque par époque, déterminer le combat d'un esprit historique rationalisant et du légendaire trop traditionnel, fixer ainsi les conquêtes de la vérité des saints par une histoire refusant grande part de leur irrationalité. A la fois donc l'histoire et l'analyse de ces révisions, déploiement d'un cheminement mental où l'histoire devient servante de la raison, celle-ci naturellement désacralisante, et galerie de « modèles », où milieux et âmes viennent se reconnaître, se contenter et s'épanouir dans la certitude non dite d'une capacité de sainteté.

Encore et toujours, lecture des profondeurs dans la seule manifestation des séquences historiques. L'histoire, dans les limites de son matériau toujours fragmentaire, découvre le « faire » et les accidents de celui-ci. Ainsi, derrière le signe, l'acte et les gestes qui composent l'acte. L'aveu diachronique débouche sur le travail profond et jusqu'alors mystérieux de l'âme collective. Episodes, constitution de vocabulaire ou de « discours » quelle qu'en soit la forme, mutations lentes, pulsions avortées, autant d'éléments de ce que l'on pourrait appeler les truchements de la communication entre la fixation historicisée des « signes » et la gestation silencieuse. Fixant les choix et l'œuvre des choix, l'histoire donne voix au génie profond du groupe humain, découvre son travail intérieur et étale le labeur du collectif dans son affirmation d'exister et l'équipement du monde qui lui donnera à la fois sa certitude et, comme les certitudes gardent des limites, sa promesse de dépasser. Est-il besoin d'ajouter qu'au regard du sacré, le groupe, dans l'approche ou dans le refus, vit l'une de ses plus hautes tensions. Dans l'affirmation humaine, le sacré est la puissance « autre » : celle donc qu'il faut au moins atteindre. Emulation ou concurrence, à tout le moins l'ambition prométhéenne, où l'homme donne le plus grand de lui-même. Champ privilégié donc pour y connaître une physique et une métaphysique de sa grandeur. En ses figures de dieux ou de saints, dans son organisation par foi, doctrine ou image, de la surnature et de tous les au-delà accessibles ou équilibrants, la société des hommes livre les incoercibles jaillissements de sa quête d'immortalité, c'est-à-dire sa volonté animale et spirituelle de gagner l'être. En pénétrer l'atelier par les produits de l'histoire, c'est sans doute éclairer voies d'enfantement, pulsions, silences, tout le non-dit du donné anthropologique.

Dernière et évidente approche où l'histoire demeure indispensable à une anthropologie du sacré, la conscience et le traitement du singulier. Après tout, pour l'histoire, il n'y a que singulier : c'est l'autre façon de la dire science du relatif. En fait, au domaine de l'histoire, le singulier s'impose aussi bien par l'unité, fait unique, œuvre ou création individuelle, la vie d'un homme, que par le quantitatif et la masse. N'en concluons pas qu'il est qualité : ce serait parallélisme partialisant. Il est seulement un, et cela suffit. Comme tel, il s'impose et se fait objet. La nécessaire révérence de l'historien dans la reconnaissance de l'objet a quelque analogie, peut-être même parenté ou jaillissement de même source, avec la démarche de rencontre avec l'objet sacré. L'une et l'autre du moins expriment un commerce individuel de participation. En ce sens, non des moindres, l'histoire est éducatrice : son école de l'objet éclaire la lecture de l'expérience sacrale et possiblement nourrit la richesse interprétante de qui vit cette dernière. Fût-ce en découvrant dans l'objet les sacralisations implicites de l'épaisseur de la durée. Connaissance du singulier, l'histoire est intelligibilité du panique sans la moindre altération ni rationalisation de celui-ci. Science de ce qui a été, elle ouvre à la pleine présence de ce qui est. Thérapie mentale de première importance pour toute tentative d'explorer les puissances de la condition humaine, – ce qui est l'anthropologie même. Dans la rencontre sacrale, connaturellement immanente d'éternel, l'histoire, justement parce qu'elle est refusée comme elle semble l'être dans la vie de l'instant, cette autre présence d'éternel dans la vie de l'histoire humaine, se trouve implicitement mais nécessairement présente. Au regard de l'individuel, il ne semble pas y avoir de sacré possible sans une imprégnation diffuse, c'est-à-dire une réalité de l'histoire.

A quoi l'on doit ajouter, même en affrontant les apparences du truisme, que l'histoire, dans la mesure où elle connaît singulièrement, cherche la racine. Ce qui est au moins étaler dans la durée, acte élémentaire par où le « pourquoi » se transfère en « comment » et peut, dans le contenu de celui-ci, trouver sa réponse.

Enfin, plus évidentiellement encore, le propre d'une histoire sacrale est d'être tramée d'événements ou de faits que l'on peut dire sans lendemain, donc éminemment singuliers et qui vont se prolonger cependant en conséquences infinies. Par mémorialisation et transmission collective, avec les récits cosmogoniques, cette explication de l'exister qui fait éclater toute durée créatrice. Ou bien par insertion et réception dans la vie du temps. Ainsi de l'Incarnation christique : il y a le Christ historique; il y a la fixation évangélique à un bon siècle d'intervalle; il y a l'élaboration du mystère dont une lecture doit être l'acceptation de l'extra-temporel dans le temporel : l'extraordinaire génie du christianisme, on l'a dit, c'est le consentement divin au temps des hommes en même temps que la drama-tisation humano-divine de ce temps. L'accomplisse-ment du mystère est événement, singularité historique, et une plus grande puissance ou vertu du mystère, sans doute de s' « événementialiser ». Plus l'événe-ment est unique, plus il est fait mystère et porte en lui de possibilité de marquer les temps. L'exemple exige-rait une analyse d'une autre profondeur. Qu'il suffise de poser ici que l'Annonciation est un événement situé dans le temps, autrement il n'y aurait pas eu dans la fiabilité humaine Incarnation; que l'événe-ment singulier transcende le temps et le commande. Donc qu'avec le Mystère nous sommes en présence d'une dramatique des rapports temps/éternité : ce qui semble bien après tout la grâce unique de tout événe-ment singulier, surtout dans la mesure où il devient sacralisant. L'échappée hors du temps est souvent portée par l'unique. Que celui-ci soit annonce de grâces ou promesse de retour. Au regard d'une anthro-pologie du sacré, il n'était pas possible d'omettre son incommensurable puissance, encore insuffisamment mesurée. Et l'unique, au champ de la connaissance humaine, est gibier d'élection de l'histoire, à condition que celle-ci vive le dépouillement spirituel indispensa-ble pour le reconnaître, le situer, l'analyser. Car l'unique, c'est nul autre; aucune approche possible de son secret, si la découverte à neuf n'est pas faite.

Au chapitre de l'histoire, pourquoi ne pas culminer à l'intuition du poète? Terminant le second mémoire, d'intention érudite certes, qui introduit l'*Itinéraire de Paris à Jérusalem*, Chateaubriand, accentuant la constance des traditions localisatrices de l'histoire sainte chrétienne en Terre sainte, ainsi réfléchit, au-dessus de toute tentation critique : « Il est certain que les souvenirs religieux ne se perdent pas aussi facilement que les souvenirs purement historiques : ceux-ci ne sont confiés en général qu'à la mémoire d'un petit nombre d'hommes instruits qui peuvent oublier la vérité ou la déguiser selon leurs passions; ceux-là sont livrés à tout un peuple qui les transmet machinalement à ses fils. Si le principe de la religion est sévère, comme dans le christianisme; si la moindre déviation d'un fait ou d'une idée devient une hérésie, il est probable que tout ce qui touche cette religion se conservera d'âge en âge avec une rigoureuse exactitude. » Discrimination globale, à affiner certes, voire à redresser, mais la nécessité est posée d'un concours de connaissances entre le temporel, le partiel, le singulier existentiel et le brassage collectif, les mécanismes sociaux d'autocontrôle, la rigueur de mémoire jusque dans l'affabulation ou le vagabondage qui font que ce qui est alors distinct et le doit demeurer puisse, dans un progrès respectif, organiquement, « en esprit et en vérité » aussi, concourir à la définition de l'une des sciences humaines les plus indispensables à l'homme, celle, prométhéenne, de vivre avec ses dieux.

La religion
– Histoire religieuse

PAR

DOMINIQUE JULIA

Les changements religieux ne s'expliquent que si l'on admet que les changements sociaux produisent chez les fidèles des modifications d'idées et de désirs tels qu'ils soient nécessités à modifier les diverses parties de leur système religieux. Il y a un va-et-vient continuel, une infinité de réactions entre les phénomènes religieux, la position des individus à l'intérieur de la société et les sentiments religieux de ces individus. Densité de la population, communications plus ou moins étendues, mélange des races, oppositions des textes, des générations, des classes, des nations, inventions scientifiques et techniques, tout cela agit sur le sentiment religieux individuel et transforme ainsi la religion... Parmi les nations peu semblent offrir un terrain plus fertile en résultats que notre pays où nous assistons précisément à une sorte de crise des systèmes religieux et du sentiment religieux...

On sait à peu près le nombre d'églises qui se sont bâties, le nombre de chapelles qui se sont ouvertes; l'accroissement s'est-il produit en raison directe des accroissements des populations? On sait à peu près les sommes dépensées pour les cultes par les fabriques, les chiffres de certains casuels, les legs autorisés : toutes ces sommes traduisent des besoins et des actes. Sur les pèlerinages on peut aussi réunir des documents de ce genre, de même sur les missions; et l'on peut mesurer de la sorte soit le fétichisme des masses, soit le prosélytisme des chrétiens. De toutes parts les sujets précis d'étude abondent. Des transformations pourraient donc apparaître. L'état de la religiosité française pourrait être analysé, à coup sûr, de la même façon que les statisticiens étudient l'état de la moralité à travers les statistiques morales et criminelles [1].

Ce programme d'enquête résolument moderne, Marcel Mauss le proposait dès 1903 aux lecteurs de l'*Année sociologique*. Peut-on dire, après bientôt soixante-dix ans, que l'appel a été entendu? A en croire le chroniqueur de la rubrique historique du journal *Le Monde* – spécialiste d'histoire religieuse de surcroît – rendant compte du plus récent ouvrage universitaire sur le catholicisme à l'époque moderne[2], « la part faite à la sociologie religieuse est écrasante... à l'exclusion d'autres centres d'intérêts essentiels comme le mouvement des idées ou de l'art ». Les méthodes sociologiques auraient-elles donc à ce point « envahi » l'horizon historique au point de dénaturer sa spécificité? A vrai dire, instauré sur ce mode, le débat entre histoire et sociologie risque de paraître assez vain. Les défis entre disciplines n'ont de signification que s'ils élucident les procédures spécifiques à chacune. Avant de conclure, il convient de décrire un parcours et de dresser un bilan des résultats acquis.

Dessiner un parcours

Depuis 1900 le paysage qui organise les sciences humaines a radicalement changé. Le débat fondamental qui obscurcissait le champ épistémologique pour la génération du tournant du siècle était celui des rapports de la science et de la religion, à savoir celui d'une contradiction insurmontable entre foi religieuse et pensée scientifique. Qu'il s'agisse de Durkheim, de Pareto ou de Weber, tous trois ont pour ambition première d'être des *savants* et se heurtent d'emblée aux « théologies » qui occupent le terrain sur lequel ils entendent se placer[3]. Par là même leur discours atteste la situation qui l'a rendu possible. Car vouloir rendre compte en termes scientifiques d'une religion, c'est déjà avouer que celle-ci a cessé de *fonder* la société, c'est la définir comme une *représentation,* la

traiter comme un produit culturel dépouillé de tout
privilège de vérité par rapport aux autres. C'est aboutir, à plus ou moins long terme, à un codage inverse de
celui qui organisa le Moyen Age et l'époque moderne.
Pourtant cette opération de décapage se trouvait doublement freinée : d'une part son champ se trouvait
délimité de *l'extérieur,* dans la mesure où, s'opposant
à des orthodoxies, elle entendait reprendre en termes
scientifiques des *objets* « religieux » sur lesquels les
Eglises avaient jusqu'alors eu un droit exclusif; d'autre
part la positivité du regard posé accordait au phénomène religieux une *réalité* qu'il convenait non seulement d'affirmer mais de défendre. Car voici l'apparent
paradoxe : les sociologues du début du siècle consta-
taient l'effritement des croyances traditionnelles
devant le développement de la pensée scientifique
mais en même temps reprenaient, sous des modes
variés, la vieille idée d'Auguste Comte selon laquelle
les sociétés ne peuvent garder structure et cohérence
que par des croyances communes réunissant les membres de la communauté[4]. A coup sûr, une telle
attitude renvoie à la situation socioculturelle dans
laquelle se déroulait la recherche intellectuelle au
tournant du siècle[5]. Nous voulions simplement souligner ici la part accordée à la *conscience* religieuse
comme fait majeur commandant l'ordre de toute
collectivité. Cette transparence de la conscience était
alors un postulat inébranlable : on la retrouve de la
même manière en histoire[6].

Aujourd'hui cette limpidité de la conscience est
récusée par les sciences humaines. Et le parcours qu'il
conviendrait de cerner c'est celui qui conduit du sujet
conscient au système, à la règle ou à la norme comme
champ propre d'investigation. Le postulat théologique
qui faisait croire à l'historien du catholicisme que les

connaissances ou les pratiques religieuses du XVIIᵉ siècle sont les mêmes que celles d'aujourd'hui, qu'il s'agit des formes anciennes de LA foi n'est plus tenable. Ecrivant sur la sorcellerie au XVIᵉ siècle, Lucien Febvre cernait avec pertinence le problème :

> Il faut que, dans sa structure profonde, la mentalité des hommes les plus éclairés de la fin du XVIᵉ siècle et du début du XVIIᵉ siècle ait différé et radicalement de la mentalité des hommes de notre temps; il faut qu'entre eux et nous des révolutions se soient déroulées[7].

Non que l'historien, le sociologue ou le psychologue de la religion puissent prétendre se placer du point de vue de Sirius. Mais l'objet des sciences humaines est désormais le langage, les lois selon lesquelles s'organisent les langages sociaux, historiques, ou psychologiques. La conscience n'est plus alors qu'une *représentation* – le plus souvent fallacieuse – des déterminismes qui l'organisent. Elle ne peut plus prétendre être le réel. Ce que dévoile une analyse historique ou sociologique ce sont les règles de fonctionnements sociaux[8]. Dès lors peut-on continuer à parler d'une spécificité des « sciences religieuses[9] »? En fait les phénomènes religieux ne sont pas traités différemment des objets profanes par les sciences humaines[10]. Ils entrent à titre d'éléments dans le découpage qu'une analyse historique ou sociologique opère en relevant les unités qu'elle estime pertinentes par rapport au modèle interprétatif qu'elle s'est donné. Ce qui intéresse l'opérateur, ce n'est pas le statut de vérité des énoncés religieux qu'il étudie[11], mais le rapport qu'entretiennent ces énoncés avec le type de société ou de culture qui en rendent compte. Ils sont ainsi devenus *symptômes,* signes d'autre chose que ce qu'ils prétendent dire. Qu'il s'agisse du clergé, des pratiques de piété ou des théologies, nous interrogeons les phénomènes religieux en fonction de ce qu'ils sont susceptibles de nous apprendre d'un certain statut social, alors que justement ces théologies *fondaient* la société pour les contemporains. D'eux à nous, l'expliqué est devenu ce qui nous rend intelligibles leurs explications [12]. Deux exemples de recherches récentes éclaireront ce renversement. L'enquête menée par Jacques Le Goff sur l'apostolat des ordres mendiants du XIIIᵉ au XVᵉ siècle n'a pas pour but d'écrire une nouvelle histoire de l'apostolat dominicain ou franciscain mais de découvrir à travers celui-ci les étapes de l'urbanisation de la France médiévale [13]. Lorsque Pierre Vilar étudie les théologiens espagnols du XVIᵉ siècle, c'est pour y dégager les premiers concepts d'une théorie économique encore balbutiante [14].

Si la spécificité des sciences religieuses considérées à part s'évanouit au niveau des procédures qu'elles emploient, subsistera-t-elle au niveau des *objets* qu'elles prétendent étudier? De fait, si le propre d'une science est de *construire* son objet, il faut bien reconnaître que le domaine « religieux » est singulièrement extensible dès lors qu'on ne parle plus de sociétés globalement religieuses : il peut s'étendre jusqu'aux socialismes du XIXᵉ siècle considérés comme des messianismes ou des religions profanes [15]. Inversement Lucien Goldmann étudiant l'idéologie janséniste ne lui accorde qu'une portée purement sociologique, celle d'être, pour les officiers du roi, l'issue d'une opposition dépourvue de tout pouvoir : la mise en place des commissaires du roi qui éliminait la noblesse de robe, l'aurait conduite à adopter une idéologie affirmant « l'impossibilité radicale de réaliser une vie valable dans le monde » et conduisant à une retraite hors de toute fonction sociale [16]. De même lorsque Freud étudie une névrose démoniaque au XVIIᵉ siècle[17], il entend discerner sous des formes socioculturelles différentes les symptômes successifs d'une même structure psychologique : que le peintre bavarois Christophe Haitzmann signe des pactes avec le diable, en échange de sa vie, corps et âme, après neuf ans, ou qu'il se voue ensuite à la Congrégation des Frères de la Miséricorde, il s'agit pour lui, privé de son père mort, de se procurer, par la soumission à une peine, le bénéfice d'avoir un autre père : « Au fond les deux phases de sa maladie démonologique avaient le même sens. Il ne cherchait jamais qu'à assurer son existence[18]. » Le décryptage de Freud consiste à repérer dans un discours (ici religieux) l'indice des règles qui l'organisent à l'insu même de celui qui l'énonce.

La définition du religieux n'est donc jamais le résultat de méthodes scientifiques qui *a priori* postulent un codage différent. Et l'ambiguïté d'un *objet* qui toujours échappe renvoie aux conditions historiques qui ont permis l'apparition d'une histoire autre que « sainte ». Car ce qui a rendu possible une sociologie (ou une histoire) religieuse c'est bien cette *distance,* cette *séparation* mises en place par une société qui ne se pense plus sur le mode religieux. La question qui surgit est alors celle-ci : comment comprendre avec nos catégories mentales et nos concepts d'aujourd'hui ce qui est fondamentalement *différent, autre*? Analyser des phénomènes religieux (une pratique, un ordre, une spiritualité), constituer des séries, déceler les rythmes et les coupures qui permettent d'en rendre compte, n'implique pas quel *sens* donner à l'idéologie considérée.

Versera-t-on celui-ci du côté du *sujet* historien ou sociologue et des intentions qui l'habitent? C'est oublier complètement que les procédures utilisées par

celui-ci ne sont plus déterminées par l'option qui peut
le lier à une Eglise, une secte ou un groupe spirituel
mais par les principes d'intelligibilité qui régissent le
réseau scientifique produit par la société à laquelle il
appartient. Deux exemples souligneront la vanité
d'une telle illusion. Dans le texte sur la sorcellerie que
nous citions plus haut, Lucien Febvre reprenait la
formule de Cyrano de Bergerac : « On ne doit point
croire toutes choses d'un homme, parce qu'un homme
peut dire toutes choses. On ne doit croire d'un homme
que ce qui est humain », et il ajoutait, discret aveu,
que ce texte « nous permet de saluer enfin la naissance d'un sens nouveau. Celui que j'ai baptisé le sens
de l'impossible [19] ». Mais d'où l'historien a-t-il le
droit de définir l' « humain »? De la conviction que
la raison moderne issue de Descartes et des Lumières
apporte progrès et liberté? N'est-ce pas sous prétexte
d'objectivité entériner simplement des partages que
met aujourd'hui en cause le retour du refoulé? L'ethnologie et la décolonisation nous ont appris à être
moins triomphants [20]. Quant à l'histoire religieuse,
elle est restée en France le champ d'investigation
privilégié d'historiens catholiques ou protestants. Sans
doute leurs convictions ne peuvent-elles plus s'investir
dans l'opération scientifique elle-même : elles refluent
donc sur le choix de l'objet considéré et sur le but final
de l'étude. Cet encadrement « apologétique » du travail historique n'est pas sans provoquer des distorsions
qui se répercutent sur la recherche elle-même. Ainsi
on ne retiendra à l'intérieur du discours scientifique
que les pratiques orthodoxes ou les énoncés doctri-
naux. Ou bien, si l'on met au jour la réalité d'un
christianisme populaire [21], on reprendra à son compte
les découpages instaurés par la Contre-Réforme catholique au XVIIe siècle entre foi et superstition et l'on

qualifiera de « païenne » ou de « magique » toute mentalité religieuse non conforme. Dès lors l'historiographie se clôt en conférant à un modèle théologique une valeur de décision, redoublant l'élimination opérée par la hiérarchie, et condamnant au silence ou au folklore tous ceux qui sont exclus de la culture savante[22]. Il n'est donc pas sûr que sociologie religieuse et sociologie pastorale, exégèse et histoire des premiers siècles puissent à si bon compte faire abstraction des postulats qui les sous-tendent quand on prétend les réconcilier sur un terrain dit « neutre[23] ».

Nous voici, une fois de plus, ramenés aux conditions de production de la recherche. L'historien découvre à l'intérieur de ses méthodes d'analyse des contraintes qui l'organisent et qui s'enracinent dans un passé bien antérieur à son propre travail. L'élucidation historiographique est donc l'outil par lequel assumer l'héritage qui pèse sur le domaine précis dont nous parlons et en situer les limites : analyser les postulats qui fondent ses procédures, c'est, pour l'historien, avouer simplement la localisation de son discours dans un espace socioculturel précis, et mesurer ce qui détermine son écart par rapport aux discours précédents.

Un triple héritage

L'histoire religieuse, à cet égard, se situe aujourd'hui à la confluence de trois mouvements dont l'étanchéité était assurée par l'hétérogénéité de leurs présupposés. D'une part l'histoire littéraire des doctrines, qui a connu ses lettres de noblesse avec la monumentale *Histoire littéraire du sentiment reli-*

gieux de l'abbé Bremond[24] et les livres d'Etienne Gilson[25] sur la philosophie du Moyen Age, entendait déployer son commentaire sur une surface purement *idéologique* par le recours implicite à un principe organisateur liant, dans un réseau de relations homogènes, tous les phénomènes d'une époque : d'où l'importance accordée aux notions d'influence, support commode pour rendre compte des faits de transmission, ou de « mentalité » pour établir une communauté de sens. Au moment même où il avoue l'insuffisance de sa méthode, l'abbé Bremond nous en livre la clé :

> Ces vérités de foi... les croyants du XVIIᵉ siècle se les assimilaient-ils sérieusement, se réglaient-ils sur elles, en un mot les vivaient-ils? Oui, répondrai-je, puisqu'ils tâchaient de les vivre ce qui revient d'ailleurs exactement au même. Dans cet ordre d'idées, vouloir c'est faire. Au demeurant, je dois avouer ici une fois de plus l'insuffisance de ma méthode. Elle n'apporte pas de statistiques; elle tâche de recréer une atmosphère spirituelle. Chacun sa besogne; la nôtre se borne au choix et à la manipulation des indices proprement littéraires, c'est-à-dire des textes religieux[26].

Dans la même optique, Lucien Febvre pouvait à juste titre reprocher à Etienne Gilson de rester totalement imperméable aux problèmes nouveaux que pose le capitalisme marchand au XIVᵉ siècle[27]. Par là même, il soulignait la nécessité d'élucider le rapport entre infrastructures économiques, formations sociales et idéologies et récusait la tradition historiographique qui, des Lumières jusqu'à nous, fait de la marche de l'esprit humain le facteur explicatif fondamental[28].

Née plus récemment, la sociologie religieuse – surtout dans son champ d'application français – porte encore les traces de ses origines. Son apparition coïncide en effet avec le moment où le catholicisme prend conscience de sa position minoritaire à l'intérieur d'une société sécularisée. Ce n'est sans doute pas un hasard si elle s'est d'abord caractérisée par une hypertrophie de la sociographie des pratiques[29] alors qu'à l'inverse le système théorique des représentations restait trop souvent à l'écart de l'étude. Un chiasme s'établit ici avec l'ethnologie. Alors que celle-ci, en se consacrant aux religions lointaines, s'est longtemps attachée aux rites, aux prescriptions, aux textes sans se préoccuper de déterminer selon quels degrés ceux-ci étaient vécus[30], la sociologie religieuse en analysant le catholicisme contemporain a laissé en suspens jusqu'aux toutes dernières années le problème du discours théorique que celui-ci tient. Révélateur à cet égard est le texte de Gabriel Le Bras préfaçant, en 1954, le premier bilan des enquêtes menées en France[31] :

Il y a des secteurs que le catholique s'interdit d'explorer, celui de la Révélation. Car si les mythes des peuples archaïques sont une invention, une explication, une réplique (ou, si l'on veut, une hypothèse) de la tribu, du clan, les mystères chrétiens sont une dictée de Dieu à l'homme qui se borne à traduire – son langage[32]. Mais la part de l'homme commence aux exégèses, aux écoles de théologie qui surgissent dans des milieux observables dont ils expriment quelques-unes des particularités. Le culte se relie davantage aux aspirations, aux structures des sociétés humaines. Et plus encore le droit canon.

Au-delà de la révérence confessionnelle qui souligne le poids dont disposait encore récemment une structure de pouvoir sur la recherche scientifique, se dessine une archéologie. La sociologie religieuse retrouve en effet, mué en critère de type scientifique, le partage décisif qui s'est effectué aux temps modernes entre gestes objectifs et croyances subjectives : dissociation qui a commencé au moment où la fragmentation d'un monde chrétien unitaire en confessions plurielles[33] entraîne un discrédit des vérités doctrinales qui s'opposent et reporte le repère objectif sur l'adhésion publiquement manifestée au groupe religieux. Du fait de l'effritement des valeurs, le critère de la foi fut moins désormais l'assimilation intérieure d'une vérité qu'une série de comportements aptes à attester une appartenance sociale. Mais ce déboîtement opéré entre société et religion à partir du XVIIe siècle est venu renforcer la dévalorisation scientifique de la signification dogmatique de la pratique. Car que mesure-t-on, en définitive, lorsque l'on constate une baisse de celle-ci? Est-ce ce qu'il y a de social dans une pratique apparemment religieuse, ou ce qu'il y a de religieux dans une pratique sociale[34]?

Nourrie des modèles d'analyse marxiste, l'histoire économique et sociale des dernières années s'est trouvée rapidement confrontée aux problèmes de stratification socioprofessionnelle dans les civilisations préindustrielles[35]. L'étude des antagonismes sociaux l'a conduite à s'interroger sur la validité de l'emploi de la notion de conscience de classe à toutes les époques, puis à élucider d'une manière plus élaborée le rapport posé entre niveaux de culture et groupes sociaux. Si la simplification abusive qui voyait dans l'idéologie un pur reflet de la société n'a pas totalement disparu, les historiens prennent désormais conscience de la difficulté qu'ils éprouvent à conceptualiser le rapport entre infrastructure et superstructures. Les récentes analyses de Louis Althusser ont fait justice de cet « hégélianisme du pauvre[36] » qui consistait à penser ce rapport en termes de causalité transitive au sein d'une même homogénéité temporelle[37]. Mais réfuter un type d'enchaînement c'est postuler un besoin, ce n'est pas encore définir le type de relation qui s'établit entre les différents niveaux. A ce stade, l'historien des sociétés, même quand il n'entend pas renoncer à l'ambition de totalité, avoue aujourd'hui son aporie[38], dans la mesure où il ne dispose plus d'une théorie générale qui lui permettrait de rendre compte du tout historique par l'intervention de tel ou tel facteur déterminant. Et les questions ouvertes par les méthodes structurales en linguistique ou en ethnologie rendent aléatoires la localisation *a priori* de tel ou tel phénomène du côté de l'« infra » plutôt que du côté de la « super » structure[39]. Elles amènent l'historien des sociétés sur des plages jusqu'alors inconnues : l'étude du langage et l'analyse des mythes.

Où l'éliminé resurgit

On ne cherchera pas maintenant à présenter un panorama exhaustif des recherches en histoire religieuse[40]. Mais dans le cadre restreint de l'époque moderne et contemporaine, on tentera d'évoquer quelques travaux qui se situent justement à cette jointure problématique entre idéologie et société.

L'histoire fait aujourd'hui retour dans ses progrès mêmes sur des objets qu'elle ne comprend plus et voit resurgir sur les bords de son énoncé cette « inquiétante étrangeté » qui lui désigne ce qui fut autrefois familier puis progressivement éliminé par la raison[41] moderne. Encore convient-il de s'interroger sur la possibilité d'écrire une histoire de l'exclusion (qu'il s'agisse du miracle, de la sorcellerie ou de la mystique par exemple). L'entreprise de Michel Foucault écrivant *L'Histoire de la folie* est peut-être la plus féconde pour nous permettre d'identifier les pièges que l'historien rencontre à tout moment. D'une part l'auteur entend faire une histoire non de la psychiatrie mais de

la folie elle-même dans sa vivacité avant même
« toute capture par le savoir[42] ». Cette *folle* tentative
pour faire de la folie le *sujet* de son livre, se heurte sur
le seuil même au problème du langage. Car de langage
commun entre raison et folie

il n'y en a pas ou plutôt il n'y en a plus : la constitution de la
folie comme maladie mentale à la fin du XVIIIᵉ siècle dresse le
constat d'un dialogue rompu, donne la séparation déjà
acquise, et enfonce dans l'oubli tous ces mots imparfaits, un
peu balbutiants, sans syntaxe fixe dans lesquels se faisait
l'échange de la folie et de la raison. Le langage de la
psychiatrie, qui est monologue de la raison *sur* la folie n'a pu
s'établir que sur un tel silence. Je n'ai pas voulu faire
l'histoire de ce langage; plutôt l'archéologie de ce silence[43].

Mais, comme l'observe Jacques Derrida, suffit-il de
ranger les armes de la psychiatrie dans un placard
pour retrouver l'innocence et pour perdre toute com-
plicité avec l'arsenal répressif :

Tout notre langage européen, le langage de tout ce qui a
participé de près ou de loin à l'aventure de la raison
occidentale est l'immense délégation du projet que Foucault
définit sous l'espèce de la capture ou de l'objectivation de la
folie. *Rien* dans ce langage et *personne* parmi ceux qui le
parlent ne peut échapper à la culpabilité historique dont
Foucault semble vouloir faire le procès. [...] Le malheur des
fous, le malheur interminable de leur silence [...] c'est que
quand on veut dire leur silence lui-même on est déjà passé
à l'ennemi et du côté de l'ordre même si dans l'ordre on se
bat contre l'ordre et si on le met en question dans son
origine[44].

Pourtant, si cette « archéologie du silence » a pu
être tentée, c'est bien parce que le concept de folie en
tant que déraison perd son unité, se disloque et que la
psychiatrie n'est plus simplement policière[45]. Alors
une parole sur la folie devient possible,

l'étude structurale de l'ensemble historique – notions, institutions, mesures juridiques et policières, concepts scientifiques – qui tient captive une folie dont l'état sauvage ne peut jamais être restitué en lui-même; mais à défaut de cette inaccessible pureté primitive l'étude structurale doit remonter à la décision qui lie et sépare à la fois raison et folie[46].

Un chemin est ici indiqué qu'il faut suivre. S'agissant de religion, l'éclatement décisif du catholicisme posttridentin et de la primauté romaine, le développement des mouvements protestataires dans l'Eglise renvoient l'historien à l'étude des phénomènes réprimés et marginaux. Mais de même que Michel Foucault se refuse à utiliser l'arsenal de la raison classique pour parler de la folie, de même l'historien du catholicisme ne peut plus user de critères théologiques pour rendre compte des croyances populaires. La résistance qui se manifeste aujourd'hui face à un appareil de pouvoir et de doctrine lézardé pose la question du silence d'hier : adhésion ou refus aux définitions de l'élite[47]? Aussi bien la méthode régressive est-elle peut-être la moins mutilante : faire d'abord modestement un inventaire et une morphologie des cultes populaires qui subsistent avant d'écrire leur histoire à partir de cette trace ambiguë que nous ont laissée les archives de la répression – les seules parfois que nous possédions. L'étude d'Ernesto de Martino sur le tarentisme[48] dans les Pouilles est exemplaire dans sa démarche :

Pour reconstituer en événements motivés et compréhensibles le panorama désagrégé, chaotique et contradictoire que la vie religieuse du Sud offre de prime abord à l'observateur, la voie à suivre est celle de recherches « moléculaires » qui analysent les données ethnographiques actuelles pour y déceler, avec le secours des autres techniques de l'enquête, ce qui fut autrefois authentiquement païen et en même temps les événements qui suivirent à l'époque chrétienne, les tentatives accomplies par les principales formes culturelles survenues, les succès, les échecs de ces tentatives et les raisons des uns et des autres[49].

C'est bien là en effet que réside la difficulté essentielle : nous ne saisissons plus de la piété populaire que des débris souvent inorganiques dont les formes superposées ou gauchies au cours des siècles ne présentent pas une lisibilité immédiate : à l'objectivisme tranquille des folkloristes d'antan qui collectaient des données[50], nous devons substituer l'interrogation que nous posent « ces Indes de l'intérieur[51] », sans pour autant prétendre effacer l'histoire de la répression. L'étude des pèlerinages offre à cet égard un terrain particulièrement riche[52]. Des enquêtes sont d'ores et déjà menées sur les saints thérapeutes[53]. Une analyse de la fête, de son interdiction ou de sa réduction par la hiérarchie au cours des siècles modernes serait à entreprendre[54].

Dans cette histoire des limites, dans cette étude de la démarche par laquelle une culture se définit dans l'exclusion, d'autres terrains sont en cours de défrichement. L'analyse de la pauvreté du Moyen Age à nos jours[55] montre comment l'on est passé de l'image du pauvre « membre de Jésus-Christ » à la répression d'un être socialement dangereux. De sujet participant d'une société religieuse, le pauvre devient l'*objet* d'une assistance – le plus souvent municipale – qui tend à lui *fixer* une place à part. Dans une société qui s'organise laïquement et qui cherche de plus en plus sa cohérence humaine à travers l'exaltation du travail et de la richesse, le pauvre est celui qui par son errance et son oisiveté marque un refus et désigne la faille qui lézarde un ensemble. L'« ailleurs » intolérable qu'il constitue est réduit, aux temps modernes, par une double violence : d'une part l'expulsion de tous les

« étrangers », c'est-à-dire de tous les non-natifs – parfois même leur déportation aux colonies, ce qui est une façon de déplacer l'ailleurs – d'autre part le renfermement dans les Hôpitaux généraux des autochtones et leur mise au travail forcé. A l'intérieur même de la cité, une dichotomie sociale fonctionne qui privilégie les nobles appauvris par rapport aux pauvres honteux. Soumis désormais à une juridiction extraordinaire, les pauvres ne sont plus que des *objets* sous l'œil des recteurs qui les gouvernent et qui s'attachent à discerner souverainement, au nom de leurs catégories mentales, « bons » et « mauvais », « vrais » et « faux » pauvres. Mais à cette topographie qui les emprisonne en les localisant, ceux-ci opposent justement leur errance même, c'est-à-dire la rupture avec l'espace quotidien et l'incertitude qu'elle représente. On ne s'étonne point dès lors de trouver souvent parmi eux ermites ou pèlerins, signes devenus anachroniques d'une attente eschatologique au sein d'une société bourgeoisement dévote.

On ne s'étonne point non plus de voir à certaines époques les émeutes populaires utiliser un langage messianique[56]. Mouvements messianiques et hérétiques ont récemment suscité l'attention des historiens, dans la mesure où ils révèlent, sur le mode religieux, les résistances que suscite l'instauration d'un ordre, surtout lorsque celui-ci subit une crise grave. Y aurait-il pour chaque époque un « système du transgressif[57] », avec sa configuration et ses lois propres, dont l'hérésie ne serait qu'un cas particulier? Tout d'un coup un langage, jusqu'alors tenu pour certain, fonctionne sur le mode de l'équivoque et de l'ambigu. S'agit-il d'une formulation – en termes « archaïques » qui ne seraient plus qu'un vêtement – d'une mutation socioculturelle plus fondamentale? Les mouvements

millénaristes ne seraient plus alors que des soulèvements « prépolitiques » – qu'il conviendrait d'identifier comme tels [58]. S'agit-il au contraire de « moments
d'affleurement violents de croyances populaires [59] »
où les « attitudes collectives latentes » peuvent trouver un point de résurgence propice, à l'égard des
institutions officielles? Dans les deux cas, le langage
utilisé ne serait qu'un trompe-l'œil destiné à recouvrir
ici une revendication de type politique, là une expérience souterraine indicible. En fait une telle analyse
risque de passer à côté de l'essentiel, à savoir la
structure spécifique de ces mouvements marginaux [60].
Car ceux-ci s'inscrivent dans des situations sociales
déterminées : perte de l'individualité par une société
globale du fait d'une occupation dominatrice (situation coloniale), oppression au sein d'une même société
des couches inférieures par les couches sociales privilégiées, désorganisation qui ébranle la configuration de
tout un ensemble socioculturel [61]. Réaction contre la
désagrégation d'un équilibre et la déstructuration
d'une culture, les mouvements messianiques ont une
forme proportionnée au type de sociétés dans lesquelles ils s'insèrent [62].

Par exemple, dans les mouvements messianiques
qui suivent la colonisation espagnole, les combinaisons qui s'élaborent entre éléments pris à la tradition
indigène et unités tirées de la culture de l'envahisseur
ne sont pas un pur syncrétisme passif, ni un mélange
hétérogène à partir de composants disparates. Il s'agit
d'un réemploi créateur en vue de la construction
d'une société nouvelle, d'une tentative de solution face
aux destructions opérées. Conscients de l'impossibilité
de revenir à la société tribale ancienne, refusant
d'accepter l'infériorité où les confine l'avancée blanche, les groupes indiens qui optent pour l'aventure

messianique tentent de retrouver une expression propre. D'où le rôle capital de la religion dans la mesure
où elle fournit à une société en voie de dislocation une
symbolisation globale de sa détresse, lui permet de
prendre conscience de son unité et lui donne, par ses
éléments surhumains, un instrument suffisamment
efficace pour résorber la crise (interne ou externe)
dont elle souffre. D'où aussi cette crispation sur les
origines, ce recours à la tradition « authentique » qui
caractérise tous les mouvements messianiques afri-
cains[63] ou américains. Cette référence à la pureté
primitive est le moyen de se défendre contre l'occu-
pant, l'affirmation du retour aux sources, le mode sur
lequel la situation présente d'effritement est récusée.
L'archaïsme doit cacher la coupure au nom d'une
continuité plus profonde : il restaure un langage commun qui permet une évolution. Les analyses de phénomènes historiques d'acculturation sont, de ce point
de vue, une voie ouverte à la recherche[64].

Elles nous renvoient à l'étude de processus internes
aux sociétés occidentales : le prophétisme cévenol[65]
ou les convulsionnaires jansénistes du XVIIIᵉ siècle[66]
sont sans doute justiciables du même type d'interprétation. Il est moins immédiat de cerner cette autre
« hérésie » que constitue la sorcellerie dans la mesure
où un savoir, celui du médecin, appuyé sur un
appareil répressif, a prétendu la *réduire*, à la fois dans
d'abondants traités et dans les structures asilaires. Un
réalisateur à l'O.R.T.F. (nous pensons au film de
Patrick Pesnot, *Sorciers de village,* O.R.T.F., 1971)
peut bien partir à la recherche des sorciers du Berry
pour présenter au Français moyen vautré sur son
fauteuil ces « curiosités » bien étranges au siècle des
satellites : parce qu'il n'a pas de temps à perdre, son
interrogatoire se fait policier; un mutisme ponctué de

monosyllabes répond au codage pseudo-scientifique que lui impose son « savoir » parisien. Il est plus aisé de converser avec le châtelain, l'exorciste ou le psychiatre qui, eux, ont pris le « recul » nécessaire, qu'avec un désenvoûteur qui se refuse obstinément à dévoiler sa « technique ». Pourtant, pouvoir singulier de l'image, des visages habités, d'une extraordinaire beauté, apparaissent d'où toute parole s'est retirée. L'échec de l'agression dévoile une expérience à laquelle même les mots ont été arrachés. Le silence d'aujourd'hui interpelle l'historien et le convie à une autre lecture du passé[67].

Cette parole que nous ne pouvons plus entendre, ces lèvres qui ne s'ouvrent aujourd'hui que sur un vide, ce sont celles qu'à la fin du XVIe et au XVIIe siècle, lors de l'immense épidémie de sorcellerie qui traverse l'Europe entière, les magistrats – au terme de longs débats dont Robert Mandrou nous a retracé l'histoire – ont combattues et refermées, en fournissant d'un phénomène social devenu pour eux aberrant une rationalisation acceptable par la substitution de critères scientifiques à la lecture autrefois transparente des signes qui marquaient la présence immédiate des forces surnaturelles : les anciennes « preuves[68] » ne suffisent plus, le témoignage les remplace et bientôt le doute sur le témoignage lui-même. Face au diabolique comme au miracle, le rôle du médecin devient primordial[69]. N'étaient-ils pas d'ailleurs confusément conscients de ce vacillement culturel, les magistrats du parlement de Rouen qui, en 1670, à l'encontre de leur premier président « éclairé » Claude Pellot, défendaient la jurisprudence traditionnelle contre les crimes de sortilège, « le plus grand crime qui se puisse commettre puisqu'il attaque la divinité et cause tant de maux dans le monde », et, liant avec une tranquille assurance le maintien de la foi du Royaume à la répression la plus rigoureuse des diableries priaient Sa Majesté Très Chrétienne de ne pas souffrir « qu'on introduise durant son règne une nouvelle opinion contraire à la religion[70] »? Car en adoptant la solution rationnelle qui réduisait la sorcellerie en superstition, les juges de Louis XIV assurèrent sans doute l'ordre par un déplacement du registre où il se déployait, mais par là même entérinèrent l'ébranlement que, sur un mode archaïque, les sorciers avaient d'abord signifié. Un rapport de *forces* était en jeu : le sorcier qu'il fût imaginaire ou réel menaçait un pouvoir politique : celui-ci se défendit, au prix d'une mutation décisive de sa configuration. L'inversion en effet, en édifiant un contre-univers qui reproduisait trait pour trait l'ordre avec ses sabbats (antimesse), ses rapports hiérarchiques ou sexuels contre nature, constituait un lieu où échapper aux institutions établies : elle atteignait leur prestige en soulignant leur impuissance. D'où la violence de la répression. D'où aussi cette nécessité de l'*aveu* qui, comme le dit Michel de Certeau, est le retour du sorcier à la société dont il a émigré par la restauration du

contrat social un moment brisé dans la mesure où il recoud par la parole publique le langage qu'a déchiré le pacte avec le diable, et soumet à la loi du groupe l'exilé qui s'en est retiré par défiance ou incertitude[71].

Il reste que 5 % des accusés n'avouent pas[72]. Est-ce le signe qu'ils refusent les critères imposés par les juges? Des indices contemporains tendraient à confirmer cette hypothèse[73].

D'autres émigrations intérieures sont décelables qui révèlent l'instabilité d'une société et de son langage : possession ou mystique. Qui parle dans la possédée[74]?

La vertueuse religieuse ou un démon? Et quels critères pour distinguer la vérité du mensonge? La possédée trompe et trouble soudain toutes les assurances tacites du langage. Une place s'avère insaisissable pour le savoir de l'exorciste ou du médecin : à travers la multiplicité des taxinomies – chacune étant d'ailleurs bien connue – qu'elle utilise, à travers la mobilité des masques qu'elle prend, la possédée refuse de choisir un indice de référence particulier par où l'exorciste ou le médecin pourraient assurer leur position. Par là même, elle oblige le savoir à s'avouer répressif. Le conflit qui oppose la raison à la possession n'est pas seulement théorique, il est aussi celui du plus fort[75].

*

Après avoir défini quelques thèmes topiques de la recherche actuelle, on voudrait repérer brièvement des opérations qui s'avèrent aujourd'hui nécessaires et fécondes. Empruntées à la sociologie, à l'anthropologie ou à la linguistique, elles ouvrent à l'histoire religieuse des voies neuves, encore à peine frayées.

D'un bon usage de la sociologie

Au risque de paraître paradoxal, il faut bien avouer que les méthodes sociologiques ont encore peu pénétré l'histoire religieuse. Le premier plaidoyer pour une histoire sérielle dans ce domaine date d'un peu plus de cinq ans[76], les thèses des disciples de Gabriel Le Bras d'un peu plus de dix ans[77]. Pourtant de très nombreuses *terrae incognitae* demeurent, sans la découverte desquelles aucune tentative d'articulation entre les divers niveaux d'analyse historique n'est possible. Une étude sociologique des groupes religieux s'avère indispensable pour déterminer le rapport qui peut exister entre ces groupes et leur spiritualité ou leur théologie. Sur ce point les manques sont encore patents, malgré les recherches en cours[78]. Pour prendre un exemple, il faudrait pouvoir mesurer à l'époque moderne les différences qui séparent le recrutement du clergé séculier des ordres religieux anciens (Bénédictins ou Cisterciens) des congrégations nouvelles (Jésuites, Oratoriens, Ursulines, Visitandines)[79].

De même les réseaux de dévots ou de spirituels dans lesquels circulent les idéologies doivent pouvoir être analysés avec cette finesse qui caractérise le beau livre de René Taveneaux sur le jansénisme en Lorraine[80]. Pourquoi et comment est-on janséniste au XVIIIe siècle? Quel lien établir entre les convulsionnaires de Saint-Médard, les théologiens de la Sorbonne et les évêques « appelants »? Mais aussi, à un niveau plus modeste, que furent les confréries d'Ancien Régime[81] et par quels recharges ou transferts se sont-elles perpétuées sur le long terme? L'analyse précise de Maurice Agulhon montre à quel point les formes de sociabilité l'emportent sur les contenus idéologiques des groupements : d'où le glissement sans heurts de la confrérie à la franc-maçonnerie et aux sociétés populaires de 1792[82]. Une histoire religieuse qui s'attachait uniquement aux contenus théoriques est ainsi mise en question, tout comme la coupure traditionnelle qui sépare époque dite « moderne » et période « contemporaine ». Des rythmes, des continuités ou des ruptures se dessinent sur les courbes de chaque phénomène quantifié; des processus de dégradation ou de passage s'esquissent, qu'il conviendra au fur et à mesure d'interpréter; une géographie sociale des représentations religieuses s'élabore, rejoignant la sociologie culturelle[83]. Dans la même optique, une typologie des modèles de religiosité[84] serait à entreprendre pour chaque époque[85]. Pour peu qu'on se donne la peine de le dépoussiérer, le matériau brut est foisonnant, enfoui dans les dépôts d'archives.

Les attitudes devant la vie et la mort

La vie, la mort – problèmes essentiels pour toute société – sont restées jusqu'à une date récente méconnues de l'historien. Que le bouleversement démographique de la guerre et des années qui l'ont suivie l'ait incité enfin à s'interroger longtemps après ses confrères ethnologues ou démographes, n'est pas le moindre paradoxe d'une discipline scientifique qui postule quotidiennement la mort dans sa pratique. Vieux réflexe scientiste d'universitaire qui élimine de son champ d'observation, par réserve ou pudeur, ce qui pouvait le concerner plus directement? Gardons-nous de juger. Mais cette histoire des profondeurs que Lucien Febvre appelait de ses vœux dès 1941[86] reste à faire. Philippe Ariès s'est interrogé, l'un des tout premiers, sur les raisons structurelles qui permettent de rendre compte du grand renversement malthusien de la première moitié du XIXe siècle[87]. Une révolution fondamentale, celle du changement d'attitude devant la vie, s'est opérée en silence qui a retenti sans aucun doute sur les comportements religieux; il faudrait pouvoir retracer avec précision le parcours des mécanismes psychologiques qui, du geste fruste du *coitus interruptus* aux procédés contraceptifs modernes, ont conduit l'homme à une maîtrise totale de la vie. On peut, avec Pierre Chaunu[88], se demander si la morale néo-augustinienne de la pureté prêchée au XVIIIᵉ siècle et l'ascétique pratique imposée par certains prélats jansénisants dans leurs diocèses n'ont pas entraîné une culpabilisation de l'acte sexuel considéré comme impur; d'où le glissement vers des pratiques destinées à éviter la génération : « Dans la mesure où la matérialité de l'acte est établie par la génération l'absence de génération finit par effacer l'impureté de l'acte[89]. » L'usage exclusif de la contraception par retrait masculin est sans aucun doute né dans un climat d'éthique de la continence. La montée spectaculaire des naissances illégitimes dans les grandes villes à la fin du XVIIIᵉ siècle[90] est comme l'envers de cette même réalité. Fruit des étreintes qui unissent passagèrement un étranger nomade à une fille pauvre dont le cercle familial est brisé[91], l'enfant illégitime trahit, aux marges d'une société qui le condamne à mort[92], plus encore que l'extension des rapports sexuels hors mariage, l'instabilité affective à laquelle sont réduites les couches sociales urbaines les plus déshéritées.

Car le mariage est d'abord une association économique fondée sur la répartition des tâches entre les sexes : il exige un minimum d'économies pour sa fondation, une exploitation à la campagne, une échoppe ou un métier à la ville. D'où l'âge tardif au mariage, d'où ce long temps qui sépare la promesse du jour des noces, d'où cette « honnêteté » nécessaire de la fréquentation prénuptiale[93]. « S'établir » est un geste sérieux où l'on requiert du conjoint moins la passion amoureuse – ce qui n'exclut pas la solide « amitié » – que la santé physique et les qualités d'ordre moral ou professionnel. Dans cette régulation ascétique de l'instinct qui précède l'union conjugale, une organisation calculée de la vie se fait jour. Et la poussée endogamique qui multiplie les mariages

consanguins à la fin du XVIIIᵉ siècle n'indique-t-elle
pas un repliement sur la sécurité à la fois économique
et sexuelle qu'implique le choix familial? Mais pour
les exclus de ces stables espérances, le célibat est
l'unique état possible qui, à moins d'être conventuel,
peut aboutir au concubinage[94].

La mort? Les démographes aujourd'hui étalent
devant nos yeux des taux de mortalité, les médecins
parlent thérapeutique ou symptomatologie. Mais dans
une société qui entend tout maîtriser en termes scientifiques, qui a fait disparaître les grandes épidémies
des siècles passés et reculé les limites de la vie, la mort
n'est plus « prochaine » comme pour le laboureur de
La Fontaine, elle est devenue l'indicible[95]. Le silence
aujourd'hui frustre le malade de sa propre mort[96];
oser parler d'elle serait créer une situation exceptionnelle, l'aveu d'un échec pour le médecin, l'angoisse
pour le condamné. Les historiens participent du
silence des hommes d'aujourd'hui qui s'efforcent de
cacher cette brisure honteuse.

Pourtant Michel Vovelle vient, dans une thèse
fondamentale, de saisir une société dans son rapport à
la mort[97]. Analysant quelque vingt mille testaments
provençaux du XVIIIᵉ siècle sur des sites choisis d'une
manière pertinente, il peut, avec la précision quantitative la plus sûre, déceler les différences sociales et
géographiques des comportements religieux. Ainsi une
faille se dessine-t-elle à l'intérieur de l'élite marseillaise : si la ferveur du noble augmente au cours du
siècle (80 % des testateurs demandent des messes à la
fin du siècle contre 50 % au début), celle du négociant
suit une courbe inverse (50 % à la fin contre 100 % au
début) et celle du bourgeois[98] ou du boutiquier, après
avoir été un moment touchée par la reconquête
catholique jusque dans les années 1750, s'effondre

dans la deuxième moitié du siècle. Une homogénéité du comportement bourgeois de la grande ville – qui tout autant qu'au noble s'oppose à celui, plus traditionnel, des notables des petites villes ou bourgs[99] – se manifeste dans un détachement progressif à l'égard des gestes rituels. Dans tous les milieux marseillais, un dimorphisme sexuel s'accentue, soulignant la piété féminine; sans doute est-il le plus marqué chez les salariés[100] : à la domestique[101] qui calque son attitude sur sa dévote patronne bourgeoise ou aristocrate, s'oppose le compagnon de l'artisanat éloigné dès 1720 des vieilles solidarités[102].

L'analyse précise du court terme permet de mesurer l'impact réel d'un événement comme la peste de 1720 qui anéantit la moitié de la population marseillaise. Si 93 % des testateurs que reçoit le notaire Fabron entre juillet et septembre 1720 – dans les semaines où l'on compte plus de mille victimes par jour – demandent des messes, le chiffre, un an après, est déjà redescendu à 61 % (juillet-septembre 1721), c'est-à-dire à peu près celui d'avant le drame : la tension panique n'a pas duré. L'évolution sur le long terme montre à travers une série d'indices (demandes de messe, élections de sépulture, legs aux confréries et aux charités, nombre d'ecclésiastiques dans la famille du testateur) groupés en faisceau, comment un réseau de gestes et de rites dans lesquels le passage de la mort à l'au-delà se trouvait assuré s'est profondément modifié, ainsi que les visions auxquelles il répondait. « On ne sait si l'homme s'en va plus seul, moins assuré de l'au-delà en 1780 qu'en 1700; il a décidé de ne plus en faire confiance[103] », conclut avec prudence l'auteur. Une structure fondamentale de la sensibilité collective s'est en tout cas défaite. Le modèle provençal vaut-il pour la France du XVIIIe siècle, c'est une question à laquelle les historiens devront s'attaquer demain.

La linguistique

Il n'en sera question ici que par allusion. En effet les recherches sont trop récentes pour qu'elles aient pu encore atteindre en profondeur les travaux historiques : à la vérité l'initiation à des méthodes qui, à aucun moment ne font partie du cursus de la formation historique, constitue l'un des handicaps les plus lourds pour le chercheur[104]. Les études de vocabulaire et des champs sémantiques en rapport avec les structures sociales sont encore peu nombreuses[105]. On peut cependant citer, dans le domaine précis qui nous occupe, le récent ouvrage d'André Godin[106] sur le prédicateur franciscain Jean Vitrier, disciple d'Erasme. La quantification lexicographique permet à l'auteur d'élaborer une grille sémantique qui débouche sur l'analyse du « paysage mental » de son héros : elle souligne l'enracinement cosmique de la prédication, l'attention portée aux odeurs, saveurs, impressions visuelles, tactiles ou auditives, la fréquence, dans une polyvalence de sens, du terme « cœur ». De pareilles études permettraient de restituer les cohérences d'une spiritualité, ses permanences et ses déformations, ses transferts et ses innovations. Dans la même optique, les pistes de recherche ouvertes par Michel Foucault pour une analyse des formations discursives[107] devraient requérir toute notre attention. Autant de voies neuves, qui peuvent évacuer de l'histoire spirituelle un impressionnisme souvent dangereux.

*

Il resterait, au terme de ce survol singulièrement partial et partiel, à s'interroger sur la signification de la vogue actuelle de l'histoire religieuse. L'histoire qui se constitue n'est jamais indépendante du temps qui l'a fait naître. De même que l'histoire économique a connu un prodigieux essor à la suite de la crise de 1929 qui l'a contrainte à redéfinir concepts et méthodes, de même on peut se demander si le *revival* de l'histoire religieuse n'est pas lié aux problèmes qu'ouvre le surgissement de l'imaginaire dans notre société. La requête d'un sens dont ne sont plus porteuses des institutions dévaluées démontre la fragilité des conventions sur lesquelles repose un langage social. Un système se voit lézardé par l'irruption du symbolique qui le conteste. L'analyse du symbolisme passé – tout comme l'ethnologie sur le mode de l'altérité spatiale – est-elle pour une société devenue non religieuse le moyen de réintégrer une question qui la gêne? Voire.

NOTES

La bibliographie citée s'arrête à 1971.

1. Compte rendu du livre de L. Arréat, *Le Sentiment religieux en France,* Alcan, 1903, par Marcel Mauss et Henri Hubert in *Année sociologique,* 1902-1903, pp. 212-214.

2. André Latreille, « Les églises chrétiennes de Luther à Rousseau », compte rendu du livre de Jean Delumeau, *Le Catholicisme entre Luther et Voltaire,* P.U.F., 1971, in *Le Monde,* 12-13 septembre 1971.

3. Cf. Emile Durkheim, *Les Formes élémentaires de la vie religieuse,* Paris, 1912, 5e éd., P.U.F., 1968, pp. 613-614 : « Pendant longtemps l'idée de soumettre la vie psychique à la science faisait l'effet d'une sorte de profanation. Même aujourd'hui elle répugne encore à nombre d'esprits. Cependant la psychologie expérimentale et comparative s'est instituée et il faut compter avec elle. Mais le monde de la vie religieuse et morale reste encore interdit. La grande majorité des hommes continue à croire qu'il y a là un ordre de choses où

l'esprit ne peut pénétrer que par des voies très spéciales. De là les vives résistances que l'on rencontre toutes les fois que l'on essaie de traiter scientifiquement les phénomènes religieux et moraux. »

4. « Les grandes choses du passé, celles qui enthousiasmaient nos pères n'excitent plus chez nous la même ardeur, soit parce qu'elles sont entrées dans l'usage commun au point de nous devenir inconscientes, soit parce qu'elles ne répondent plus à nos aspirations actuelles. [...] L'idée que se fait le christianisme de l'égalité et de la fraternité humaines nous paraît aujourd'hui laisser trop de place à d'injustes inégalités. Sa pitié pour les humbles nous semble trop platonique. Nous en voudrions une qui fût plus efficace. [...] En un mot les anciens dieux vieillissent ou meurent, d'autres ne sont pas encore nés. Un jour viendra où nos sociétés connaîtront à nouveau des heures d'effervescence créatrice au cours desquelles de nouveaux idéaux surgiront, de nouvelles formules se dégageront qui serviront pendant un temps de guide à l'humanité » (Emile Durkheim, *op. cit.,* pp. 610-611).

5. Cf. Raymond Aron, *Les Etapes de la pensée sociologique,* Gallimard, 1967, pp. 307-316.

6. Pour ne prendre qu'un exemple entre mille, citons la question que posait dom Chamard au début de son livre *Les Origines et les responsabilités de l'insurrection vendéenne,* Paris, 1898 : « L'insurrection vendéenne a-t-elle été produite par les conjurations ou les surexcitations réactionnaires des prêtres et des nobles contre le régime établi, ou bien n'a-t-elle été que le résultat des vexations réitérées et des persécutions contre la liberté de conscience religieuse de tout un peuple, qui, après avoir tenté par tous les moyens légaux de l'obtenir s'est enfin lassé de voir ses justes revendications foulées aux pieds, et a cru que le moyen d'obtenir justice de ses bourreaux était de se la rendre à lui-même les armes à la main? » (p. 7). L'histoire jacobine n'était pas plus exempte de tels présupposés.

7. Lucien Febvre, *Au cœur religieux du XVIᵉ siècle,* Paris, Armand Colin, 1957, pp. 301-309.

8. Cf. Claude Lévi-Strauss, « Introduction à l'œuvre de Marcel Mauss », *in* Marcel Mauss, *Sociologie et anthropologie,* 1950, pp. XXX-XXXVII; Michel Foucault, *Les Mots et les choses,* Paris, Gallimard, 1966, pp. 355-398, et *L'Archéologie du savoir,* Paris, Gallimard, 1969, pp. 3-38 et 259-275.

9. Cf. Michel de Certeau, « La rupture instauratrice : le christianisme dans la culture contemporaine », in *Esprit,* juin 1971, pp. 1177-1214.

10. Cf. Jean-Pierre Deconchy, « Du théorique au stratégique en psychosociologie des religions », in *Politique aujourd'hui,* février 1970, pp. 43-50, et le recueil de Mélanges publié par la section des

Sciences religieuses de l'Ecole pratique des hautes études intitulé *Problèmes et méthodes d'histoire des religions,* P.U.F., 1968, notamment les textes de Pierre Nautin, pp. 177-191, et de Jean Orcibal, pp. 251-260.

11. Cf. Roland Barthes, « L'analyse structurale du récit. A propos d'*Actes,* X-XI », in *Recherches de sciences religieuses,* 1970, pp. 17-37; et Jean Starobinski, « Considérations sur l'état présent de la critique littéraire », in *Diogène,* n° 74, 1971, pp. 62-95.

12. Cf. Michel de Certeau, « L'histoire religieuse du XVIIᵉ siècle. Problèmes de méthodes », in *Recherches de sciences religieuses,* 1969, pp. 231-250.

13. Jacques Le Goff, « Apostolat mendiant et fait urbain dans la France médiévale : l'implantation géographique et sociologique des ordres mendiants aux XIII-XVᵉ siècles », *Annales E.S.C.,* 1968, pp. 335-352, et « Ordres mendiants et urbanisation dans la France médiévale », *ibid.,* 1970, pp. 954-965.

14. Pierre Vilar, « Les primitifs de la pensée économique. Quantitativisme et bullionisme », in *Mélanges Marcel Bataillon,* numéro spécial du *Bulletin hispanique,* 1962, pp. 261-284.

15. Henri Desroche, *Marxisme et religions,* P.U.F., 1962; *Socialismes et sociologie religieuse,* Cujas, 1965; « Genèse et structure du nouveau christianisme saint-simonien », in *Archives de sociologie des religions,* n° 26, juillet-décembre 1968, pp. 27-54.

16. Lucien Goldmann, *Le Dieu caché,* étude sur la vision tragique dans les *Pensées* de Pascal et dans le théâtre de Racine, Gallimard, 1955, pp. 115-156.

17. Sigmund Freud, *Essais de psychanalyse appliquée,* Gallimard, coll. « Idées », 1971, pp. 211-251. Cf. l'analyse qu'en fait Michel de Certeau in *Annales E.S.C.,* 1970, pp. 654-667 : « Ce que Freud fait de l'histoire. »

18. Freud, *op. cit.,* p. 249.

19. Lucien Febvre, *Au cœur religieux du XVIᵉ siècle,* Paris, Armand Colin, 1957, pp. 301-309. Cf. aussi *Le Problème de l'incroyance au XVIᵉ siècle. La religion de Rabelais,* Paris, Albin Michel, 1942, pp. 473-477, où il a cette formule : « La critique du fait ne commencera que le jour où pour tous les esprits le *non posse* engendrera le *non esse.* »

20. Cf. Claude Lévi-Strauss, *Tristes tropiques,* Paris, Plon, 1955, IXᵉ partie, XXXVIII : « Pour nous Européens et terriens, l'aventure au cœur du nouveau monde signifie d'abord qu'il ne fut pas le nôtre et que nous portons le crime de sa destruction. » Cf. surtout Robert Jaulin, *La Paix blanche, introduction à l'ethnocide,* Paris, Le Seuil, 1970, notamment chapitre IX, « L'ethnologie néo-coloniale », pp. 251-335.

21. Cf. le beau livre de Jean Delumeau déjà cité, ou de François Lebrun, *L'Homme et la mort en Anjou,* Paris, Mouton, 1971, pp. 395-415.

22. Cf. Jeanne Favret, « Le malheur biologique et sa répétition », in *Annales E.S.C.,* 1971, pp. 873-888 : « Le paysan, lorsqu'il s'adresse à un ethnographe, s'empresse de parler de lui comme d'un autre : comme le médecin, l'instituteur et l'ethnographe parlent habituellement de lui. »

23. A cet égard, il est difficile aujourd'hui d'entériner les positions de Gabriel Le Bras, « Réflexions sur les différences entre sociologie scientifique et sociologie pastorale », in *Archives de sociologie des religions,* juillet-décembre 1959, pp. 5-14, et de Xavier Léon-Dufour, « L'exégète et l'événement historique », in *Recherches de sciences religieuses,* n° 58, 1970, pp. 551-560.

24. Henri Bremond, *Histoire littéraire du sentiment religieux en France depuis la fin des guerres de religion jusqu'à nos jours,* Paris, Bloud et Gay, 1914-1933, II vol. in-8°, réédition Armand Colin, 1967-1968.

25. Etienne Gilson, *La Philosophie au Moyen Age des origines patristiques à la fin du XIVᵉ siècle,* Paris, Payot, 1946.

26. Henri Bremond, *op. cit.,* t. XI, p. 291.

27. Lucien Febvre, *Combats pour l'histoire,* Paris, Armand Colin, 1953, pp. 284-288; compte rendu du livre d'Etienne Gilson, *La Philosophie au Moyen Age des origines patristiques à la fin du XIVᵉ siècle,* 1946. Mais le compte rendu lui-même n'est-il pas justiciable de la critique que Lucien Febvre adressait justement à Etienne Gilson? Car quand il nous parle de « climat » ou nous dit : « Il s'agit de montrer qu'une cathédrale gothique, les halles d'Ypres, une de ces grands cathédrales d'idées qu'Etienne Gilson nous décrit dans son livre, ce sont filles d'un même temple, des sœurs grandies dans un même foyer », sommes-nous plus avancés? La métaphore est belle mais elle pose plus de questions qu'elle n'en résout.

28. A ce propos, voir Benedetto Croce, *Théorie et histoire de l'historiographie,* trad. française, Genève, Droz, 1968, notamment pp. 157-168, et les réflexions de Michèle Duchet in *Anthropologie et histoire au siècle des Lumières,* Paris, Maspero, 1971, sur la conception voltairienne de l'histoire, pp. 302-320.

29. Cf. Henri Desroche, *Sociologies religieuses,* Paris, P.U.F., 1968, chap. VI, « Sociologie religieuse et sociologie praticienne », pp. 117-149, et Gérard Cholvy, « Sociologie religieuse et histoire », in *Revue d'histoire de l'Eglise de France,* t. LV, 1969, pp. 5-28.

30. A l'inverse, l'expérience de Robert Jaulin, *La Mort sara,* Paris, Plon, 1965.

31. Fernand Boulard, *Premiers itinéraires en sociologie religieuse,*

préface de M. le professeur Le Bras, Paris, Ed. ouvrières, 1954, pp. 7-8.

32. Gabriel Le Bras ajoute même en note : « Le langage même est un fait social. Mais il n'a aucune part dans le contenu du dogme de la Rédemption ou de l'Incarnation. » Au-delà de cette conception du langage, antérieure à la diffusion des catégories linguistiques de Saussure en France, et de l'idée contestable selon laquelle un langage est l' « expression » d'un groupe social, Gabriel Le Bras a toujours refusé de se laisser enfermer dans la seule sociographie de la pratique. Cf. son discours, le 8 mai 1969, à la Société d'histoire ecclésiastique où il retrace avec humour son parcours, in *Revue d'histoire de l'Eglise de France,* t. LV, 1969, pp. 442-446. Pour prendre contact avec l'œuvre de Gabriel Le Bras, il faut lire les *Etudes de sociologie religieuse,* Paris, P.U.F., 1956, et l'article de François Isambert in *Cahiers internationaux de sociologie,* XVI, 1956, pp. 149-169, « Développement et dépassement de l'étude de la pratique religieuse chez G. Le Bras ».

33. Cf. Alphonse Dupront, « Réflexions sur l'hérésie moderne », in *Hérésies et sociétés dans l'Europe préindustrielle. XIe-XVIIIe siècle,* Paris-La Haye, Mouton, 1968, pp. 291-302.

34. S'agissant du catholicisme contemporain, l'évolution rapide depuis le concile de Vatican II verse déjà le problème du côté de l'histoire.

35. Cf. Jacques Dupâquier, « Problèmes de la codification socio-professionnelle », in *L'Histoire sociale, sources et méthodes,* Paris, P.U.F., 1967, pp. 157-181.

36. Louis Althusser, Avertissement à l'édition Garnier-Flammarion du livre I du *Capital,* t. I, p. 22.

37. Cf. *ibid., Pour Marx,* Paris, Maspero, 1965, Contradiction et surdétermination, pp. 87-116; et *Lire le Capital,* Paris, Maspero, 1965, esquisse du concept d'histoire, pp. 35-71. Cf. aussi la lecture critique d'André Glucksmann, « Un structuralisme ventriloque », in *Les Temps modernes,* 22e année, mars 1967, pp. 1557-1598.

38. Cf. Georges Duby, *Des sociétés médiévales,* Paris, Gallimard, 1971, pp. 45-49, et « Histoire sociale et histoire des mentalités », in *Nouvelle Critique,* n° 34, mai 1970, pp. 11-34.

39. Le petit livre de Lucien Sebag, *Marxisme et structuralisme,* Paris, Payot, 1964, pose les problèmes avec acuité dans le chapitre « Idéologies et pensée scientifique ».

40. D'autres l'ont fait récemment, mieux que ne le permettent les limites ici imparties à cet article. Il faut se reporter à Mircea Eliade, *La Nostalgie des origines, méthodologie et histoire des religions,* Paris, Gallimard, 1971; Francis Rapp, *L'Eglise et la vie religieuse en Occident à la fin du Moyen Age,* Paris, P.U.F., 1971; et Jean

Delumeau, *op. cit.,* 1971. On lira avec intérêt les numéros spéciaux de certaines revues : le numéro 57 de *Concilium* (septembre 1970) consacré aux problèmes de méthodologie de l'histoire de l'Eglise; les deux « Bulletins d'histoire du catholicisme moderne et contemporain » de Jacques Gadille in *Revue historique,* t. CCXLIV, n⁰ˢ 495 et 496, 1970; le numéro 4 (octobre-décembre 1970) du tome LVIII des *Recherches de sciences religieuses* sur les rapports entre histoire et théologie. Le petit opuscule *Le Groupe de Sociologie des religions,* Paris, Ed. du C.N.R.S., 1969, rédigé par Emile Poulat, dresse le bilan de quinze années de travail.

41. Cf. Sigmund Freud, « L'inquiétante étrangeté », in *Essais de psychanalyse appliquée,* Paris, Gallimard, collection « Idées », 1971, pp. 163-210.

42. Michel Foucault, *Folie et déraison. Histoire de la folie à l'âge classique,* Paris, Plon, 1961, p. VII. rééd. Gallimard, 1971.

43. Michel Foucault, *op. cit.,* p. 11.

44. Jacques Derrida, *L'Ecriture et la différence,* Paris, Le Seuil, 1967, II. « Cogito et histoire de la folie », pp. 51-97.

45. Il faut lire pourtant les pages déchirantes d'Antonin Artaud dans les *Lettres de Rodez* in *Œuvres complètes,* t. IX, Paris, Gallimard, 1971, pp. 179-238.

46. Michel Foucault, *op. cit.,* p. VII.

47. Cf. François Lebrun, *op. cit.,* p. 403 : « L'étude de l'empirisme dans l'Anjou du XVIIᵉ et XVIIIᵉ siècle pose un problème de méthode. En effet le silence des textes et des archives est presque total sur ces pratiques mystérieuses que l'on devine pourtant répandues partout. »

48. Ernesto de Martino, *La Terre du remords,* Paris, Gallimard, 1966. Il s'agit des pratiques rituelles, dans lesquelles interviennent musique, danse et symbolisme chromatique et qui ont pour but de soigner ceux que la morsure d'une « tarentule » mythique aurait rendus malades.

49. *Ibid.,* p. 26.

50. Sur les présupposés politiques du folklorisme au XIXᵉ siècle, cf. Michel de Certeau, Dominique Julia, Jacques Revel : « La beauté du mort : le concept de culture populaire », in *Politique aujourd'hui,* décembre 1970, pp. 3-24.

51. C'est le terme qu'employaient les Jésuites italiens pour désigner l'Italie du Sud : « Les montagnes de Sicile pourraient servir d'Indes à ceux qui par la suite doivent se rendre là-bas » – lettre de 1575 citée par Ernesto de Martino *op. cit.,* p. 18. On retrouve la même expression chez les Capucins français au début du XVIIᵉ siècle à propos de leurs missions cévenoles. Cf. Jean-Robert Armogathe, *Missions et conversions dans le diocèse de Mende au XVIIᵉ siècle (1629-1702),*

thèse de sciences religieuses, Ecole pratique des hautes études, V^e section, 1970, exemplaires dactylographiés.

52. On relira avec profit l'étude pionnière – puisque menée en 1912 ! – de Robert Hertz, in *Sociologie religieuse et folklore*, Paris, P.U.F., 2e éd., 19, pp. 110-160 : « Saint Besse, étude d'un culte alpestre. » L'enquête de M. Alphonse Dupront à la VIe section de l'Ecole pratique des hautes études ouvre l'analyse vers la psychologie des profondeurs : cf. « Formes de la culture de masses : de la doléance politique au pèlerinage panique (XVIIIe-XXe siècle) », in *Niveaux de culture et groupes sociaux*, actes du colloque réuni du 7 au 9 mai 1966 à l'Ecole normale supérieure, Paris-La Haye, Mouton, 1967, et du même auteur « Psico-sociologia del pellegrinaggio », in *Studi Cattolici*, n° 89-90, août-septembre 1968, pp. 675-680 (numéro spécial sur la piété populaire).

53. Cf. la thèse de troisième cycle soutenue en 1969 à Montpellier de Mme Vernet sur le culte des saints guérisseurs dans le bas-Rouergue, exemplaires dactylographiés. Une enquête sur les saints thérapeutes dans la région rhénane est en cours. Le petit ouvrage de Serge Bonnet, *Histoire de l'ermitage et du pèlerinage de Saint-Rouin*, Paris, Librairie Saint-Paul, 1956, est fort suggestif.

54. Des éléments dans L. Perouas, *Le Diocèse de La Rochelle de 1648 à 1724. Sociologie et pastorale*, Paris, S.E.V.P.E.N., 1964, pp. 286-291, 470; Jean Delumeau, *op. cit.*, pp. 256-261; Maurice Agulhon, *La République au village*, Paris, Plon, 1970, p. 149-187. Cf. surtout les réflexions suggestives de Serge Bonnet, *La Communion solennelle, folklore païen ou fête chrétienne*, Paris, Le Centurion, 1969, pp. 235-289; et l'essai de Harvey Cox, *La Fête des fous. Essai théologique sur les notions de fête et de fantaisie*, Paris, Le Seuil, 1971. Pour une analyse du style de vie des classes populaires étudié de l'intérieur, cf. Richard Hoggart, *La Culture du pauvre*, Paris, Ed. de Minuit, 1970, chap. V, « La bonne vie », pp. 183-217.

55. Les recherches conduites sous la direction de M. Michel Mollat dans son séminaire sur la pauvreté donnent lieu chaque année à la publication d'un volume ronéotypé. Sur cette question, on lira avec profit le numéro spécial « Recherches sur la pauvreté » de la *Revue d'histoire de l'Eglise de France*, t. LII, 1966, et le cahier collectif « La Pauvreté. Des sociétés de pénurie à la société d'abondance », n° 49 des *Recherches et débats du Centre catholique des Intellectuels français*, Paris, Arthème Fayard, décembre 1964. La thèse de Jean-Pierre Gutton, *La Société et les pauvres, l'exemple de la généralité de Lyon 1534-1789*, Paris, Les Belles Lettres, 1971, rassemble les éléments du problème. Pour le XIXe siècle, l'étude d'histoire sociale majeure reste celle de Louis Chevalier, *Classes laborieuses et classes dangereuses à Paris pendant la première moitié du XIXe siècle*, Paris, Plon, 1958.

56. Boris Porchnev, *Les Soulèvements populaires en France de 1625 à 1648,* Paris, S.E.V.P.E.N., 1963, pp. 303-327, et Madeleine Foisil, *La Révolte des nu-pieds et les révoltes normandes de 1639,* Paris, P.U.F., 1970, pp. 179 et 192. Jean Nu-Pieds se dit « envoyé de Dieu ». Sur l'étendard des révoltés est représentée l'image de saint Jean-Baptiste et l'on peut y lire le verset : *Fuit homo missus a Deo cui nomen erat Joannes.* Cf. également Ernst Bloch, *Thomas Münzer théologien de la Révolution,* Paris, Julliard, 1964.

57. L'expression est de Michel Foucault, « Déviations religieuses et savoir médical », in *Hérésies et sociétés dans l'Europe préindustrielle, XI*^{e}*-XVIII*^{e} *siècle,* Paris-La Haye, Mouton, 1968, p. 19.

58. Cf. Eric J. Hobsbawm, *Les Primitifs de la révolte dans l'Europe moderne,* Paris, Fayard, 1966.

59. Cf. Georges Duby in *Hérésies et sociétés, op. cit.,* pp. 403-404.

60. La littérature sur les messianismes s'est récemment enrichie d'une série d'ouvrages particulièrement remarquables. L'un des plus neufs est sans conteste celui de Maria Isaura Pereira de Queiroz, *Réforme et révolution dans les sociétés traditionnelles, histoire et ethnologie des mouvements messianiques,* Paris, Anthropos, 1968. On lira avec profit W.-E. Mühlmann, *Messianismes révolutionnaires du tiers monde,* Paris, Gallimard, 1968, qui voudrait réconcilier méthodes historique, sociologique et psychologique. Cf. aussi Vittorio Lanternari, *Les Mouvements religieux des peuples opprimés,* Paris, Maspero, 1962; Henri Desroche, *Dieux d'hommes, dictionnaire des messies, messianismes et millénarismes de l'ère chrétienne,* Paris, Mouton, 1968, précieux instrument de travail. Pour les mouvements messianiques du Moyen Age, cf. le colloque *Hérésies et sociétés* déjà cité, et le livre classique de Norman Cohn, *Les Fanatiques de l'apocalypse,* Paris, Julliard, 1962. Des revues ont enfin consacré aux messianismes des numéros spéciaux : *Archives de sociologie des religions,* n° 5, janvier-juin 1958, et *Rivista storica italiana,* t. LXXX (1968), fasc. 3, pp. 461-592.

61. Nous reprenons ici les catégories de M.-I. Pereira de Queiroz, *op. cit.*

62. A-t-on tout dit cependant lorsqu'on a référé à des structures sociales particulières un mouvement messianique? L'histoire religieuse pose ici à l'historiographie tout entière la question d'un indicible qui resurgit partout et dont la marginalité échappe aux réseaux dans lesquels on veut l'insérer.

63. Cf. à propos de Doña Beatrice et de la secte des Antoniens au début du XVIIIe siècle au Congo : J. Cuvelier, *Relations sur le Congo du Père Laurent de Lucques (1700-1717),* Institut royal colonial belge, section des Sciences morales et politiques, t. XXII, fasc. 2, 1953;

Louis Jadin, « Le Congo et la secte des Antoniens. Restauration du royaume sous Pedro IV et la Saint-Antoine congolaise (1694-1718), », in *Bulletin de l'Institut historique belge de Rome*, fasc. XXXIII, 1961, pp. 411-615; Alfredo Margarido, « I movimenti profetici e messianici congolesi » dans le numéro de la *Rivista storica italiana* déjà cité, pp. 538-592.

64. Cf. Alphonse Dupront, « De l'acculturation », in XII⁰ Congrès international des sciences historiques, Rapports I, Grands thèmes, pp. 7-36, Vienne, Berger, 1965. Le livre de Nathan Wachtel, *La Vision des vaincus, les Indiens du Pérou devant la conquête espagnole*, Paris, Gallimard, 1971, est exemplaire. Il faudrait citer l'œuvre entière d'Alfred Métraux : certains articles ont été réunis dans *Religions et magies indiennes d'Amérique du Sud*, Paris, Gallimard, 1967.

65. Cf. Emmanuel Le Roy Ladurie, *Les Paysans de Languedoc*, Paris, S.E.V.P.E.N., 1966, t. I, pp. 607-629. La source essentielle est A. Misson, *Le Théâtre sacré des Cévennes*, Paris, 1847.

66. Cf. Louis B. Carré de Montgeron, *La Vérité des miracles opérés par l'intercession de M. de Paris contre M. l'archevêque de Sens*, Utrecht, chez les Libraires de la Compagnie, 1737, in-4°.

67. Le livre fondamental est celui de Robert Mandrou, *Magistrats et sorciers en France au XVII⁰ siècle*, Paris, Plon, 1968. On lira aussi deux comptes rendus de cet ouvrage : celui de Michel de Certeau, « Une mutation culturelle et religieuse, les magistrats devant les sorciers » in *Revue d'histoire de l'Eglise de France*, t. LV, juillet-décembre 1969, pp. 300-319, et celui de Jeanne Favret, « Sorcières et lumières », in *Critique*, t. XXVII, avril 1971, pp. 351-376. Cf. aussi *Entretiens sur l'homme et le diable* sous la direction de Max Milner, Paris-La Haye, Mouton, 1965, et Carlo Ginzburg, *I benandanti, Ricerche sulla stregoneria e sui culti agrari tra cinquecento e seicento*, Turin, 1966.

68. Le *punctum diabolicum*, marque imposée par le diable à ses créatures et l'épreuve publique du bain devant la foule, le sorcier jeté à l'eau pieds et poings liés surnage – cf. Robert Mandrou, *op. cit.*, pp. 101-102.

69. Cf. Henri Platelle, *Les Chrétiens face au miracle. Lille au XVII⁰ siècle*, Paris, Ed. du Cerf, 1968; Carré de Montgeron, *op. cit.*

70. Robert Mandrou, *op. cit.*, pp. 449-458.

71. Michel de Certeau, art. cité, p. 316.

72. Robert Mandrou, *op. cit.*, p. 111. Cf. aussi les deux articles d'Etienne Delcambre : « La psychologie des inculpés lorrains de sorcellerie » in *Revue historique du droit français et étranger*, IV⁰ série, t. XXXII, 1954, et « Les procès de sorcellerie en Lorraine : psychologie des juges », in *Revue historique du droit*, t. XXI, 1953, fasc. 1.

73. Pierre Deyon, in *Délinquance et répression dans le nord de la France aux XVIIe et XVIIIe siècles,* communication présentée à la Société d'histoire moderne le 7 novembre 1971, souligne la dénégation obstinée des accusés. D'après les archives du Châtelet et du Parlement de Paris au XVIIIe siècle, les auteurs de vols alimentaires, même pris sur le fait, refusent jusqu'au bout de répondre. Le silence ou la dénégation sont-ils pour les pauvres la seule façon de récuser la justice d'une société dont ils se sentent exclus? Freud voyait dans le refus juif d'adopter la doctrine chrétienne, c'est-à-dire dans le refus d'avouer le meurtre de Dieu, l'origine de la séparation du peuple juif d'avec le reste du monde et la source de son individualité. Cf. *Moïse et le monothéisme,* Gallimard, 1948, pp. 197-199.

74. Cf. Michel de Certeau, *La Possession de Loudun,* Paris, Julliard, 1970, et dans l'édition procurée par le même, Jean-Joseph Surin, *Correspondance,* Desclée de Brouwer, 1966, pp. 1721-1748.

75. Cf. Michel de Certeau, « Le langage de la possédée, discours de l'autre ou discours altéré? » à paraître dans le volume *Manières de lire,* présenté par J. Cuisenier, Mame.

76. Cf. Pierre Chaunu, « Pour une histoire religieuse sérielle. A propos du diocèse de La Rochelle (1648-1724) et sur quelques exemples normands », in *Revue d'histoire moderne et contemporaine,* t. XII, 1965, pp. 5-34.

77. M.-L. Fracard, *La Fin de l'Ancien Régime à Niort,* Paris, Desclée de Brouwer, 1956; Jacques Toussaert, *Le Sentiment religieux en Flandre à la fin du Moyen Age,* Paris, Plon, 1963; Christiane Marcilhacy, *Le Diocèse d'Orléans sous l'épiscopat de Mgr Dupanloup,* Paris, Plon, 1962; Louis Perouas, *op. cit.,* Paris, S.E.V.P.E.N., 1964; Gérard Cholvy, *Géographie religieuse de l'Hérault contemporain,* Paris, P.U.F., 1968.

78. Les récentes études d'histoire sociale urbaine comportent généralement une rubrique de sociologie religieuse : cf. Pierre Goubert, *Beauvais et le Beauvaisis de 1600 à 1730,* Paris, S.E.V.P.E.N., 1960, pp. 198-206; Pierre Deyon, *Amiens, capitale provinciale; étude sur la société urbaine au XVIIe siècle,* Paris-La Haye, Mouton, 1967, pp. 361-425; Bartolomé Bennassar, *Valladolid au siècle d'or, une ville de Castille et sa campagne au XVIe siècle,* Paris-La Haye, Mouton, 1967, pp. 379-404; Maurice Garden, *Lyon et les Lyonnais au XVIIIe siècle,* Paris, Les Belles Lettres, 1970, pp. 471-486; Jean-Paul Coste, *La Ville d'Aix en 1695, structure urbaine et société,* Aix-en-Provence, La pensée universitaire, 1970, t. II, pp. 731-747.

79. Cf. John Mac Manners, *French Ecclesiastical Society under the Ancien Régime. A Study of Angers in the Eighteenth Century,* Manchester, University Press, 1960.

Sur l'épiscopat : Norman Ravitch, *Sword and Mitre, Government* and Episcopate in France and England in the Age of Aristocracy, La Haye-Paris, Mouton, 1966.

Sur le bas clergé, cf. Charles Berthelot du Chesnay, « Le clergé diocésain français et les registres des insinuations ecclésiastiques », in *Revue d'histoire moderne et contemporaine*, t. X, 1963, pp. 241-269; Marc Venard, « Pour une sociologie du clergé au XVIe siècle : recherches sur le recrutement sacerdotal dans la province d'Avignon », in *Annales E.S.C.*, 1968, pp. 987-1016; Y.-M. Le Pennec, « Le recrutement des prêtres dans le diocèse de Coutances au XVIIIe siècle », in *Revue du département de la Manche*, t. XII, 1970, pp. 191-234; Philippe Loupès, « Le clergé paroissial du diocèse de Bordeaux d'après la grande enquête de 1772 », in *Annales du Midi*, t. LXXXIII, 1971, pp. 6-24.

Sur les ordres religieux, cf. F. de Dainville, « Le recrutement du noviciat toulousain des jésuites de 1571 à 1586 », in *Revue d'histoire de l'Eglise de France*, t. XLII, 1956, pp. 48 à 55; Bernard Plongeron, *Les Réguliers de Paris devant le serment constitutionnel. Sens et conséquences d'une option*, Paris, Vrin, 1964; Xavier Lavagne d'Ortigue, « Les religieux de Saint-André aux Bois », in *Analecta Praemonstratensia*, t. XLV, 1969, pp. 249-267; Joachim Salzgeber, *Die Klöster Einsiedeln und Sankt Gallen im Barockzeitalter. Historisch-soziologische Studie*, Beiträge zur Geschichte des alten Mönchtums und des Benediktinerordens, Heft 28, Münster, Aschendorf, 1967.

80. René Taveneaux, *Le Jansénisme en Lorraine, 1640-1789*, Paris, Vrin, 1960. Cf. aussi Yves Poutet et J. Roubert, *Les Assemblées secrètes des XVIIe et XVIIIe siècles en relation avec l'A.A. de Lyon*, Piacenza, Collegio Alberoni, 1968. Le récent colloque tenu à Grenoble sous les auspices du Centre d'histoire du catholicisme de Lyon a dessiné une première sociologie des catholiques libéraux.

81. Le beau livre de Maurice Agulhon, *Pénitents et francs-maçons de l'ancienne Provence*, Paris, Fayard, 1968, a renouvelé fondamentalement la question. L'auteur entreprend aujourd'hui une vaste enquête sur les confréries méridionales à l'époque contemporaine.

82. La double appartenance ne fait pas question. On pourrait de même se demander : pourquoi tant de réguliers (Bénédictins ou Oratoriens) parmi les francs-maçons, qui à l'heure du choix révolutionnaire opteront sans crise apparente pour le serment, puis pour leur réduction à l'état laïc?

83. Nous ne traitons pas ici de la sociologie rétrospective du livre et de sa diffusion qui a tant apporté à l'histoire religieuse puisque ce problème est spécifiquement traité par l'article de Daniel Roche et Roger Chartier.

84. A cet égard l'ouvrage classique de Max Weber, *Wirtschaft und Gesellschaft* est désormais accessible aux lecteurs français sous le titre

Economie et société, t. I, Paris, Plon, 1971. La sociologie de la religion se trouve aux pages 429-632. Les hypothèses du paragraphe « Ordres, classes et religion », pp. 491-534, sont particulièrement suggestives. Une étude exemplaire reste celle de Bernard Groethuysen, *Origines de l'esprit bourgeois en France : I. L'Eglise et la bourgeoisie,* Paris, Gallimard, 1927. Mais il est fondé sur un type de source très particulier, celui des sermonnaires.

85. Sur ce point, F. Graus, *Volk, Herrscher und Heiliger im Reich der Merowinger,* Prague, 1965; Pierre Delooz, « Pour une étude sociologique de la sainteté canonisée dans l'Eglise catholique », in *Archives de sociologie des religions,* n° 13, janvier-juin 1962, pp. 17-44, et *Sociologie et canonisations,* La Haye, 1969.

86. Lucien Febvre, « Comment reconstituer la vie affective d'autrefois? La sensibilité et l'histoire », repris in *Combats pour l'histoire,* Paris, Armand Colin, 1953, pp. 221-238. Cf. aussi le programme proposé par Alphonse Dupront in *Encyclopédie française,* t. XX, Paris, Larousse, 1959, chapitre III, « Histoire de la psychologie collective et vie du temps ».

87. Philippe Ariès, *Histoire des populations françaises et de leurs attitudes devant la vie depuis le XVIIIᵉ siècle,* Paris, 1948, 2ᵉ éd., Le Seuil, 1971; Hélène Bergues, « La prévention des naissances dans la famille », I.N.E.D., *Travaux et documents,* n° 35, Paris, P.U.F., 1960; John T. Noonan, *Contraception et mariage,* Paris, Ed. du Cerf, 1969; Jean-Louis Flandrin, « Contraception, mariage et relations amoureuses dans l'Occident chrétien », in *Annales E.S.C.,* 1969, pp. 1370-1390.

88. Pierre Chaunu, *La Civilisation de l'Europe des Lumières,* Paris, Arthaud, 1971, pp. 132-135. Dans le diocèse de Lisieux un effondrement des conceptions au mois de mai n'est pas lié à l'économie mais à la renaissance d'une abstention périodique liée au culte marial.

89. Pierre Chaunu, *op. cit.,* p. 133.

90. A la veille de la Révolution, 30 % à Paris, 17 % à Bordeaux, 25 % à Toulouse des naissances sont illégitimes.

91. Cf. Alain Lottin, « Naissances illégitimes et filles mères à Lille au XVIIIᵉ siècle », in *Revue d'histoire moderne et contemporaine,* t. XVII, pp. 278-322.

92. La mortalité infantile des enfants trouvés atteint les records maxima du siècle : pour l'hôtel-Dieu de Reims elle atteint, d'après les travaux d'Antoinette Chamoux, dans la décade 1780-1790, le chiffre effarant de 480 ‰.

93. Si, comme le remarque Pierre Chaunu, *op. cit.,* il faut compter 15 à 20 % de conceptions prénuptiales dans les premières naissances des couples, il faut cependant *dissocier* celles-ci des naissances

illégitimes. Cf. aussi le chapitre XII, les dépassements affectifs, XVIIᵉ-XVIIIᵉ siècle, fondé sur les recherches de Jean-Marie Gouesse dans *Histoire de Normandie* sous la direction de Michel de Boüard, Toulouse, Privat, 1970, pp. 347-361. Cf. Restif de La Bretonne, *Monsieur Nicolas,* quatrième époque, éd. Jean-Jacques Pauvert, 1959, t. II, p. 435 : « J'ai déjà fait l'observation que les garçons qui se trouvent avec les filles qu'ils recherchent sincèrement en mariage étaient fort réservés. »

94. Entre 1715 et 1744 sur la paroisse Saint-Sulpice de Paris, 15 % de femmes, 20 % d'hommes célibataires meurent.

95. Cf. l'article fondamental de Philippe Ariès, « La mort inversée : le changement des attitudes devant la mort dans les sociétés occidentales », in *Archives européennes de sociologie,* t. VIII, 1967, pp. 169-195.

96. Cf. les romans récents d'Anne Philipe, *Le Temps d'un soupir,* Paris, Julliard, 1963, et Simone de Beauvoir, *Une mort très douce,* Paris, Gallimard, 1964.

97. Michel Vovelle, *Piété baroque et déchristianisation en Provence au XVIIIᵉ siècle. Les attitudes devant la mort d'après les clauses des testaments,* Plon, 1973. Cf. aussi Gaby et Michel Vovelle, « Vision de la mort et de l'au-delà en Provence d'après les autels des âmes du Purgatoire XVᵉ-XXᵉ siècle », *Cahier des Annales,* nᵒ 29, 1970; Ch. Carrière, M. Courdurié, F. Rebuffat, *Marseille ville morte, la peste de 1720,* Marseille, Maurice Garçon, 1968. Cf. aussi François Lebrun, *op. cit.,* pp. 391-495, et F.-A. Isambert, « Coordonnées sociales des enterrements civils et religieux : Paris depuis 1884 », in *Christianisme et classe ouvrière,* Tournai, Casterman, 1961, pp. 73-114.

98. Pour les femmes 60 % en 1710, 82 % en 1750, 37 % à la veille de la Révolution de demandes de messes.

99. L'auteur s'appuie sur des sondages faits à Cucuron, Manosque, Roquevaire et Salon.

100. On peut d'ailleurs se demander s'il s'agit d'un même milieu.

101. 1700 : 65 %; 1750 : 85 %; 1780 : 55 % de demandes de messes.

102. 1700 : 50 %; 1750 : 30 %; 1780 : 23 %.

103. Michel Vovelle, *op. cit.,* p. 614.

104. Cf. Régine Robin, « Vers une histoire des idéologies » in *Annales historiques de la Révolution française,* 1971, pp. 285-308. Certains numéros spéciaux récents de revues présentent les champs de recherche ouverts : *Langages,* nᵒ 11, septembre 1968, « Sociolinguistique » sous la direction de J. Sumpf; *Revue d'histoire littéraire de la France,* 70ᵉ année, nᵒ 5-6, septembre-décembre 1970, « Méthodolo-

gies »; *Langue française,* n° 9, février 1971, « Linguistique et société », sous la direction de J.-B. Marcellesi.

105. Cf. Régine Robin, *La Société française en 1789 : Semur-en-Auxoix,* Paris, Plon, 1970.

106. André Godin, *Spiritualité française en Flandre au XVIᵉ siècle : l'homéliaire de Jean Vitrier,* texte, étude thématique et sémantique, préface d'Alphonse Dupront, Genève, Droz, 1971.

107. Michel Foucault, *L'Archéologie du savoir,* Paris, Gallimard, 1969.

La littérature
Le texte et l'interprète

JEAN STAROBINSKI

La dualité nécessaire

Tenons pour admis que le choix de l'objet d'étude n'est pas innocent, qu'il suppose déjà une interprétation préalable, qu'il est inspiré par notre intérêt présent. Reconnaissons que ce n'est pas un pur *donné,* mais un fragment d'univers qui se délimite par notre visée. Avouons aussi que le langage même dans lequel nous signalons une donnée est déjà le langage même dans lequel nous l'interpréterons ultérieurement. Il n'empêche toutefois qu'à partir d'un désir de savoir et de rencontre, notre attention se porte en *deux* directions distinctes : l'une, qui concerne la réalité à saisir, l'être ou l'objet à connaître, les limites du champ de l'enquête, la définition plus ou moins explicite de ce qu'il importe d'explorer; l'autre, qui concerne la nature de notre réplique : nos apports, nos outils, nos fins, – le langage que nous mettrons en œuvre, les instruments dont nous nous servirons, les procédés auxquels nous recourrons. Nous sommes, certes, l'unique source de ce double choix : c'est pourquoi nous choisissons si fréquemment nos moyens d'exploration en fonction de l'objet à explorer et, réciproquement, nos objets en fonction de nos moyens. Rien n'est toutefois plus nécessaire que d'assurer le plus haut degré d'indépendance réciproque entre objet et moyens. S'il est souhaitable que le style de la recherche soit compatible avec l'objet de la recherche, il est non moins désirable qu'entre nous-mêmes et ce que nous aspirons à mieux connaître, entre notre « discours » et notre objet, l'écart et la différence soient marqués avec le plus grand soin. Il n'y a de rencontre qu'à la condition d'une distance antécédente; il n'y a d'adhésion par la connaissance qu'au prix d'une dualité premièrement éprouvée, puis surmontée. Toute faiblesse, tout fléchissement dans le rapport différentiel entre notre propre identité et celle de l'objet étudié, entre nos ressources instrumentales et la configuration « objective » de l'œuvre, auront pour conséquence un affaiblissement du résultat, une diminution d'énergie et de plaisir dans l'exploration et la découverte.

Le souci premier sera donc d'assurer à l'objet sa plus forte présence et sa plus grande indépendance : que se consolide son existence propre, qu'il s'offre à nous avec tous les caractères de l'autonomie. Qu'il oppose sa différence et marque ses distances. L'objet de mon attention n'est pas en moi; il me fait face, et mon meilleur intérêt n'est pas de me l'approprier sous l'aspect que lui prête mon désir (ce qui me laisserait moi-même captif de mon caprice), mais de lui laisser affirmer toutes ses propriétés, toutes ses déterminations particulières. Les méthodes dites objectives, en deçà même du véritable dialogue, fortifient et accroissent les aspects matériels de l'objet, lui donnent un relief plus précis, une configuration plus nette, l'amarrent à des objets contigus dans l'espace et le temps. L'afflux documentaire, malgré ce que parfois il semble avoir d'extérieur ou d'inessentiel par rapport à un grand texte, s'ajoute à tout ce qui, du dedans, lui confère une personnalité distincte. Car la volonté de connaissance doit commencer par se faire la complice de l'objet dans le pouvoir qu'il a de nous résister. Avant toute explication, avant toute interprétation

compréhensive, l'objet doit être reconnu dans sa singularité, c'est-à-dire dans ce qui le soustrait à une
illusoire annexion. Par une sorte de paradoxe, c'est à
force d'enrichissements objectifs que l'œuvre étudiée
peut nous offrir une résistance analogue à celle que
nous rencontrons devant une subjectivité étrangère :
elle se dérobe à toute entreprise qui ne consentirait
pas à payer le prix pour la traversée de l'espace
interposé.

La restitution traditionnelle croyait avoir achevé sa
tâche lorsqu'elle avait débarrassé un texte des adjonc-
tions et des corruptions qui le défiguraient. Elle
croyait avoir retrouvé un visage authentique, un tracé
non suspect, comme on nettoie les peintures enfumées
et surchargées. Idéalement, l'œuvre devait être ainsi
rendue à son état premier, lisible dans la leçon voulue
par son auteur. Forme laborieuse de la lecture, la
restitution n'avait d'autre but que de délivrer une
œuvre de tout ce qui l'empêchait de nous parvenir
dans son intégrité. L'on supposait qu'une fois écartés
les obstacles interposés, l'œuvre apparaîtrait dans sa
vérité, offerte à notre plaisir et à nos interrogations.

Sitôt posée l'idée d'une œuvre achevée, cernée dans
ses linéaments originaux, voici que surgissent les
questions et les incertitudes. L'enquête restitutrice, la
curiosité historienne vont voir transparaître, dans
l'œuvre achevée, tout son passé discernable, ses ver-
sions précédentes, ses ébauches, ses modèles avoués
ou inavoués. Ce passé, où l'œuvre n'était pas encore
ce qu'elle devait devenir, lui appartient, la nourrit, la
soutient. Les variantes d'une œuvre font apparaître les
états successifs d'un désir et d'une volonté qui n'ont
pu s'arrêter aux formes premières qu'ils se sont données. Dès lors, l'être propre du texte se révélera
différentiellement par l'écart qui sépare son état final
de la série des états qui le précèdent (s'ils sont venus à

notre connaissance). On aura sous les yeux les gestes de la recherche, de l'insatisfaction, puis du refus, qui viennent doubler en sous-œuvre la présence positive de la version « finale ». On aura peut-être à se demander si cette version finale n'est pas, dans certaines occasions, une solution de compromis, destinée à rendre possible la publication d'une œuvre trop audacieuse dans sa rédaction antécédente. Il y aura lieu, en maintes circonstances, de constater que l'œuvre parvenue en nos mains n'est que ce qui demeure d'un projet interrompu. Que de fois la mort, l'intervention d'un éditeur posthume (qui travaille sur de multiples brouillons) imposent une forme arbitraire à une expansion inachevée! Ainsi la recherche restitutrice, avec ce qu'elle a de positif et d'objectif, aboutit à mettre en doute la qualité d'objet achevé dont telle œuvre semblait pouvoir se prévaloir : celle-ci n'a été arrêtée que par accident, et notre attention, dorénavant, doit se porter tout ensemble sur la masse (souvent confuse) des documents disponibles et sur la visée dont ils sont les témoins, mais qui n'était pas destinée à s'achever en eux. La recherche objective rend à la vie les traces d'un parcours subjectif.

Mais ce parcours subjectif, pour l'enquête restitutrice, ne trouve pas en lui-même son unique origine. Si l'on remonte aux projets les plus anciens, on apercevra comment l'œuvre, à son départ, s'oppose et se conjugue à des textes antécédents, assimile et transforme des livres précurseurs : son originalité, son individualité se détachent sur un fond constitué par la masse collective des ressources de langage, des formes littéraires reçues, des croyances, des connaissances, qu'elle réactive, qu'elle critique, et auxquelles elle s'ajoute. Ce sont là autant de couches et de plis de terrain (avec sources, affluents, soulèvements) où l'œuvre choisit son site et ses entours. Si, d'une part, les limites propres de l'œuvre s'en trouvent moins nettes, elle devient d'autre part la révélatrice, par ses multiples attaches, de tout un horizon qui ne se laisse plus séparer d'elle. La recherche historienne, si elle n'est pas mue par le seul attrait de la trouvaille occasionnelle, a cette conséquence bénéfique d'accroître l'information par laquelle un monde s'ajoute à une œuvre, – un monde peut-être extérieur à celle-ci, un monde où, en regard de l'achèvement désiré, foisonnent les actes et les paroles manqués, les essais inaboutis : sur ce terrain étranger, l'œuvre s'enracine et nous déclare sa richesse dépendante; elle s'enlève sur ses abords, et déjoue l'espoir d'une trop facile définition.

A la restitution qui remonte le cours du temps ou qui élargit l'espace perçu (selon les voies prévues et imprévues qui s'offrent à la recherche) peut fort bien s'associer une restitution qui s'attache à décrire et à mettre en évidence les caractères *internes* de l'œuvre. Il n'est pas malaisé de montrer que l'enquête historienne et la description structurale sont interdépendantes. Le mouvement centrifuge, qui de l'œuvre va à ses antécédents ou à ses alentours, n'est qu'une dérive hasardeuse, s'il n'est réglé par la connaissance des structures internes de l'œuvre. Réciproquement, l'analyse interne des idées et des mots mis en œuvre dans un texte ne gagne rien à en ignorer la provenance et les harmoniques externes. Jusqu'à un certain point, avant qu'elle ne se prolonge en interprétation, l'analyse stylistique est restitutrice : elle rétablit le texte dans la plénitude de son fonctionnement, elle le perçoit dans sa différence propre et dans son existence complète; elle fait droit à chacun de ses détails; elle s'efforce d'en formuler les rapports dans un langage précis (l'idéal étant de conférer à ce langage descriptif une instrumentalité rigoureuse).

Qu'est-ce, en effet, que prêter attention, sinon accorder un privilège de présence soutenue à ce qui, dans la proximité jamais suffisamment assurée, s'expose et se réserve, se manifeste et se refuse, se constitue en objet, mais ne se laisse pas posséder? Face à notre attention, l'objet est porteur d'une intention propre, qui se déclare sans se livrer totalement, provoquant l'obstination de notre attente, et le désir redoublé d'un savoir meilleur. Notre attention ne se soutient que par la réponse qu'elle n'en finit pas de donner à un défi persistant.

Une première rencontre a commencé par éveiller notre intérêt et fixer notre regard. A partir de ce premier contact, l'éveil de l'attention nous persuade que tout reste encore à faire en vue d'une plus complète rencontre. Fût-on, comme Georges Poulet (cf. tout particulièrement *La Conscience critique,* Paris, Corti, 1971), désireux de pratiquer une critique d'identification, force est bien de partir d'une situation première de non-identité : l'identification est un effort pour rejoindre ce qui, d'abord, n'est qu'un appel ou une promesse perçus dans un être différent de nous. L'adhésion identifiante n'est donc pas donnée du premier coup : elle est un aboutissement, elle s'accomplit au terme d'un travail et d'un mouvement d'approche. Et rien ne lui serait plus contraire que la conviction trop hâtive de l'avoir déjà atteinte et d'être quitte dès la première impression.

Le risque, si l'objet n'est pas perçu, maintenu, consolidé dans sa différence et dans sa réalité propres, c'est que l'interprétation ne soit, pour le mieux, que le développement d'un fantasme de l'interprète. Je parle ici de risque pour désigner ce qui compromettrait la valeur de la connaissance souhaitée. Le risque ainsi évoqué peut fort bien s'accompagner d'une séduction de tout autre nature : le charme d'un discours inventif et libre, qui se laisse occasionnellement inspirer par une lecture. De ce discours sans attaches, disons qu'il tend à devenir lui-même littérature, l'objet dont il parle ne comptant plus qu'à titre de prétexte, ou de citation incidente. Le rôle de l'objet se voit dès lors affaibli : l'intention de connaissance est évincée par un autre but, d'expression personnelle, de jeu, de propagande, etc. Cela n'exclut nullement la chance de toucher juste tel point singulier, au passage, et de manière oblique. Mais c'est là l'exception. On le voit souvent; si l'objet est mal repéré, mal assuré, ce qui en est affirmé sera dénué de pertinence : indécidable. Les représentants qualifiés de l'histoire littéraire (Lanson), et l'Université jusqu'à cette heure (après sa mise à jour structuraliste plus encore qu'avant) n'ont qu'ironie pour l'essayisme et la « critique de génie » : cette ironie est justifiée quand elle attaque un bavardage qui prétend imposer ses intuitions de but en blanc, sans égards pour la recherche patiente qui fait droit, elle, à toute la complexité de l'objet. Quand la présomption se fait passer pour science, il est bon de la rappeler à l'ordre. Pour qui veut en savoir davantage sur une œuvre, rien n'est plus irritant que de lire un essai dont la voix couvre celle de l'œuvre. On souhaitait la proximité, et l'on est maintenu à distance : les mots qu'on lit ne nous parlent pas vraiment de ce que nous désirions mieux connaître. La loquacité de l'essayiste forme barrière : on n'aperçoit derrière elle qu'un fantôme nébuleux.

Mais faut-il témoigner la même défiance, lorsque l'essai se maintient dans son domaine propre, et n'affiche aucune prétention usurpatrice? On ne peut l'accuser de développer un soliloque que si l'on espérait entendre distinctement deux voix. L'essai revendique le droit d'obéir à un dessein autonome; son enjeu se situe ailleurs que dans la connaissance des textes du passé ou du présent : ceux-ci, parcourus, évoqués par allusion, utilisés au gré des nécessités, seront tout sauf des objets d'étude. La réflexion qui les prend à témoin ne prétend pas en épuiser le sens. Elle se porte ailleurs, poursuivant son propos dans une écriture indépendante, qui ne s'astreint qu'aux intérêts de sa propre interrogation. Ainsi en va-t-il depuis Montaigne : dans les *Essais,* la relation aux œuvres « étrangères » est partout présente, mais multiple, fugitive, capricieuse, laissant parfaitement libre, parmi les richesses de la « librairie », son utilisateur nonchalant.

La relative faiblesse de l'objet dissout la relation épistémologique. Il n'y va plus de la connaissance : le sujet discourant reste en pleine évidence, non certes dans la solitude ni sans destinataire, mais ne prenant plus pour référent constant le texte d'un autre. Quelle que soit l'activité qui se poursuit, elle n'appartient plus au domaine de l'histoire ni de la critique.

La réciproque est vraie : toute faiblesse, toute insuffisance du côté du sujet (du lecteur) n'est pas moins fatale à l'efficacité du travail critique. Non que le sujet interrogeant puisse jamais être tout à fait effacé : tout s'évanouirait avec sa disparition. Je veux surtout rappeler que l'énergie de l'interrogation, l'inventivité déployée dans l'enquête restitutrice elle-même, doivent être soutenues sans défaillance, si l'on veut garder vive la relation critique. Car c'est par l'énergie de notre dessein personnel que l'objet (l'œuvre) est appelé à la présence. Que reste-t-il de la critique, si notre question est timide, si notre langage est stéréotypé, si nos concepts sont mal assurés ? L'objet lui-même se banalise et s'affaiblit, faute d'une sollicitation vigoureuse. Les enseignants connaissent bien ces situations où la faiblesse de la lecture entraîne la faiblesse de l'objet. L'on voit se produire un écho dégradé du texte : la paraphrase. Le commentateur, en ce cas, n'ose parler pour lui-même : il n'a rien à dire, les moyens lui manquent. Il a peut-être « compris », mais il n'a rien observé. Il se laisse envahir confusément par la rumeur de la page ouverte devant lui, il l'amplifie en termes plus faibles : réitération qui dissout la forme en faisant foisonner les équivalents inférieurs du sens. A cette dissolution, l'analyse grammaticale – aujourd'hui l'analyse structurale – apporte un palliatif, sous les espèces d'un mécanisme capable d'assurer un minimum de repérage des faits de style et des moyens mis en œuvre dans un texte. Mais si l'analyse se confine dans la technique descriptive, si elle se borne à transcrire les données littéraires dans les sigles d'un métalangage, c'est toujours la réitération qui prévaut, moins naïve et moins simple, mais toujours captive de l'horizon borné de la tautologie... La critique n'est pas la représentation fidèle d'une œuvre, son redoublement dans un miroir plus ou moins limpide. Toute critique complète, après avoir su reconnaître l'altérité de l'être ou de l'objet vers lesquels elle se tourne, sait développer à leur sujet une réflexion autonome et trouve pour l'exprimer un langage qui marque avec vigueur sa différence. Si étroites qu'aient été, en un temps central de la recherche, la sympathie et l'identification, la critique ne redit pas l'œuvre comme celle-ci s'énonce elle-même. L'œuvre critique se constitue selon sa nécessité propre, à son niveau particulier d'accomplissement, docile à son objet, mais indépendante par sa visée.

Les deux cas extrêmes que nous venons d'évoquer – faiblesse de l'objet, faiblesse de l'énergie interrogative – ont pour défaut commun de ne rien changer à la mise initiale : aucune relation n'est instaurée, aucun travail n'est accompli, et, dès lors, aucune lumière ne vient transformer conjointement l'œuvre et notre regard. Je pense irrésistiblement à cette scène de film où Groucho Marx, commis de magasin, se glisse sous le comptoir afin de découper, dans la jupe même de la cliente, la pièce de tissu que celle-ci demandait pour l'assortir à son vêtement. La pure et simple répétition d'un présupposé quelconque tient lieu de démonstration : l'on s'émerveille de voir une hypothèse confirmée, alors qu'on n'a fait que la répéter en d'autres termes.

*

L'intérêt pour le texte

Il est donc souhaitable de maintenir entre l'objet et la réponse qu'on lui apporte un suffisant écart, un espace où l'événement de la rencontre puisse se produire, et où le travail puisse s'engager et progresser. Il n'y a de travail qu'en fonction d'une opposition. Mais en même temps, il n'y a de travail qu'au prix d'un contact et d'une relation. Car l'opposition ne peut rester statique : elle se développe dans l'affrontement laborieux, elle progresse vers un but, elle se développe en vue d'une fin.

Nous disons : rencontre, et aussi : travail. Ainsi parlions-nous tout à l'heure de l'œuvre, en la désignant comme un être, et en même temps comme un matériau. Elle est l'un et l'autre : un être qui attend la rencontre, un matériau, lui-même travaillé, qui appelle le travail; ou encore : une intention qui se destine à notre attention par l'essor d'une forme. Avoir égard à l'œuvre, c'est respecter en elle tout ensemble sa finalité intentionnelle et sa forme « objective » (sa structure matérielle). C'est pour faire droit à ce double aspect de l'œuvre que la critique doit elle-même posséder une double aptitude : savoir-faire instrumental et animation finalisée, tous deux aptes à prendre en charge la présence de l'œuvre sans se confondre avec elle. L'aspect instrumental de la critique est le répondant de l'aspect matériel de l'œuvre; l'animation finalisée de la critique réplique à la finalité de l'œuvre, qu'elle ne se contente pas de percevoir et d'enregistrer.

Telles sont les conditions de l'interprétation, si l'on désire lui assurer toutes ses chances et la développer de la manière la plus consciente.

On aurait aimé croire que les étapes du travail critique se suivent de manière distincte et ordonnée. On aurait aimé croire, en particulier, que la restitution précède l'interprétation, et qu'elle s'emploie à rétablir les textes pour les confier ensuite à l'activité interprétante. Mais l'interprétation, nous l'avons vu, est déjà sourdement à l'œuvre dans le choix de l'objet d'intérêt; elle se mêle aux efforts qui visent à la restitution des documents, sous tous leurs aspects; une frontière précise ne peut être tracée entre le travail qui voudrait s'en tenir à la perception avivée de son objet (texte, documents, etc.), et l'interprétation qui, ne s'arrêtant pas aux données ainsi constatées, les reprend pour les inclure dans un propos plus vaste. Pour observer, au sein d'une œuvre, des corrélations de formes, d'images, de faits stylistiques, etc., il faut nécessairement s'établir hors de l'œuvre et la soumettre à une lecture *avertie*; de plus, pour énoncer les faits observés, il faut recourir au langage descriptif d'une autre époque (la nôtre), et d'une autre catégorie intellectuelle (celle de notre savoir contemporain). Plus nous cherchons à atteindre les œuvres dans la configuration qu'elles ont *en soi,* plus nous développons les liens qui les font exister *pour nous.* Les structures intrinsèques ne deviennent donc évidentes que si on accepte de les aborder du dehors, éclairant leurs formes propres d'une lumière extrinsèque, leur posant des questions qu'elles sont loin de poser d'elles-mêmes. Ainsi l'interprétation doit-elle être finalement reconnue comme ce qui, d'emblée, arme le choix de l'objet et le travail de restitution; elle est présente jusque dans le désir sincère d'atténuer le rôle de l'interprète et de faire droit aux « faits objectifs ».

C'est le lecteur-interprète, dans sa situation historique particulière, qui préfère telle œuvre à telle autre, qui décide de s'intéresser à Proust plutôt qu'à Bourget, à Laclos plutôt qu'à Marmontel. C'est encore une fois à l'interprète qu'il incombe de décider s'il étendra son investigation sur un poème, sur un livre, ou sur l'œuvre entier d'un écrivain; c'est l'interprète qui prendra le parti de tout rapporter à la personnalité de l'auteur, ou d'attribuer une importance plus grande à l'époque historique où s'inscrit une œuvre, ou encore au genre littéraire dont celle-ci apporte un exemple. Chaque fois, l'interprète doit prendre librement ses risques en choisissant la catégorie de faits, les termes de référence et les points de comparaison qui paraissent adéquats. Selon les choix préalablement opérés, le travail de restitution change de nature, s'applique à un autre matériau, à un autre espace et un autre temps. C'est à nous qu'il échoit de fixer l'étendue de la question : la réponse, à n'en pas douter, remplira toujours toute l'étendue du cadre que nous lui aurons assigné. Ce n'est pas là, pour autant, une justification de l'arbitraire. Il est évident que toutes les approches ne s'équivalent pas, et que certaines d'entre elles resteront moins fructueuses ou moins « éclairantes ». A quels indices reconnaîtra-t-on un meilleur découpage du champ exploré, un plus haut degré de pertinence dans la confrontation et la mise en rapport? Les critères, en l'occurrence, ne sont pas aisés à formuler : s'ils étaient facilement énonçables, l'on ne s'égarerait pas aussi souvent qu'on le fait. Toutes les fois qu'un interprète nous paraît avoir réussi dans sa tâche, notre satisfaction lui sait gré d'être parvenu plus près d'une totalité, d'en avoir mieux fait voir les composantes et les rapports constitutifs, et d'avoir, de surcroît, respecté dans son objet la part réservée à d'autres approches, la part de ce qui demeure présentement hors de portée : tels sont probablement les signes les plus sûrs d'une interprétation bien engagée, c'est-à-dire d'une interprétation qui a su choisir et cerner son objet avec bonheur, qui s'est rapprochée de lui par une restitution scrupuleuse, et qui développe à son propos une parole à la fois libre et convaincante.

*

Une très forte tendance de la critique et de l'histoire littéraires, depuis quelques années, tend à accorder une importance prédominante à l'étude du texte. Pourquoi cette préférence? Je serais enclin à croire que cela vient du fait que l'interprétation – sans toujours le dire clairement – trouve dans le texte l'objet qui convient le mieux au déploiement complet de son exercice : le texte doit être choisi, « restitué », commenté. Le recours au texte est donc la meilleure façon d'éviter le risque que nous avons désigné, un peu abstraitement, en parlant de « faiblesse de l'objet ». Le texte est un objet vigoureux; il appelle, en retour, de notre part, une réponse vigoureuse, parfaitement distincte et indépendante, même si notre désir est de combler la distance et de nous rapprocher de ce qui parle dans l'œuvre. Un texte est une totalité relativement limitée, dont les éléments constitutifs peuvent être légitimement mis en rapport les uns avec les autres : il appelle ainsi une analyse interne dont les résultats, bien que fort variables selon les facteurs et les niveaux considérés, restent à tout moment passibles d'un contrôle assez précis. Car le texte a droit de regard sur ce qu'on dit de lui; il représente, pour le discours interprétatif, un référent qui ne se laisse pas éluder. En l'alléguant, l'on s'engage à lui vouer l'attention la plus complète. La ressource permanente du retour au texte permet au lecteur de vérifier si l'analyse et le commentaire ont touché juste. Il est aisé de s'apercevoir, selon les cas, que le texte n'a pas été suffisamment observé, ou, au contraire, qu'il a été surinterprété ou mésinterprété. A tout moment, au prix d'une confrontation attentive, on pourra voir si ce qu'on veut faire dire au texte peut être cautionné par lui. Assurément, l'un des courants de la mode actuelle permet au « commentateur » de se muer en libre improvisateur et de dire n'importe quoi à partir d'un texte donné; il n'en reste pas moins que celui-ci, pour malmené qu'il soit, garde intacte la faculté du démenti; il suffit, encore une fois, de revenir au texte, pour savoir où commencent les projections, les fantasmes, les manipulations arbitraires du lecteur abusif. Car même si les textes disent plus que ne le laisse entendre leur sens déclaré, il faut admettre que le degré de probabilité du sens latent qui leur est attribué décroît rapidement, à mesure que l'on s'éloigne du sens patent, inscrit dans les mots et dans les énoncés apparents.

L'analyse interne, telle qu'elle se pratique dans une étude textuelle, n'interdit pas de considérer les données externes. Par un effet qui n'a rien de paradoxal, le choix d'un texte, en faisant exister une région intratextuelle, détermine du même coup un monde qui lui est extérieur. On ne pourra pas se contenter de rechercher la loi qui règne à l'intérieur d'un texte; en explorant le monde du dedans, force sera bien d'apercevoir tous les apports, tous les échos externes. L'on se trouve incité à un va-et-vient. L'attention au *dedans* nous reporte au *dehors*. Par son arbitraire même, la clôture du texte rend inévitable le mouvement de l'ouverture. Il se peut que la structure déchiffrée au fort grossissement, au niveau d'un agencement syntaxique, fasse découvrir son homologue à un autre niveau, non plus dans le texte d'une page isolée, mais à l'échelle d'une œuvre entière, d'un monde imaginaire, ou d'un moment de l'histoire. Ce mouvement, avec tout ce qu'il a de productif, n'est rendu possible que parce que, pour commencer, le choix du texte nous met en possession d'un repère précis, d'un terme fixe de comparaison, et nous oblige à prêter attention à ce qui se passe des deux côtés d'une limite toute provisoire.

L'attrait qu'exerce l'étude des textes se comprend mieux, si on prête attention au genre de travail qui en est le plus éloigné, et qui ajoutera pour nous le complément d'une définition par contraste. Les textes proposent à l'interprète un objet particulier, unique, spécifié dans sa forme et ses détails; à l'opposé, nous trouvons la réflexion spéculative qui, sur la base d'un savoir documentaire plus ou moins étendu mais toujours pluriel et dispersé, tente de cerner des entités ou des essences : littérature, poésie, tragique, romantisme (et, bien entendu, classicisme)... On voit alors se construire, de toutes pièces, une définition conceptuelle. Dans cette construction, l'expérience de la lecture est certes présupposée, mais elle est aussitôt mise au service d'une élaboration théorique, où l'essayiste façonne une idée ou un modèle qu'il déclare applicables à un ensemble très large d'œuvres particulières. Souvent, dans ce travail, le théoricien s'enferme dans une combinatoire intellectuelle dont il est le seul maître : les exemples auxquels il fait appel se limitent à quelques œuvres emblématiques; parfois ils disparaissent tout à fait. Le résultat sera tout ensemble séduisant, et non vérifiable. La définition proposée, dans sa généralité, couvrira trop d'espace, sans toutefois invalider une définition concurrente. Ce sont là des cadres de référence, dont l'utilité se mesure à ce qu'ils sont capables de nous faire apercevoir dans les œuvres mêmes. Cette utilité – avouons-le – peut être considérable. En ce cas, la définition conceptuelle aura pris rang d'*outil interprétatif*; cet outil est sujet à être modifié, rendu plus efficace et plus délié. Il sera précieux pour l'interprète, lorsque celui-ci se tournera vers l'*objet à interpréter,* c'est-à-dire vers le texte. L'élaboration des concepts-cadres et des concepts-outils prend tout son sens dans la mesure où, issue elle-même de la lecture, elle met ses résultats à la disposition d'une recherche qui les emploie et qui les met à l'épreuve en allant à la rencontre des textes. Sans ces concepts généraux (dont la liste inclut le vocabulaire descriptif de la linguistique, de la grammaire, de la rhétorique ancienne et moderne), l'interprétation serait désarmée; mais sans le travail effectif d'une interprétation en acte, ces concepts ne vivraient que d'une existence stérile et séparée, où rien ne distinguerait les bonnes et les mauvaises clés, toutes équivalentes tant qu'elles restent inemployées.

L'interprétation assure un passage et une intégrité

Si l'on en croit les historiens de la langue, le mot *interpres,* à l'origine, désigne celui qui s'entremet dans une transaction, celui dont les bons offices sont nécessaires pour qu'un objet change de main, moyennant paiement du prix juste. L'*interpres* assure donc un *passage*; en même temps, il veille à reconnaître la valeur exacte de l'objet transmis, il assiste à la transmission de façon à constater que l'objet est parvenu dans son *intégrité* à l'acquéreur.

Dans l'ordre verbal, alors même qu'il n'est qu'un simple traducteur, l'interprète est encore une fois l'agent d'un *passage* (d'une langue à l'autre), et le responsable de l'*intégrité* préservée d'un message qui ne doit subir, en principe, aucune altération.

Quand l'interprète, à un autre moment, se voit confier la tâche d'une lecture allégorique, le *passage* intervient à nouveau : il apparaît comme un déplacement, au sein de la même langue, d'un message formulé dans un code tenu pour métaphorique, à un un message énoncé dans un code tenu pour le véhicule du sens propre. L'interprète assure ce « transcodage », il est chargé de remplacer un réseau lexical par un autre; il substitue aux mots du texte d'autres mots (ou groupes de mots), de façon que le message initial, tout en conservant sa syntaxe, son mouvement, son organisation propres, s'enlève dans un second sens : c'est l'autre sens d'un même libellé, et c'est en même temps l'autre libellé d'un même sens. Ici encore, l'interprétation veille à une persistance et à une intégrité, tout en opérant un passage. Mais l'interprète, cette fois, y met du sien, quand bien même il ne prétend procéder qu'à un déchiffrement. En fait, il est pour une large part le producteur de ce qu'il découvre dans le texte, car il choisit, conformément à ses besoins intellectuels et à ceux de son époque, le code dans lequel il inscrira le « sens propre ». Nous le savons en effet, c'est souvent le décalage et l'éloignement historiques qui rendent nécessaires, comme ce fut le cas pour Homère et pour l'Ecriture, l'intervention interprétative et l'ajustement allégorique. Aussi le passage, en l'occurrence, ne vise pas seulement à rejoindre un destinataire étranger, ou un autre niveau de sens : il implique une dimension temporelle. Le destinataire étranger est l'homme d'une autre époque; le second niveau de sens est celui qui s'énonce selon un langage, une morale, un système de valeurs conformes aux exigences d'un présent différent. L'interprète travaille alors à annuler l'effet de la distance, il fait passer l'œuvre de la rive éloignée dont elle est originaire à celle où prend naissance le discours interprétatif, dans son rapport actuel avec ses destinataires.

Aujourd'hui (est-il besoin de le dire?) l'interprétation prend un aspect plus englobant; elle ne se limite plus à une traduction ou à un transcodage. Elle est un acte de connaissance. On désigne sous son nom la somme de tous les actes dirigés vers l'objet. Constatons qu'elle a toujours le souci de préserver une intégrité : c'est la raison pour laquelle toute interprétation complète présuppose une activité de restitution, une volonté de sauvegarder l'intégralité du texte originel. Mais ceci n'exclut pas que l'objet ainsi rendu à sa plus forte identité ne soit pris en charge par une parole nouvelle, qui l'attire à son niveau, qui l'entraîne et le fait participer à son propre mouvement. Entre le moment du choix de l'objet à interpréter et le moment, toujours provisoire, où s'achève l'œuvre d'interprétation, le *passage* accompli possède non seulement tous les caractères que nous avons déjà relevés dans la traduction et l'allégorie, mais il fait entrer le résultat de l'interprétation dans le discours de la connaissance. Il ne s'agit pas là d'une simple « assimilation »; c'est une complète métamorphose : l'objet à interpréter s'est augmenté de tout l'apport de l'activité interprétante.

Quand l'interprète interroge les textes, la réponse n'est d'abord que l'émergence, en plus nette évidence, d'une forme plus fréquente ou plus impérieuse : dispositif architectural, perspective narrative, catégories d'images, procédés habituels, homologies entre doc-

trine professée et constantes stylistiques, etc. Du tout
aux détails, l'ordre de grandeur de la forme perçue,
son rang parmi les éléments constitutifs du texte
peuvent varier. En tout état de cause, la réponse ne
sera pleinement réponse que si cette forme est lue
dans sa signification entière, selon tout ce qu'elle a
pouvoir de désigner. Un sens pointe en elle, qui
appelle tout ensemble notre reconnaissance (parce
qu'il était présent avant notre lecture) et notre
réflexion libre (parce que, pour s'achever, il demande
inépuisablement un complément de signification qui
doit lui venir du lecteur attentif). L'objet à interpréter
et le discours interprétant, s'ils sont adéquats, se lient
pour ne plus se quitter. Ils forment un être nouveau
composé d'une double substance. Nous nous appro-
prions l'objet, mais l'on peut dire aussi qu'il nous
attire à lui, à sa présence accrue et devenue plus
évidente. L'objet compris appartient à cette partie du
monde que nous pouvons tenir pour nôtre : nous nous
y *retrouvons*. Le paradoxe apparent, c'est que, tout en
recevant confirmation de son existence indépendante,
l'objet dûment interprété fait désormais aussi partie de
notre discours interprétatif, il devient l'un des outils à
l'aide desquels nous pourrons chercher à comprendre
à la fois d'autres objets, et notre relation avec ceux-ci.
La compréhension mobilise les objets, sans les arracher de leur place : une fois nommés selon le sens
qu'ils nous ont fait percevoir, ils accèdent à leur tour
au pouvoir de nommer.

J'ai insisté, à plusieurs moments, sur le choix
qu'opère notre intérêt en visant ses objets. Il semblait
que nous fussions les maîtres absolus de ce choix.
Mais notre liberté n'est pas séparable des outils et du
langage dont elle dispose. Et ces outils, ce langage, lui
sont venus d'un passé, d'une histoire : l'histoire de
notre propre activité, qui remonte à l'histoire des

objets que d'autres ont interprétés avant nous, et qui
depuis lors ont pris rang parmi les ressources de notre
savoir. Nous voici donc, une fois de plus rejoints par
l'histoire. Quand, en ce jour même, nous nous tour-
nons vers nos horizons (par exemple : la littérature
que nous voulons inventer, la critique que nous
voulons mieux définir), quand nous choisissons nos
objets, que nous tentons de les saisir dans un savoir
plus vif et plus gai, nous ne pouvons le faire que selon
la portée de nos moyens. Or ces moyens – langage et
pensée, concepts et méthodes – que sont-ils? Ce sont
des « objets » du passé, devenus nôtres à travers
l'interprétation de nos devanciers, et dont nous sommes maintenant les héritiers plus ou moins satisfaits.
Si librement que nous prétendions choisir nos objets
et nos méthodes, nous ne pouvons le faire qu'en
recourant au langage et aux instruments que nous a
transmis l'histoire. Il nous incombe de les préserver,
tant que nous voulons demeurer civilisés; et il nous
incombe aussi de les perfectionner, tant que nous
croyons à la justification du progrès.

L'art

PAR

HENRI ZERNER

L'histoire de l'art, le discours sur l'art, se trouve pris, pour ne pas dire coincé, entre l'histoire et la critique. Empirique et positiviste, l'histoire de l'art traditionnelle se montre extrêmement méfiante à l'égard de toute théorie et même de toute interprétation approfondie des œuvres. La critique, de son côté, prend presque toujours pour postulat que ce qu'elle cherche à cerner, à définir, à éclairer dans l'œuvre, ce qui fait qu'elle est œuvre d'art, échappe au temps et par conséquent à l'histoire. On a pourtant affirmé, je serais tenté de dire démontré, qu'une réflexion bien fondée sur l'art, une « science » de l'art ne pouvait qu'être à la fois historique et théorique[1].

Autre obstacle, la critique bute tout de suite contre ce fait que le visible ne peut pas se dire, ne se réduit pas à un discours. Cette difficulté, qui peut sembler insurmontable, fait en réalité l'intérêt de l'histoire de l'art. Les philosophes, les psychologues, les ethnologues voient dans l'art le modèle d'un moyen d'expression non verbal, et – pour des raisons qu'on ne peut chercher à élucider ici – les arts plastiques se sont à cet égard largement substitués à la musique qui jouait ce rôle dans l'esthétique romantique. Mais l'histoire de l'art, qui souffre depuis un demi-siècle d'une profonde stagnation théorique, n'est pas en état de répondre aux questions qui lui sont posées.

Pourtant, l'histoire de l'art traditionnelle continue à fonctionner. Particulièrement active en France et en Angleterre, elle a renouvelé ses techniques. Elle se

veut restitution du passé artistique, et a su définir sa
tâche : inventorier les œuvres, établir la biographie
des artistes, attribuer et dater les œuvres sur des
indices extérieurs (signatures, documents d'archives,
traditions anciennes, etc.), attribuer et dater des
œuvres par le style à partir de ce corpus, enfin
restituer par l'étude des textes la manière dont les
œuvres ont été vues et comprises.

Les résultats de cette histoire de l'art sont impres-
sionnants : elle découvre, elle restaure, elle sauve. Le
musée et les expositions lui offrent un champ d'action
spectaculaire. « La Tour est le triomphe de l'histoire
de l'art, et sa justification », a pu écrire Jacques
Thuillier dans le catalogue d'une exposition qui aura
été un véritable manifeste[2]. Et La Tour en effet,
entièrement oublié pendant plus de deux siècles, n'est
pas une conquête négligeable. On en citerait bien
d'autres : transformation des musées, grandes expositions accompagnées de catalogues monumentaux qui
se multiplient tant en France qu'en Italie.

Puisque cette discipline s'avère si efficace, pourquoi
ne pas s'en contenter ? Si elle est réticente à l'interprétation, ne vaut-il pas mieux laisser les œuvres s'exprimer librement ? De fait, ce qu'on reproche à cet
empirisme n'est pas sa méfiance mais une interprétation, un système de valeurs, une idéologie. La forme
sous laquelle cette école aime particulièrement à
s'exprimer, parce qu'apparemment la plus innocente,
à savoir le catalogue, n'échappe pas à ce reproche : le
classement qu'il propose – par artiste, par écoles
nationales ou régionales, par genres –, le choix des
renseignements qu'il fournit, ce même dont il est le
catalogue, impliquent une conception précise de l'art
et une interprétation.

Cette conception a une histoire qui remonte à la
Renaissance. Elle a pris forme dans l'art même, mais

aussi en projetant un discours théorique et historique[3]. De Vasari aux doctrinaires de l'art pour l'art et même au-delà, un courant d'idées veut détacher l'art des autres aspects de la vie. Sans doute s'agit-il d'un désir, d'un idéal que la réalité de l'art, de son histoire et de sa critique déborde sans cesse. Mais tout de même cet idéal sous-tend constamment l'histoire de l'art traditionnelle qui, dans ses fondements, n'a guère changé depuis Vasari. Pour isoler l'art, pour lui donner sa spécificité, on a imaginé un système où il posait ses problèmes proprement artistiques. Adolph Hildebrand[4] a donné à cette idée une forme très élaborée où il lie expressément le problème artistique à la non-historicité de l'art. Le retentissement de son ouvrage en histoire de l'art n'a rien d'étonnant. Celle-ci s'appuie sur des assises idéalistes parfois sommairement enfouies : l'art en soi intemporel n'a d'histoire que par la contingence de son enveloppe physique et de ses procédés.

Ainsi, pendant presque cinq siècles, l'art s'est défini en même temps qu'il s'est fait, il a donné une réalité à ses revendications d'autonomie, et l'histoire de l'art a eu partie liée avec lui. Vasari donne à son ouvrage un schéma biologique : naissance (ou re-naissance), jeunesse et maturité de l'art en trois grandes étapes, la dernière en date caractérisée par la maîtrise du style (maniera) à partir de Léonard. C'est, en somme, dans ses grandes lignes l'histoire de la définition de l'art, de la mise au point de plus en plus précise de son système. En deçà, pour Vasari, l'histoire de l'art est l'histoire des artistes comme elle le sera pour Charles Blanc et comme elle l'est encore. « Les gros yeux myopes de Vouet et sa bouche sensuelle, les traits solidement sculptés de Poussin, la tête de paysan hirsute de Claude : présences, nécessaires à la compréhension de leur œuvre, nécessaires à l'art français[5]. »

La biographie est explication « nécessaire à la compréhension ». Même l'art national se justifie par l'intermédiaire de l'individu; l'art français est l'art fait par des artistes français, quitte à admettre d'autre part que ces individus recèlent en eux des traits nationaux plus ou moins fixes, d'ordre spirituel comme la clarté ou l'équilibre de l'esprit français, qui s'exprimeront par certaines formes de l'art comme une « palette française[6] ».

Aussi les efforts se sont-ils concentrés sur l'attribution. L'histoire de l'art s'est annexé la science des connaisseurs, qui jusqu'au milieu du XIXe siècle était restée assez indépendante et se transmettait oralement[7]. Elle a systématisé ces techniques d'attribution et soumis l'œil à un entraînement extraordinairement spécialisé. Cette insistance obsédante sur la « main », ce besoin de découvrir l'artiste derrière l'œuvre impose bien une interprétation. On ne s'en rend pas nettement compte tant qu'on reste dans le domaine de l'art qui l'a fait naître et justifie partiellement sa mise en œuvre. Mais elle se découvre bien pour ce qu'elle est lorsque, par exemple, on dissèque la *Transfiguration* de Raphaël en morceaux exécutés par les différents membres de l'atelier du maître.

On montrerait facilement que la théorie sous-entendue par l'histoire de l'art traditionnelle n'est pas cohérente. L'idéologie artistique qu'elle véhicule n'en est pas moins bien définie en son centre : l'art est affaire de création individuelle, d'inspiration, de génie. L'art est un monde en soi, avec ses lois, assez souples pour permettre le changement du goût; assez précises pour bien séparer, parmi les formes créées, l'art du non-art. Une telle conception fait de l'art le privilège d'une société bien déterminée. On songe à Ruskin qui affirmait que c'est seulement dans l'Occident chrétien qu'existe « un art ancien pur et précieux car il n'y en a aucun en Amérique, aucun en Asie, aucun en Afrique ».

Mais à partir de Hegel certains ont conçu l'art comme une activité distinctive de l'humanité, postulant que l'homme était naturellement producteur d'art comme il est naturellement parlant. Dès lors l'histoire de l'art doit affronter de tout autres problèmes. Le système de valeurs élaboré pendant plusieurs siècles s'est vu remis en question. On a été obligé de prendre l'ornement en considération comme une des formes importantes de l'art, puisque bien des sociétés n'en connaissent pas d'autre. A la fin du siècle dernier, Alois Riegl a eu l'audace d'en tirer toutes les conséquences, de renier, en théorie du moins, tout système normatif de valeurs, de dénoncer la notion de décadence, de renoncer à la ségrégation entre le « grand art » et les arts dits mineurs[8].

C'est à propos de l'art « industriel » de la « basse » Antiquité qu'il sut montrer que là où on ne voyait qu'une dégénérescence de la tradition gréco-romaine, apparaissaient en fait des valeurs nouvelles, le point de départ d'un nouveau développement. Bien entendu, il n'est pas fortuit que cette initiative de Riegl ait eu lieu précisément au moment où l'art même mettait sérieusement en cause le système dominant[9].

*

L'histoire de l'art ainsi élargie ne pouvait plus être une chronique des événements artistiques. Faute d'un système de valeurs établi (ou même à établir, car c'est cela, en fait, que l'histoire de l'art traditionnelle propose) il fallait ordonner la masse des phénomènes de façon intelligible. Contre le déterminisme matérialiste de Semper et de ses élèves qui voyaient dans la

technique la cause du style, Riegl a affirmé de façon
catégorique la liberté d'un art non déterminé. Au
rebours de Claude Bernard, il a prétendu remplacer
les comment par un pourquoi, et fonder sur cela
même la scientificité de sa démarche. Au centre de sa
pensée se trouve le concept de *Kunstwollen,* terme
difficile et que l'on peut traduire différemment par
volonté, vouloir, ou même intentionnalité artistique.
Le terme sert avant tout à bien marquer que l'art n'est
pas déterminé par des facteurs extérieurs mais motivé
et dirigé de l'intérieur, quitte à expliquer les analogies
avec d'autres phénomènes par des rapports communs
avec un ordre supérieur de considérations, mais en
précisant bien que les autres séries de phénomènes
(sociaux, religieux, etc.) sont strictement parallèles[10].
On voit alors se dessiner une histoire interne de l'art
par opposition aux systèmes qui font de l'art un
reflet.

Mais si l'histoire de l'art doit être celle d'un *Kunstwollen,* que faut-il entendre par là? Riegl n'est pas
explicite. Ses plus proches disciples se sont attachés à
l'analyse des structures internes des œuvres qui expriment la structure du monde telle que l'art étudié la
« veut »; cette école de l'analyse structurale est très
importante en Allemagne où elle connaît un renouveau[11]. Panofsky a proposé une explication qui
peut[12] encore servir de point de départ à une histoire
de l'art. Il veut débarrasser le concept de tout contenu
psychologique (au contraire de ce qu'avait fait, par
exemple, Worringer). Pour ce faire, il s'en prend à
trois interprétations : la première identifie tout simplement le *Kunstwollen* à la volonté individuelle de
l'artiste; la seconde le relie à la psychologie d'une
époque comme volonté collective, consciente ou
inconsciente[13]; la troisième, enfin, prétend atteindre
le *Kunstwollen* par l'expérience esthétique du specta-

teur actuel et « croit pouvoir définir la tendance qui s'exprime dans l'œuvre à partir des réactions qu'elle suscite en nous quand nous la regardons ». Panofsky, lui, définit le *Kunstwollen* comme *sens objectif immanent* des phénomènes; l'histoire de l'art sera l'histoire du sens de l'art.

Comment alors peut-on atteindre ce sens? Voilà posée, avec une urgence extrême, la question de l'interprétation, condition désormais nécessaire d'une histoire de l'art.

Avant d'envisager les voies qui s'ouvrent aujourd'hui à une interprétation, je voudrais attirer l'attention sur le glissement qui a souvent lieu entre interprétation et explication. On a tendance à assimiler le sens et la genèse des œuvres, ou si l'on préfère, à projeter celui-ci sur celle-là, à considérer que l'un se replie sur l'autre. C'est le principe de l'explication biographique qui suppose que la vie de l'auteur permet de comprendre l'œuvre. De même une visée déterministe voit dans l'œuvre le reflet de la société qui l'a créée. Les études qui se réclament du marxisme – ce qui ne signifie nullement qu'elles sont marxistes [14] – se réduisent le plus souvent, comme l'ouvrage d'Antal sur la Renaissance italienne, à une étude du mécénat [15]. Le phénomène artistique est alors déterminé par une classe ou un groupe social qui remplace l'artiste dans son rôle de créateur. Enfin, il est toujours tentant d'aller chercher la signification de l'art ailleurs que dans les œuvres, par exemple dans la littérature, dans la vie sociale ou religieuse de l'époque, en se fondant sur le postulat d'une cohérence de la culture. Ainsi cherchera-t-on dans la *Devotio moderna* le sens de la peinture flamande, celui de certains Raphaël dans l'*Oratorio del Divino Amore*. Il ne faut pas négliger la possibilité de rapports : il y a constamment action d'un domaine sur l'autre. Mais il s'agit alors de phénomènes circonscrits et qui touchent à la genèse de l'œuvre, genèse dont l'interprète tiendra compte, mais qui ne peut en aucun cas tenir lieu d'interprétation. Si, en revanche, il s'agit d'une coïncidence plus ou moins heureuse et suggestive entre deux séries parallèles de phénomènes on se gardera d'imposer à l'une le sens de l'autre. L'interprète devra donc, à la suite de Riegl, se pénétrer de l'idée que l'art est une activité première, qu'il ordonne le monde.

Seules des méthodes et des techniques d'interprétation permettent d'atteindre le sens. Le développement de Panofsky est à comprendre ainsi. Il a travaillé à mettre au point une méthode de lecture, limitée aux thèmes artistiques et valable seulement pour l'Occident chrétien. Mais sa visée est le niveau « iconologique », c'est-à-dire le sens objectif immanent[16]. Ses disciples ayant perdu de vue ses préoccupations théoriques, que lui-même semble avoir de plus en plus négligées, la discipline qu'il avait établie s'est transformée en une technique isolée de déchiffrement. La visée du niveau iconologique est généralement abandonnée et, ce qui est plus grave, le déchiffrement iconographique se substitue trop souvent au sens.

*

Pour renouveler ses méthodes, l'histoire de l'art trouve, dans la pensée actuelle, deux principaux modèles d'interprétation et d'analyse : la linguistique structurale et l'analyse freudienne. Disons-le tout de suite, ce n'est pas parce que ces disciplines semblent des panacées qu'on doit envisager de faire appel à elles, mais pour des raisons spécifiques. Ensemble, elles constituent la base la plus satisfaisante aujourd'hui pour une théorie de la représentation.

Si sémiologie il doit y avoir, c'est-à-dire une science

ou une étude générale des signes, il semblerait bien (et on l'a toujours supposé) que l'art ferait partie de son domaine. Il est même surprenant qu'une sémiologie de l'art ne soit pas plus développée alors que le modèle de la linguistique est si fécond ailleurs. Du reste, dès le XIXᵉ siècle, tant chez Morelli que chez Wölfflin, c'est-à-dire chez ceux qui de façons très différentes mais apparentées ont essayé d'établir l'étude de l'art comme science[17], l'idée de traiter l'art comme un langage est véritablement obsédante. Mais elle tourne toujours court. Or, l'analyse que Saussure mettait sur pied justement à la même époque permet d'élucider ce à quoi l'analogie des arts plastiques avec le langage se heurte : tandis qu'on peut traiter les signes verbaux comme s'ils étaient entièrement arbitraires, fondés sur la seule convention, les signes de l'art sont au moins partiellement naturels, soutenus par un rapport d'analogie[18]. C'est cette possibilité d'envisager le langage en dehors de toute motivation du sens qui permet à Saussure de proposer, du moins comme hypothèse de travail, une étude strictement synchronique du langage et d'opposer la langue, c'est-à-dire un système de valeurs, à la parole qui en est la mise en œuvre dans le discours singulier. Si l'art peut être une sorte de langage, il n'y a pas une langue de l'art.

La construction d'une sémiologie de l'art rencontre encore une difficulté majeure : la distinction d'unités d'analyse. Les tentatives sémiologiques ont tendance à prendre les unités d'analyse dans le figuré, comme le faisait Morelli lorsqu'il isolait la main ou l'oreille comme unités formelles. Du coup on s'attache le plus souvent au sujet, et l'on recoupe, bien que d'un point de vue différent, les recherches iconographiques. Au contraire de ce que l'on pourrait attendre après plusieurs décennies où la critique de l'art s'est concentrée

sur la forme comme son domaine privilégié, l'histoire
de l'art souffre d'une remarquable carence, à la fois de
termes et de techniques, pour l'analyse formelle.

La linguistique profitait ici d'un énorme avantage :
la transcription graphique qu'est l'écriture phonétique
implique une analyse très poussée de la langue. Ainsi
considérée, l'étude de la gravure pourrait être utile[19].
Il faudrait arriver à préciser ce que l'estampe transmet
des originaux qu'elle reproduit, et comment elle y
parvient; comment, par exemple, on a pu, sous la
direction de Rubens, mettre au point dans le blanc-
et-noir des équivalents de la couleur en variant la
texture graphique pour une même intensité lumi-
neuse. Peut-être cela aiderait-il à distinguer ce qui
dans la couleur est système d'oppositions, et ce qui est
gamme de tons.

C'est justement par ses aspects de système que l'art
donnera prise à la sémiologie. Et s'il n'est sans doute
pas possible d'établir un code de l'art (pour une
époque donnée bien entendu), il y a très certainement
des codes partiels : dans un croquis, une figure dessi-
née en silhouette n'est pas comprise comme un bon-
homme en fil de fer; un tapis persan se « lit » comme
champ divisé en plusieurs régions qui s'opposent les
unes aux autres avec des règles de distribution des
motifs qui sont eux-mêmes, souvent, presque des
pictogrammes. L'une des tâches, peut-être la tâche la
plus urgente d'une sémiologie de l'art, est d'établir les
limites et les rapports entre ce qui est conventionnel et
ce qui est naturel.

La voie est indiquée par Meyer Schapiro qui s'est
attaché à quelques éléments fondamentaux[20]. Il montre que la surface plane et lisse, les limites du champ
pictural, le cadre sont des acquisitions culturelles dont
on peut retracer l'histoire; qu'il s'y attache des significations conventionnelles qui peuvent varier (la sur-

face peut être comprise comme un fond ou comme une transparence à un espace fictif). Les diverses parties du champ (la droite et la gauche, le haut et le bas) sont aussi susceptibles d'être chargées de significations.

Schapiro fait observer que certains traits sont très faciles à déchiffrer, même pour un spectateur non averti du code, mais qu'ils n'en sont pas moins conventionnels. Remarque utile pour comprendre le statut de la perspective, que, de façon assez inattendue, Schapiro considère comme naturelle, alors que certains, surtout Pierre Francastel, ont insisté sur sa nature conventionnelle de code[21]. Que l'on revienne un instant à cette observation classique : si l'on a deux figures de grandeur inégale dans une image, une petite et une grande, le sens sera tout à fait différent selon qu'il s'agit d'une œuvre médiévale ou d'une représentation en perspective. On remarquera que le système médiéval qui proportionne la taille à l'importance nous semble beaucoup plus conventionnel; mais il a aussi un fondement naturel, puisqu'on ne trouve jamais, et qu'on a du mal à imaginer, le système inverse où l'importance serait proportionnelle à la petitesse. L'analyse sémiologique n'oubliera pas non plus que le lien entre la taille et l'importance n'est pas banni de la représentation en perspective, mais qu'il est soumis à un code plus fort. Je ne parle pas des représentations hybrides comme celles qu'a discutées Francastel, mais du fait que les artistes qui ont entièrement dominé la perspective ont ménagé des arrangements où l'objet le plus important occupe une grande place sur la surface du tableau. Cette méthode est suffisamment générale et convenue pour que sa non-application, par exemple dans les tableaux flamands du XVIᵉ siècle où le saint est une petite figure au fond d'un paysage, produise un effet voulu de surprise et de « naturel ». Encore dans ces cas l'artiste respecte-t-il généralement la règle de la centralité opposée à la marginalité.

Il y a lieu de considérer encore le rôle du contenu expressif. Les couleurs ont-elles un effet expressif naturel? Stridence du jaune, froideur du bleu? L'horizontale et la verticale ont-elles une valeur fixe, liée par exemple à l'expérience universelle des positions debout et couchée? La réponse est probablement affirmative, mais ces valeurs sont très vite prises en charge ou neutralisées par le système de l'art. D'une façon générale, même lorsque ses aspects systématiques sont particulièrement accusés l'art donne aux conventions une apparence de motivation grâce au principe d'analogie; tandis que la convention affecte les secteurs où l'art semble le plus « naturel », comme le trompe-l'œil.

Enfin, si l'on espère aboutir à des résultats utiles, il faudra bien envisager sur quelle théorie du signe une sémiologie de l'art doit s'établir. Celle de Peirce[22] a l'avantage d'écarter la référence (c'est-à-dire le rapport au monde extérieur) de la définition du signe. Le sens du signe y apparaît lui-même comme un signe. Il se noue ainsi une chaîne illimitée de signes. Par exemple, le sens du mot arbre ne sera pas lié à un ou des arbres dans la nature, ou à une image mentale d'arbre, ou à l'idée d'arbre, mais à un autre signe, comme l'énoncé d'une définition, renvoyant lui-même à d'autres énoncés. Le signe implique tout le système qui le supporte[23].

Une telle conception du sens du signe peut aussi aider à envisager la mise en discours qui est le principal devoir de l'interprétation de l'art. C'est ici qu'intervient Freud.

L'usage que l'exégèse de l'art peut faire de l'enseignement freudien est singulièrement compliqué du fait que Freud lui-même a écrit sur l'art. En particulier un long débat entoure le texte célèbre sur Léonard de Vinci. Freud avait fondé son analyse sur certaines données fausses, et ses conclusions biographiques ont été, en partie du moins, contredites par des documents d'archives[24]. La controverse s'est engagée surtout au sujet du bien-fondé des résultats de Freud, que certains ont défendus contre toute vraisemblance.

En fait le problème est ailleurs. Il s'agit surtout pour Freud d'une psychanalyse rétrospective *à travers* les œuvres[25]. Un tel travail peut éclairer en partie la genèse des œuvres dans la mesure précisément où cette genèse dépend du psychisme individuel. Freud, il est vrai, n'écarte pas l'ambition d'expliquer ainsi le sens ou l'effet des œuvres. Ce serait notamment le sourire retrouvé de la mère qui donnerait son étrange pouvoir à la Joconde. On a ici affaire à un intersubjectivisme qui n'est pas nécessairement à exclure des mécanismes de la perception de l'art, mais qui ne saurait servir de base à l'interprétation.

La vraie question serait la suivante : une analyse comme celle que Freud propose dans son *Léonard,* bien conduite, passe-t-elle à travers l'œuvre sans l'affecter ou éclaire-t-elle au moins partiellement son sens objectif? Lorsqu'on reconstitue les cristallisations et les déplacements auxquels sont soumises les pulsions d'origine biologique, lorsqu'on remonte cette chaîne symbolique où le désir est sublimé, découvre-t-on des significations suffisamment engagées dans l'œuvre qui en est l'aboutissement? Ces significations entrent-elles avec les autres contenus (formel, religieux, moral, etc.) dans un rapport d'action réciproque pour former ce qu'on m'excusera d'appeler une structure sémantique? La réponse ne saurait être simple. Un essai de Schapiro sur « Les pommes de Cézanne[26] » montre à quel point la charge émotionnelle et les connotations

érotiques sont pour ainsi dire institutionnalisées tant
par des références internes entre les œuvres de l'artiste
que par le contexte d'une tradition artistique et culturelle plus large. Une étude de Leo Steinberg sur la
Pietà de Michel-Ange[27] à la cathédrale de Florence
permet aussi de penser qu'un thème érotico-mystique
traditionnel y est intimement lié à des préoccupations
individuelles et que la projection personnelle est inscrite dans l'œuvre et dans sa mutilation finale par le
sculpteur.

Les artistes eux-mêmes ont très bien ressenti ce que
la théorie freudienne, et l'interprétation des rêves en
particulier, pouvait leur apporter. Mais Freud, toujours bien-pensant et traditionaliste, a violemment
condamné l'art moderne, tant expressionniste que
surréaliste, qui se réclamait de son enseignement. Du
reste, dans l'*Interprétation des rêves,* donc dès 1900,
Freud insiste sur le fait que le rêve n'a pas de valeur
comme composition, pas de cohérence comme œuvre
d'art, comme s'il avait ressenti le problème et voulu
refermer la porte qu'il ouvrait[28]. Rorschach[29], au
contraire, fils de peintre, au courant de l'art moderne,
a senti la valeur artistique des taches de son test. Il a
même indiqué que pour l'efficacité du test il fallait
garder une certaine cohérence esthétique, tout en
conservant, bien entendu, un maximum d'indétermination figurative.

Freud, cependant, nous donne lui-même les raisons
qui permettent d'attendre quelque chose de sa *Traumdeutung* pour une exégèse de l'art en notant que la
« scène du rêve » est un monde d'images par opposition au discours et qu'on y a affaire à une activité
mentale autre que la pensée discursive. On accordera
facilement, en outre, que les images de l'art ont un
contenu surdéterminé, non pas *une* signification mais
des significations à plusieurs niveaux. Il semble donc

légitime de traiter l'œuvre d'art comme un rêve ou un fantasme. Ce que Freud offre est le modèle de la mise en discours d'un sens qui prolifère et n'est jamais tout à fait épuisé. Cette prolifération se fait par des déplacements de sens, qui travaillent l'image, le signifié devenant signifiant dans un mouvement que l'on ne peut arrêter qu'arbitrairement. Cela ne nous surprend ni ne nous inquiète parce que la nature analogique du signe de l'art le place d'emblée dans une chaîne métaphorique toujours déplaçable.

Chez Freud, l'interprétation est partiellement contrôlée par la cohérence du psychisme du rêveur. Mais on peut se servir du modèle d'interprétation sans se limiter aux contenus psychologiques, sans envisager l'interprétation comme un déchiffrement de la psychologie de l'artiste *à travers* les œuvres, mais comme une exploration des sens possibles *à partir* de l'œuvre[30]. On supposera que les contenus prolifèrent alors indéfiniment sans jamais être épuisés, à l'intérieur cependant de certaines limites sans lesquelles le sens se perdrait dans une complète indétermination. On peut admettre à priori que la structure de l'œuvre est propre à régler le jeu du sens.

Trois facteurs peuvent définir le champ de signification : le producteur, l'interprète, la culture. Revenons un moment au test de Rorschach. Il est clair que la stratégie, ici, consiste à éliminer, dans la mesure du possible, deux des facteurs indiqués pour que l'interprétation relève le plus complètement possible de l'interprète. Aussi indique-t-on bien au testé qu'il s'agit d'images fortuites. Néanmoins, les interprétations s'attachent à l'image pour l'interprète (d'où diverses plaisanteries sur des patients qui, ayant vu des obscénités dans les taches du test demandent à les emporter pour les montrer à leurs amis). D'autre part, ces interprétations sont plus ou moins communica-

bles : je ne veux pas seulement dire que le testé les
exprime verbalement de façon intelligible, mais que
celui qui l'écoute peut « voir » dans la tache ce que le
testé indique, selon le degré plus ou moins grand
d'analogie visuelle entre les fantasmes projetés et les
signes graphiques.

Les images du Rorschach auraient-elles un sens
immanent ? Sans doute, dans la mesure où le culturel,
le social pénètrent partout. Aussi bien pourrait-on
montrer que ces taches donnent prise à l'histoire de
l'art, qu'elles appartiennent à une tradition bien définie de production d'images[31]. Quant à l'interprète, il
ne les aborde pas seulement avec son psychisme, mais
avec un équipement, intériorisé mais appris, de
déchiffrage[32]. D'un côté les taches du test appartiennent en fait au monde de la culture par leur mode de
production ; de l'autre, dès l'instant où elles sont
proposées à un interprète, elles appartiennent comme
l'art et comme le fantasme au domaine de la représentation.

Freud a proposé un modèle d'interprétation active
et dynamique. En parcourant et reparcourant l'œuvre,
le texte critique la travaille, la creuse inlassable-
ment[33]. Le rôle d'une sémiologie sera d'organiser et
d'articuler ce discours. Mais une étude sémiologique
ne peut se faire que dans un contexte historique
spécifique. Si l'on veut faire une histoire du sens, le
sens n'apparaît que dans l'histoire. Et en fait, les
tentatives d'arracher l'art au temps, les musées imagi-
naires ne réussirent qu'à l'enfermer dans le présent,
qu'à l'assujettir à l'esthétique du jour.

Prenons l'exemple du portrait. L'histoire de l'art
traditionnelle a du mal à le définir parce qu'elle tente
de le faire dans l'absolu. Elle suppose que de tout
temps l'artiste a devant lui des individus qu'il choisit
ou non de représenter. Nous commencerons au

contraire par constater qu'il y a des périodes où le portrait existe opposées à des périodes où il n'existe pas. Cela permet de poser le portrait comme individualisation, ou comme l'institution de l'individu dans et par l'art. Au reste le sens du portrait, défini par la place qu'il occupe dans le système de l'art, par ceux dont on fait le portrait opposés à ceux qui en sont exclus, par sa fonction, etc., varie considérablement selon les époques. En Grèce jusqu'à Alexandre, il n'y a de portraits que d'hommes illustres (fondateurs de villes, grands poètes ou philosophes, stratèges, etc.); de plus la ressemblance physique telle que nous l'entendons ne peut pas y jouer un grand rôle parce qu'une bonne partie des personnages représentés étaient morts sans qu'on ait pu enregistrer leur apparence (ainsi d'Homère dont les portraits sont particulièrement nombreux). D'ailleurs tous ces portraits, même ceux de personnages plus récents comme Alexandre, sont visiblement des types généralisés, et ne donnent en rien l'impression d'une ressemblance physique. Le portrait est l'expression physionomique des qualités intellectuelles et morales d'un homme exemplaire. Dans l'ancienne Egypte, au contraire, on individualise par l'enregistrement exact de l'apparence, ou plus exactement par la différenciation minutieuse entre quelques personnages (Pharaon et son entourage) qui s'opposent par là à une masse humaine indistincte. Depuis la Renaissance le portrait s'est généralisé et s'est aussi diversifié : le format, la taille, la présentation du tableau, la pose, tout porte un sens différencié. Un buste n'a pas la même valeur qu'un portrait en pied. La place qu'occupent les éléments dans le tableau est signifiante. Ainsi la taille et la centralité relative de la tête par rapport au reste du corps et aux accessoires est capitale parce que le costume porte des indications sur la position sociale tandis que le visage

est le siège privilégié des indications sur le psychisme
et sur l'être intime. Au reste ces conventions changent
assez vite. Au XVIᵉ siècle en France, le portrait en pied
est réservé aux figures régnantes[34]. Mais au XVIIᵉ siècle en Hollande, il est au contraire accessible aux
bourgeois. Enfin, le code du portrait devient si exact
qu'il permet des effets inattendus. Il existe plusieurs
tableaux de Rembrandt qu'une personne cultivée
identifie immédiatement comme des « portraits de
Jésus-Christ ». Le format, la présentation, le traitement marquent ces tableaux comme des portraits, et
la connaissance d'autres tableaux, en particulier d'autres Rembrandt, permet d'y reconnaître Jésus qu'aucun accessoire symbolique ne désigne. Evidemment
ces œuvres renferment toute une conception du christianisme et de l'humanité de Jésus dans laquelle il
n'est pas question d'entrer ici. Simplement, ce n'est
qu'à l'intérieur d'un système très élaboré et strictement lié que peuvent apparaître ces tableaux un peu
anormaux et la richesse du sens qui s'en dégage.

On ne peut donc saisir le sens que dans un contexte
historique spécifique. Les techniques mises en œuvre
devront être adaptées à l'objet particulier qu'on se
propose. L'historien sera spécialement attentif à marquer le niveau de généralité auquel il se place. La
démarche à suivre ne sera pas la même pour interpréter la *Transfiguration* de Raphaël, le paysage en
Hollande au XVIIᵉ siècle (qui, pris en bloc, a aussi un
sens), un tapis persan, ou un groupe de céramiques
néolithiques.

En même temps, si l'on peut admettre avec Riegl
que tout art veut représenter *son* monde, nous ne le
connaissons que par différence avec le nôtre. Cela est
évident, mais demande à être répété. Nous voyons les
portraits égyptiens, grecs, et renaissants avec des yeux
qui connaissent la photographie : l'histoire s'organise

en un système de différences et de discontinuités qui articulent la durée. C'est par ce souci du temps ou des temps que l'histoire de l'art a une problématique commune avec l'histoire tout court[35]. Mais l'histoire de l'art a cette particularité d'avoir affaire à des objets matériels. L'existence physique des œuvres les soumet à un temps propre qui les marque, les dégrade et les enrichit. Car s'il est vrai comme l'a écrit Focillon que « le bois de la statue n'est plus le bois de l'arbre », il n'en reste pas moins qu'il sèche, brûle, craque, et se patine[36]. Force nous est d'admettre que la Joconde n'est pas et ne sera jamais la fraîche peinture que décrit Vasari, mais elle n'a pas toujours été, et elle n'est peut-être pas seulement l'étrange « divinité sous-marine » (K. Clark) qui nous sourit dans son aqua-rium du Louvre.

Il n'est donc pas question d'abandonner la critique historique et les techniques philologiques, ni de jeter au feu l'acquis de l'histoire de l'art. Mais on voudrait les mettre au service d'une interprétation plus cons-ciente et moins contraignante que celle qui prétend s'imposer en général sans se montrer. On peut être découragé, il est vrai, par la difficulté et par la relative minceur des résultats obtenus par quelques tentatives dispersées, surtout par rapport à l'efficacité de l'his-toire de l'art établie. Mais si l'on dépensait les trésors de persévérance, d'ingéniosité et d'imagination qui ont permis d'attribuer tant de tableaux à tant de peintres, tant de miniatures à tant de mains, peut-être abouti-rait-on. Pourtant un dernier scrupule peut retenir. L'interprétation n'est-elle pas toujours une violence ? Le respect de l'œuvre, une parole pieuse pour couvrir cette violence faite ? Sans doute. Mais enfermées dans leur silence[37], les œuvres d'art restent muettes si on ne les met pas à la question.

NOTES

J'ai plaisir à remercier ici Jean-Claude Lebensztejn et Charles Rosen avec qui j'ai pu discuter les principaux points de cet article, et Gérard Rudent qui a bien voulu lire le manuscrit.

1. Panofsky, « Ueber das Verhältnis der Kunstgeschichte zur Kunsttheorie », *Zeitschrift f. Aesthetik und allgemeine Kunstwissenschaft*, XVIII, 1925; et récemment Bernard Teyssèdre, « La réflexion sur l'art – Après la déroute des systèmes esthétiques », *Les Sciences humaines et l'œuvre d'art*, Bruxelles, la Connaissance, 1969, pp. 7-47.

2. Jacques Thuillier, « La Tour. Enigmes et hypothèses », dans *Georges de La Tour*, catalogue d'exposition, Paris, mai-septembre 1972, p. 27. L'auteur d'ajouter : « Entendons-nous bien : il s'agit de cette histoire de l'art traditionnelle, aujourd'hui moquée et vilipendée, réduite à portion congrue, et dont on ose à peine prononcer le nom, même dans l'Université ou les Musées. » Venant de la plus institutionnalisée des histoires de l'art et dans une publication aussi officielle la complainte ne manque pas de piquant. Du reste je tiens, afin d'éviter tout malentendu, à exprimer mon admiration pour le plus brillant représentant de l'« histoire de l'art traditionnelle » renouvelée.

3. Pour les textes anciens de théorie et d'histoire de l'art on se rapportera à l'ouvrage classique de Julius von Schlosser, *Die Kunstliteratur*, Vienne, 1924; on utilise de préférence la traduction italienne, *La letteratura artistica*, réimpression de 1956 avec supplément bibliographique par Otto Kurz. Parmi les contributions récentes signalons Jacques Thuillier, « Temps et tableau : la théorie des " péripéties " dans la peinture française du XVIIᵉ siècle », *Stil und Ueberlieferung* (*Actes* du 21ᵉ Congrès international d'histoire de l'art, Bonn, 1964), 1967, vol. III, pp. 191-206, qui montre sur un exemple que la théorie de l'art en France au XVIIᵉ siècle est très originale au contraire de ce qu'avait avancé Schlosser.

4. Adolph Hildebrand, *Problem der Form*, Strasbourg, 1893. On sait l'impression décisive que ce livre fit sur Wölfflin.

5. J. Thuillier, « La Tour... », *op. cit.,* p. 29.

6. Etienne Souriau, « Y a-t-il une palette française? » *Art de France*, II, 1962, pp. 23-42.

7. Giovanni Morelli, dans l'introduction méthodologique à l'édition de 1890 de ses *Kunstkritische Studien über italienische Malerei*,

insiste encore sur la coupure entre connaisseurs et historiens d'art. Mais il s'agit alors d'une situation un peu dépassée, exagérée à des fins polémiques. Elle n'en garde pas moins un fond de vérité. Morelli a voulu systématiser la méthode des connaisseurs et fonder sur elle une histoire de l'art scientifique. Dans le renouveau d'intérêt, très opportun, qui s'attache à lui, il faut signaler surtout une critique nuancée de la méthode par Richard Wollheim, « G. M. and the Origins of Scientific Connoisseurship », *On Art and the Mind,* Londres, 1973, pp. 176-201; et une analyse de la théorie qu'implique la démarche morellienne par Hubert Damisch, « La partie et le tout », *Revue d'esthétique,* XXIII, 1970, pp. 168-188.

8. Les principales œuvres de Riegl (1858-1905) après une série de publications spécialisées sur les textiles, sont *Stilfragen,* Berlin, 1893, et réédition en 1927; *Die spätrömische Kunst Industrie nach den Funden in Oesterreich-Ungarn,* Vienne, 1901-1902; « Das holländische Gruppenporträt », *Jahrbuch der kunsthistorischen Sammlungen des Allerhöchsten Kaiserhauses,* 1902; ses articles importants ont été recueillis dans *Gesammelte Aufsätze,* Munich, 1929.

9. Bien entendu, Riegl n'est pas entièrement isolé dans l'histoire de l'art. On sait en particulier qu'entre *Stilfragen* et *Die spätrömische Kunst Industrie,* Franz Wickhoff publia *Die Wiener Genesis* où il soutenait des thèses assez semblables sur l'art romain. Sur la place de Riegl dans l'école viennoise d'histoire de l'art, on se rapportera à Julius von Schlosser, « Die wiener Schule der Kunstgeschichte », *Mitteilungen des Oesterreichischen Instituts für Geschichtsforschung,* Ergänzungsband XIII, Heft 2, Innsbruck, 1934. En France, il faut citer un essai très précoce et curieux de Jules Renouvier : « Idées pour une classification générale des monuments », *Mémoires de l'académie de Montpellier,* I, 1847, pp. 91-118.

10. Cela est très clairement exposé dans l'introduction des *holländische Gruppenporträt.*

11. Ses principaux maîtres furent Guido Kaschnitz-Weinberg, Theodor Hetzer et Hans Sedlmayr dont l'introduction aux *Gesammelte Aufsätze* de Riegl, en 1929, est une sorte de manifeste. Ces auteurs ne sont pas toujours à l'abri des méfaits intellectuels du racisme et d'un extrême nationalisme. L'analyse structurale connaît un renouveau non seulement en Allemagne mais aussi aux Etats-Unis.

12. « Der Begriff des Kunstwollens », *Zeitschrift für Aesthetik und Allgemeine Kunstwissenschaft,* XIV, 1920.

13. C'est la version qu'en a donné Max Dvořák, en particulier dans les essais recueillis sous le titre *Kunstgeschichte als Geistesgeschichte,* Munich, 1924. Au demeurant cette histoire spirituelle à travers l'art ne s'écarte pas sérieusement de l'histoire de la civilisation dans la lignée de Burckhardt. Leur hégélianisme commun (bien mis en

lumière chez Burckhardt par E.H. Gombrich, *In Search of Cultural History,* Oxford, 1969) explique que l'on passe presque indistinctement de l'un à l'autre.

14. On attend encore une histoire de l'art marxiste. L'ouvrage récent de Nicos Hadjinicolaou (*Histoire de l'art et lutte des classes,* Paris, 1973), s'il fait un procès marxiste assez bien mené de l'histoire de l'art existante, reste fort décevant dans sa partie positive. Antal semble alors son principal modèle (malgré une terminologie fourbie à neuf) et son histoire de l'art consiste à mettre les phénomènes artistiques en rapport avec des phénomènes socio-économiques supposés établis.

Une histoire de l'art marxiste devrait reposer sur les doctrines fondamentales du matérialisme historique : la superstructure (l'art) est *en dernier ressort* déterminée par la base socio-économique; la superstructure a une autonomie relative; elle a une action en retour sur la réalité (le socio-économique). Si l'histoire de l'art marxiste comme « science régionale » doit insister, pour produire le concept de son objet, sur l'autonomie relative de la superstructure et sur l'action en retour, comme il me semble que c'est le cas, elle n'est pas sans rapport avec la pensée de Riegl et peut en tirer parti. Dans les deux cas on opère un isolement méthodologique de l'art, pour l'efficacité de l'étude, qu'il faut bien opposer à l'isolement ontologique imaginé par l'art depuis la Renaissance et par l'histoire de l'art traditionnelle. Cette distinction très importante ne doit pas être perdue de vue dans les pages qui suivent.

Au reste, une histoire de l'art authentiquement marxiste ne peut guère qu'être engagée et militante, et demande un renoncement aux valeurs présentes de l'art, c'est-à-dire en fait à l'art tel que nous l'entendons. Walter Benjamin, dans l'essai célèbre « L'œuvre d'art à l'ère de sa reproductibilité technique » (*Poésie et révolution,* Paris, 1971, pp. 171-210), l'a clairement ressenti et exprimé, mais avec toute la nostalgie d'un homme attaché à un monde qu'il voit condamné. Jean-Claude Lebensztejn (« L'espace de l'art », *Critique,* 1970, pp. 321-599) envisage au contraire cette agonie avec anticipation. Pour une tentative sérieuse d'établir une théorie marxiste de l'art (au sens général, littérature incluse) on se rapportera à A. Badiou, « L'autonomie du processus esthétique » (*Cahiers marxistes-léninistes,* juillet-octobre 1966, pp. 77-89), qui reste à mettre à l'épreuve.

15. Antal, *Florentine Painting and its Social Background,* Londres, 1948. On a montré que le raisonnement d'Antal était parfois circulaire, le goût, supposé déterminant, du mécène n'étant connu que grâce à l'œuvre commandée (R. Salvini, « Significato e limiti di una storia sociale dell'arte », *Actes* du XXIIe Congrès international d'histoire de l'art, 1969, Budapest, 1972, I, p. 492).

L'étude du mécénat n'est pas nécessairement marxisante ou déterministe. Dans son bel ouvrage *Patrons and Painters,* Londres, 1963, Francis Haskell a fait des conditions sociales de l'art au XVIIe siècle en Italie une étude caractéristique de l'empirisme anglais et d'une prudence extrême dans les conclusions.

16. Voir l'introduction aux *Essais d'iconologie,* Paris, Gallimard, 1967, dont la publication anglaise remonte à 1939, et l'article antérieur dont cette introduction est partiellement la reprise modifiée, « Zum Problem der Beschreibung und Inhaltdeutung von Werken der bildenden Kunst », *Logos,* XXI, 1932, pp. 103-119.

17. Sur le rapport Morelli-Wölfflin, voir les remarques pénétrantes de Hubert Damisch, *op. cit.,* pp. 178-188.

18. Bien entendu, cette observation n'est pas nouvelle chez Saussure; on la trouve dès la Logique de Port-Royal. On sait du reste que la notion saussurienne de l'arbitraire du signe donne lieu à d'importantes discussions.

19. Le livre de William Ivins, *Prints and Visual Communication,* Cambridge (U.S.A.), 1953, peut servir de point de départ, mais il reste trop chargé de préjugés à la fois épistémologiques et esthétiques.

20. Meyer Schapiro, « On some Problems in the Semiotics of Visual Art; Field and Vehicle in Image-Signs », *Semiotica,* I, 1969, pp. 223-242; traduction française dans *Critique,* 1973, pp. 843-866.

21. Voir surtout à ce sujet Pierre Francastel, *Peinture et société,* Lyon, 1951.

22. Charles S. Peirce, *Collected Papers,* vol. II, Cambridge (U.S.A.), 1932, pp. 134-173, surtout le fragment 274, pp. 156-157.

23. Wilhelm von Humboldt pensait déjà que le mot met en cause toute la langue et par conséquent l'ensemble culturel auquel il appartient. De même, le sens immanent de Panofsky est une vision du monde (*Weltanschauung*) et implique globalement la culture qui le supporte.

24. Meyer Schapiro, « Leonardo and Freud : an Art-Historical Study », *Journal of the History of Ideas,* XVII, 1956; repris dans *Renaissance Essays* (edited by P.O. Kristeller and P.P. Wiener), New York, 1968, pp. 303-336, tire les conséquences de ces découvertes. Schapiro a aussi montré que l'âge à peu près semblable de la Vierge et de sainte Anne dans le tableau du Louvre aussi bien que dans le carton de Londres repose sur une longue tradition iconographique, et n'est pas une innovation de Léonard comme l'a cru Freud qui y voyait la projection d'une situation familiale : la présence, dans l'enfance de l'artiste, de deux mères, la vraie, Catarina, et la femme du père. Pourtant, le choix de cette tradition et la façon dont le thème est traité peuvent être révélateurs de la psychologie de l'artiste. De même le texte des carnets de Léonard que Freud a pris pour un véritable fantasme présenté comme souvenir d'enfance est en fait une petite fable dont Schapiro dégage parfaitement le sens explicite : en disant

que petit enfant un milan était venu introduire sa queue dans sa bouche et la battre fortement, Léonard exprime qu'il était destiné à faire des découvertes importantes sur le vol des oiseaux. Pourtant la fable peut parfaitement se présenter comme un motif surdéterminé et donne prise au travail psychanalytique pour en faire émerger des contenus psychologiques divers. Si l'on songe à l'expression populaire toujours en vigueur, *prendere l'uccello in bocca,* on a du mal à ne pas suivre Freud. Du reste Schapiro ne prétend pas que l'analyse freudienne n'est pas légitime (il propose même de voir dans la substitution de saint Jean par l'agneau dans la *Sainte Anne* du Louvre une projection narcissique homosexuelle); il montre seulement que l'analyse proposée par Freud est fautive, et qu'elle aurait dû se doubler de connaissances philologiques plus complètes.

25. Richard Wollheim (« Freud and the Understanding of Art », *On Art and the Mind,* Londres, 1973, p. 205) a, je crois, raison de penser que le but principal de Freud dans le *Léonard* est une biographie psychanalytique. Wollheim dégage ce qu'il y a de disparate dans les écrits de Freud sur l'art. Sa conclusion est importante : Freud ne rend pas compte de la place de l'inconscient dans l'art de façon satisfaisante parce qu'à l'époque où sa théorie de l'inconscient est arrivée à maturité, il n'a plus écrit sur l'art.

Jean-Claude Bonne (« Le travail d'un fantasme », *Critique,* 1973, pp. 725-753) propose une élaboration ou « lecture » théorique du texte de Freud; il s'en dégage un concept peut-être utile de travail figuratif. Bonne a bien vu que l'important est d'établir le statut et la légitimité de la démarche de Freud dans le *Léonard* plutôt que la correction de son application. Il est malheureusement difficile de ne pas être gêné par les erreurs de Freud que Bonne choisit de perpétuer pour simplifier la discussion. Je n'ai pu tenir compte dans le texte de cet article paru trop tard.

26. Meyer Schapiro, « The Apples of Cézanne : An Essay on the Meaning of Still-life », *The Avant-Garde, Art News Annual,* XXXIV, 1968, pp. 34-53, traduction française dans *la Revue de l'Art,* n° 1.

27. Leo Steinberg, « Michelangelo's Florentine *Pietà* : the missing leg », *Art Bulletin,* 1968, pp. 343-353.

28. Il ne faut pas oublier la distinction de Sarah Kofman (*L'Enfance de l'Art,* Paris, 1970) entre ce que Freud *dit* et ce qu'il fait. Mais force nous est de tenir compte aussi de ce qu'il dit.

29. H. Rorschach, *Psychodiagnostik,* Berne et Leipzig, 1921, traduction française, Paris, P.U.F., 1947.

30. Découvrir le contenu à partir de l'œuvre est aussi le propos de Freud dans l'essai sur le Moïse de Michel-Ange. Mais comme l'a souligné E. H. Gombrich (« L'esthétique de Freud », *Preuves,* avril 1969, pp. 21-35), Freud met ici en œuvre un type traditionnel d'exégèse. Gombrich, à la suite d'Ernst Kris, propose *Le Mot*

d'esprit... « comme le modèle originel de toute description de la création artistique dans une perspective freudienne ».

31. E. H. Gombrich, *L'Art et l'illusion,* Paris, Gallimard, 1971, pp. 235-243.

32. E. H. Gombrich, *L'Art et l'illusion,* IIIe partie, *passim.*

33. C'est ce qu'a tenté Jean-Louis Schéfer dans *Scénographie d'un tableau,* Paris, 1969, livre important, peut-être trop ambitieux et trop difficile. On lira aussi à son propos, Louis Marin, *Etudes sémiologiques,* pp. 45-60, « Le discours de la figure », qui me semble bien reprendre les points principaux du livre. Au contraire de Marin, qui fait intervenir Freud en second lieu, il me semble que la *Traumdeutung* est le modèle de base sur lequel opère Schéfer. On notera qu'il n'y est pas fait allusion dans l'ouvrage, alors que les références sémiologiques et linguistiques sont constantes et exprimées dans une terminologie d'un éclectisme exubérant.

34. Je ne vois comme exception que le portrait des trois frères Coligny dessiné et gravé par Marc Duval. Un tableau comme la *Diane chasseresse* du Louvre, même s'il représente bien Diane de Poitiers, appartient à un autre genre, la duchesse de Valentinois ne faisant que prêter ses traits à la déesse antique.

35. La multiplicité des temps (appartenance d'un même objet à des séquences temporelles différentes) est l'aspect intéressant du livre de George Kubler, *The Shape of Time,* New Haven, 1962. Pourtant les énoncés de Fernand Braudel restent plus clairs et plus fermes et l'historien de l'art aura avantage à s'y rapporter.

36. Pour la façon dont la peinture est affectée par ce temps physique, voir Jacques Guillerme, *L'Atelier du temps,* Paris, 1964. Attaché à l'esthétique de la création, l'auteur est plongé dans l'angoisse par la destinée physique des œuvres. La restauration se présente comme rédemption inévitable et impossible.

37. Voir, en particulier, Pierre Bourdieu et Alain Darbel, *L'Amour de l'art. Les musées et leur public,* Paris, 1966.

Les sciences

PAR

MICHEL SERRES

Première demande : comment définir la formation culturelle appelée science, par rapport aux autres formations culturelles, puis par rapport aux autres formations en général : économiques, sociales, politiques...? Quelle est sa place, quelles sont les relations qui la réunissent à cet ensemble ou qui la font émerger de lui? Question de droit, surtout de fait : comment cela se passe-t-il dans le procès historique? La demande est globale et je ne lui connais que des réponses *théoriques*. J'entends par là que nul ne m'a jamais fait voir concrètement, ici et dans tel intervalle, ni de démontage précis de ces relations au travail, ni de définition précise de cette place. On peut toujours annoncer qu'il *doit* exister des chemins de détermination entre la forme esclavagiste de la société grecque et le miracle de la géométrie, qu'il *doit* exister des conditionnements divers de l'économie mercantile de l'Europe moderne à l'apparition des sciences appliquées dès l'âge classique, etc., on peut l'annoncer, on a raison de le faire. Il n'empêche que le dessin de ces chemins, que la description approchée de ces conditions n'existent pas. La chose est peut-être démontrée, elle n'est pas montrée. Il n'y a pas d'*histoire* de ce problème, je n'en connais que le cadre *spéculatif*.

Plusieurs raisons concourent à l'échec. Dont la moindre n'est pas la division du travail intellectuel, derrière quoi se dissimulent des fantômes dangereux, c'est-à-dire des réalités socio-politiques de domination et de manipulation; que les historiens, que les philosophes, ignorent la science, qu'à l'inverse, les savants ne sachent pas d'histoire ni de philosophie, dans les deux cas, sauf exception, jusqu'à l'infantile, cela est plein d'un sens qu'il faudra bien élucider un jour. Alors, les formations de tout à l'heure paraissent distinctes ou réunies par des relations prétendues, moins parce qu'elles le sont que par l'inaptitude propre à ceux qui les regardent. Mais ce n'est pas encore le terrain exact de la critique : aussi large que la demande est globale. Une autre division est, en effet, mieux à même de rendre compte directement de l'insuccès pratique d'une entreprise pourtant aisée dans la prévision théorique.

Tout le monde parle d'histoire des sciences. Comme si elle existait. Or, je n'en connais pas. Je connais des monographies ou des associations de monographies à intersection vide. Il y a des histoires des sciences, distributivement. De la géométrie, de l'algèbre, à peine des mathématiques, de l'optique, de la thermo-dynamique, de l'histoire naturelle, et ainsi de suite. Que la monographie d'une discipline ou d'une région se soit, aujourd'hui, substituée à celle d'un auteur, génial ou secondaire, comme on disait, cela ne change pas grand-chose à l'affaire. Au lieu de découper un groupe en individus, on découpe une carte en régions. Alors, la géométrie ou l'optique s'engendrent de soi-même, par soi-même, comme si elles existaient indé-pendamment et se développaient en système clos. Tout se passe comme s'il était interdit de s'interroger sur la classification des sciences en secteurs. Or, cette partition, en tant qu'elle décide quelque chose sur les objets du savoir, sur ses méthodes et sur ses résultats, *avant* même le procès historique où cet ensemble va se développer, est idéologique par essence. Ainsi toute monographie ou toute association de monographies, postérieure à ou victime d'une classification, trans-

porte, invariantes, ses faiblesses, ses lacunes, ses décisions. Peut-être faudrait-il commencer par faire l'histoire critique des classifications. Mais l'histoire même
est dans une classe.

Comment voulez-vous, dès lors qu'il y a *des* sciences, bien réparties, soigneusement séparées, imaginer
quelque rapport entre l'histoire générale et celle des
disciplines, puisqu'il n'y a même pas de rapport entre
les champs singuliers du savoir? La question est déjà
résolue et résolue par la négative. L'échec sur la
demande globale est consommé antérieurement, sur la
demande locale. Tant qu'il n'y aura pas d'histoire *des*
sciences, c'est-à-dire d'histoire de la coulée générale
du savoir comme tel, et non désintégré, il n'y aura
aucune possibilité *pratique* d'élucider les rapports
entre cette formation, puisqu'elle n'existe pas, et les
autres. Solutions toujours spéculatives, parce qu'un de
leurs éléments est toujours virtuel.

*

On a pu faire voir qu'à certains moments (pourquoi
ces seuils stadiaux?) de l'histoire, le tout du savoir
scientifique se recomposait. L'idée nous vient d'Auguste Comte, *via* le Brunschvicg des *Étapes*. Or ce
tableau global et les intersections multiples qu'il
exhibe *n'est jamais un événement, il existe toujours.*
On peut toujours dessiner une moraine frontale, la
moraine où la coulée s'arrête à une date donnée,
arbitraire : elle est toujours significative. Bien entendu, elle n'est pas strictement perpendiculaire à
l'axe du parcours, son profil est dentelé, irrégulier,
stochastiquement dispersé, lorsqu'il est vu de près,
comme disait Perrin. L'irrégularité aléatoire de très
petite échelle et la signification régulière de grande
échelle sont la marque du réel, en histoire comme

partout ailleurs. L'histoire des sciences décrit l'avancée de cette moraine frontale, *de la variété la plus orthogonale à toute classification possible,* ou plutôt *de la distribution réelle qui a fonctionné à ce moment précis sur le savoir du temps.*

La variété classique du mi-lieu

J'ai montré autrefois, ou du moins j'ai cru le faire, qu'à l'âge classique, les sciences, temporairement définitives ou encore aventurées, ont exprimé, chacune en sa région, dans sa langue et par ses moyens autochtones, un thème unique, répercuté dans l'ensemble de la culture, idéologies de tous ordres, morales, religion, techniques de prise ou de conservation du pouvoir politique, théories de la connaissance, etc. Ce n'est pas pour rien que Leibniz, le plus grand voyageur encyclopédique de son temps, a conçu la théorie harmonique où tout se fait d'un seul chœur sans que chaque partition sache rien de sa voisine. L'unité ou, mieux, l'homogénéité de la formation culturelle nommée science n'était pas, là, un parti pris spéculatif de philosophe, mais une invariance structurale retrouvée dans le travail de l'expérience, pratique ou imaginaire, de la preuve, nécessitante ou partielle, de l'hypothèse, explicative, forgée, arbitraire, toutes choses prises dans leur ensemble chaotique. A mon tour, je ne forgeai nulle hypothèse sur le lieu à partir d'où le thème avait pu diffuser : je pense impossible d'assigner cette source, je crois fautif de chercher à la marquer, tant je suis sûr, à force de travail, qu'il n'y a pas de source. Que la mer soit au-dessous du point de congélation, la banquise ne se *forme* pas; jetez un caillou, la voici qui durcit d'ici à l'horizon, en un moment : jetez donc n'importe quoi, n'importe où, n'importe quand, *incerto loco, incerto tempore.* Il n'y a pas de point de diffusion, comme pour le café, la cerise ou les agrumes. Ou plutôt, s'il existe, il est aléatoirement placé. Cela dit, entre des limites historiques assez flottantes, le thème est partout présent, efficace, répété : il est la science classique. Non son géométral, mais son invariant. Il s'agit du *point fixe et du référentiel.* Interrogez, je vous prie, le vocable grec d'*epistêmê,* il signifie cela, en précision. J'analyserai ailleurs plus longuement cette rencontre du savoir ancien et des disciplines classiques.

D'où le bilan, désordonné comme les aléas de l'histoire et les constellations de la langue, mais groupé autour d'un centre ou d'une concentration. Bilan, balance fléchissant par son point d'appui : Roberval. Balancier de l'horloge, temps, pesanteur, harmonie, inquiétude : Huyghens. Statique du point bas le plus bas, Pascal et les liqueurs. Descartes et les machines simples, leviers, treuils, poulies et polispastes, technologie du point d'assiette par qui l'efficace est donnée. Mécanique des centres de grandeur, de ceux de gravité : Leibniz et Bernoulli récupèrent Archimède. Les géomètres de l'ellipse et des sections coniques retrouvent Apollonius, les centres et les foyers. Desargues écrit la métaphysique de l'affaire et remonte, comme Képler, au sommet du cône lui-même : alors, les jeux et déplacements du point de vue et de la source de lumière, de l'œil et du soleil, ramènent la géométrie aux rêves de Milet : projection des solides, intersection des volumes, théorie des ombres, tout le système de la représentation, diffusé en iconographie, au théâtre, dans les théories de la connaissance. Où suis-je, moi qui vois, moi qui parle et qui pense? Si je vois, de quel site et quel profil partiel? Et d'où vient la lumière? Et pourquoi *la* lumière, au XVIIᵉ siècle, et *les* lumières, au siècle suivant? Une source ou plusieurs. Soleil et la pluralité des mondes. Retour aux axes cartésiens, à leur rencontre, origine de la mesure, de l'ordre, de la géométrie algébrique; ici, comme le dit le mot, la référence est un retour, et l'invention une reprise : le langage mathématique ne s'y trompera pas et nommera le centre une origine. De même, la grande algèbre des séries, en Angleterre et sur le continent, travaille sur des chaînes légales fixées à un clou, comme la chaîne des raisons, qu'on aime, en France, dire propre à Descartes. Les séquences ont des lois, comme le mouvement, des consécutions rationnelles : mais elles ne sont réelles et la raison ne se concrétise que par les conditions initiales ou par le premier terme. Il me semble que les historiens ne vont jamais perdre de vue ce modèle simple, trop simple : la série linéaire. Croisez les suites, maintenant, et voyez les roues des cadenas à secret : le comput des combinaisons est rendu possible par le *caput variationis*, élément stable autour duquel s'épuise un ensemble premier d'éléments discrètement distribués, quitte à rendre constant, tour à tour, chaque élément de cet ensemble, et variables les fixes de tout à l'heure : idée mère d'un invariant par la totalité des variations possibles; l'*ars combinatoria* va permettre de nouveaux traitements en arithmétique ou algèbre, et le calcul naissant des probabilités. Retour à la référence pour mesurer, distribuer, ordonner, voir; ce retour peut être sans fin, et il y a des points limites. Ou plutôt, qu'on les appelle centres, sommets, pôles ou origines, ils peuvent être conçus comme autre chose qu'un départ : une concentration; et le cercle a un centre unique parce qu'il est la limite d'une ellipse, et le repos est la limite du mouvement; ainsi se concentre le triangle caractéristique, dans l'évanouissement vers zéro de tout élément spatial mesurable, approche sans trêve d'une adhérence qui donne lieu au premier grand traitement du continu, le calcul infinitésimal. Qui, par un retour normal, assigne les centres de gravité ou les points de tangence, mesure, rectifie, carre et obtient les cubatures. La grande géométrie grecque des similitudes, cent fois retrouvée, aux proportions à la Descartes comme à la lumière arguésienne, est reprise, on le sait, dans la théorie de la reproduction des vivants, préformation, préexistence, emboîtement des germes : qui ne sait, désormais, qu'il existe toujours un point fixe pour une similitude? Qui ne voit Réaumur au travail de thermométrie, cherchant une échelle à deux points fixes pour mesurer les températures?... Assiette, point d'équilibre, centre de grandeur, de mouvement, de forces et de gravité, pour la mécanique et les mécaniques, pôle d'une révolution, référence ponctuelle de la mesure et origine des coordonnées, lieu initial d'une chaîne, point de vue et source de lumière, foyer, centre, concentration, limite d'évanouissements, chef de la variation, début et fin d'une échelle... Voici le monde, tel qu'il est ou va, où tout se projette d'un coup : querelle astronomique entre les tenants de l'héliocentrisme et du géocentrisme, qui sont, quoi qu'on ait dit, du même côté, puisqu'ils veulent, privés encore de démonstration définitive (d'où la violence des discussions), que centré soit le cosmos, ici, là ou ailleurs, chez nous, au soleil ou en quelque autre lumière (la pâle lueur dans Orion), et, de l'autre côté, les désespérés d'un univers infini sans ordre, pôle ni repos. Comme le plus souvent, l'astronomie est le modèle majeur, où se projettent le plus de choses, si agrandies qu'on ne peut plus ne plus les voir. Ainsi l'ordre classique, c'est le point fixe, la raison classique, c'est la pondération qu'une référence tranquille balance et rend concevable. Voici la moraine frontale *des* sciences, cachée le plus souvent par les dispersions classificatrices; dévoilée de toute grille de partition, elle est cohérente à son installation grecque, mais surtout, pour ce qui nous occupe, aux éléments culturels de son âge et de tous ordres, éthiques, religieux, métaphysiques. Pascal s'en déduit assez bien, Descartes avec relativement de clarté, la monadologie pas trop mal, encore que plus sophistiquée. Je regrette, aussitôt que dit, le vocable déduire : il n'est qu'induit par la coulée culturelle, par le siècle de la géométrie. Toutes déductions plongées elles-mêmes dans cette constellation anarchique d'ordre voulu, forcé, imposé. Voyez le christianisme : il ne reprend des forces, après les secousses qu'on sait, que si l'on montre, avec les *Pensées*, que Jésus-Christ est, au centre, le centre, que si l'on montre, avec Bossuet, que ses détracteurs sont soumis à *Variations*. Alors, le Roi-Soleil est la source, à Versailles, en attendant qu'elle transporte ailleurs ses clartés, d'où Frédéric II et d'autres recevront la lumière : du monarque éclairant aux monarchies éclairées, le point fixe passe du Roi aux lois. Comme en astronomie, l'idéologie politique déplace le centre, mais elle maintient un centre, et c'est bien là l'essentiel de l'affaire. Du géocentrisme à l'héliocentrisme politique : mais le pouvoir est toujours concentré ou centralisé. Ainsi, tous, à l'envi, tentent de dénommer le pôle, tentent de le ravir, d'y accéder ou d'entrer en sa possession. Sous les formes de la raison rigoureuse ou des patterns culturels, l'archaïsme immémorial des religions primitives perdure ou l'animalité secrète de la niche écologique : toutes les charges passionnelles d'angoisse poussent à réhabiter un sol sacré, disparu ou sans cesse occulté, qu'on retrouve à force d'initiations et de voyages par le désert profane, comme Terre promise ou ombilic du monde, sommet de la montagne sainte, saint des saints ou pilier du ciel, lieu de

tangence du temporel et de l'éternité, point de vue
définitif, centre de paix, assiette de quiétude, balance
de justice, origine et fin de l'histoire, limite sublime de
l'évanouissement des choses telles qu'elles sont, référence universelle de tout destin humain. Les sciences
parlent bien une seule voix et il existe une variété
orthogonale à toute classification; mais cette variété
extrapole son parcours homogène à l'horizon de la
culture. D'où qu'ils viennent, les pouvoirs ont la
même langue, qu'ils soient de connaissance, de grâce,
de droit, comme on dit, ou d'oppression. L'âge classique ou la variété du mi-lieu.

*

D'où vient immédiatement, si l'analyse locale peut
être extrapolée à d'autres lieux, que la question préjudicielle se dissout aussitôt qu'est mise entre parenthèses la classification dans la variété science. On découvre que l'imbécillité de la partition est l'origine du
problème à la fois et l'obstacle majeur à sa solution
pratique. Qu'il y ait tant et tant de chemins d'une
variété à une autre indique, probablement, qu'il n'y a
pas une multiplicité desdites variétés, mais une seule,
multiplement connexe. Soit à itérer le dessin de ces
connexions.

La variété du plan au XIXe siècle

L'âge classique est en quête d'une référence ponctuelle; pense, démontre, combine, expérimente, organise ses représentations, commande, voit le monde et
vit son pathétique, par ancrage et renvoi à un point
fixe. Il distribue aux seize vents des « disciplines » et
des pratiques la vieille idée grecque d'invariance et de

stabilité rationnelle exprimées par le vocable d'epistêmê. Cette statique générale perdure, en droit, c'est-
à-dire en science, jusqu'au premier tiers du XIXᵉ siècle,
en fait, jusqu'à nos jours ou quasi, transportée par
l'enseignement répétitif et les langues académiques du
fondement, du sol et du socle. Il y avait de quoi, il est
vrai, perpétuer les choses; il y avait de quoi enfermer
quiconque longtemps au creux du rêve laplacien. Ce
que les XVIIᵉ et XVIIIᵉ siècles avaient préparé, les
débuts de l'âge romantique le couronnent de façon
tellement inespérée que, pour à peu près tous les
philosophes postérieurs, c'est ce triomphe temporaire
qui constitue la *science*, à imiter ou à critiquer, même
si mille nouveautés de grande conséquence rendent
bientôt vain ce triomphe et méconnaissable ce couronnement. Aux yeux de beaucoup, la moraine frontale définie sous la Révolution et l'Empire demeure
l'idéal de scientificité : blocage, complexe, inconscient
rationnel, que sais-je?

A partir de Clairaut, la géométrie cartésienne se
généralise deux fois : d'algébrique, elle devient analytique; de planaire, elle passe à trois dimensions. Euler,
Lagrange, Monge, Plücker achèvent un monument,
aux deux sens du mot : édifice parfait, témoin oublié
comme cas singulier de formulations plus générales.
Ici, le plan a son équation, la plus simple dans
l'écriture, il devient, à son tour, référentiel. Et pour le
système des coordonnées, comme on dit, et pour les
systèmes de transformation. Les mathématiciens pen-
sent alors dans l'espace, comme les ingénieurs ou les
architectes : triomphe de la science appliquée, au
bord même de l'abstraction, Comte pourra dire de
cette géométrie qu'elle est une science naturelle, et il
aura raison. Le plan, ce sur quoi on écrit ou *projette*,
est l'ensemble des traces pour les événements solides :

non le lieu des phénomènes, mais leur recueil. La page du livre. Dès lors, et tout d'un coup, la banquise prend, et la variété la plus normale à la classification est celle du *plan fixe*. L'invariant traverse l'espace, géométrique ou mécanique, cet invariant traverse les sciences. Les questions partout posées se ramènent à celles-ci : où est le plan fixe, comment le déterminer, *qu'est-ce qui est écrit sur cette table?* Voyez les choses commencer : Desargues, Pascal, La Hire amorcent une projective, une théorie des ombres, l'étude des transversales; au bout de l'âge, Monge canonise leurs efforts en fondant une descriptive où, justement, tout est ramené à deux plans et, par rotation, à un seul, celui où je dessine, en attendant cette géométrie encore plus naïve, dite cotée, où un seul va suffire. Voici les sciences « pures » réduites à l'épure. Le même Monge, lorsqu'il s'attaque au classement des surfaces, avoue ne le pouvoir faire qu'à l'aide des caractéristiques de leur plan tangent, comme s'il valait mieux suivre les traces que les choses mêmes. Age de la révolution industrielle, âge des ingénieurs, ou la variété du plan. Les exemples sont innombrables, mais, comme toujours, le modèle le plus large et le plus lisible est le système du monde, tel qu'il est décrit par Laplace et Poinsot, sur les leçons de la mécanique de Lagrange. Le beau mémoire *Théorie et détermination de l'équateur du système solaire* raconte d'abord les variations de l'invariant, avant de s'arrêter au dernier, le plan équatorial, qui est bien, lui aussi, un mi-lieu.

La question première porte sur l'errance des planètes, et les inégalités de leurs mouvements. Supposé qu'elles parcourent des cercles, comme le pensait le modèle ptolémaïque, il existe plusieurs fixités : le centre de la figure et donc du mouvement, le rayon mené de celui-ci à l'astre et la vitesse angulaire de la course. L'observation, bientôt, obtient des différences assez notables entre ce schéma et la réalité. Pour les effacer, il a longtemps suffi de déplacer le centre : la théorie de l'excentrique lançait, dès lors, la question du point fixe. Mais surtout la nouvelle géométrie de Kepler. En effet, dès que le pôle du monde n'est plus au centre d'un cercle, mais au foyer d'une ellipse, aucune des anciennes fixités n'est conservée, ni le rayon vecteur, toujours variable, ni l'angle de rotation, pour un temps donné. D'où l'idée de faire réapparaître une constance par le produit des deux nouvelles variables. Il s'agit de la loi de conservation des aires : l'aire elliptique que trace le rayon vecteur de la planète est toujours identique en temps égal. Newton démontre que cette loi de Kepler est caractéristique du mouvement de tout corps attiré par un centre fixe. Autrement dit, observer sur un mouvement quelconque la loi des aires est une preuve que le corps est attiré au centre des rayons vecteurs. Désormais, l'invariance, la fixité peuvent se lire indifféremment sur le pôle et sur la surface ainsi décrite. Mais, de nouveau, la proposition reste théorique et des inégalités apparaissent. C'est qu'il n'y a pas seulement une planète circulant autour du foyer, il y en a plusieurs. L'aire décrite par chacune en particulier n'est plus constante dès que son parcours se trouve perturbé à chaque instant par la présence des autres astres du même système. Voilà posé le célèbre problème des *n* corps. Les premiers à le formuler dans sa généralité furent, au milieu du XVIIIᵉ siècle, le chevalier d'Arcy, Daniel Bernoulli et Euler. Quels sont la figure et le mouvement d'un système de plusieurs masses soumises à des forces quelconques dirigées vers un même point fixe et à leurs actions réciproques, variables, bien entendu, à chaque instant, compte tenu des changements continus de distance? Ainsi formulée, la question est

beaucoup plus fidèle à ce qui se passe en réalité, elle
est aussi beaucoup plus compliquée. En fait, chaque
corps du système est attiré non point vers un seul
centre, mais par toutes les molécules de l'espace. Le
terme perturbation est un mot fossile : ce n'est pas par
accident que la Terre subit l'action de la Lune et des
planètes voisines, au même titre que celle du soleil,
mais en raison même de la loi de Newton. En vertu de
la même loi, son mouvement porte la trace de sa
forme, de la disposition de sa propre matière, attirée
vers son propre centre, et de l'équilibre mouvant des
gaz et des liquides qui forment son enveloppe visqueu-
se. Il n'y a pas, d'une part, un point privilégié, siège de
l'attraction active, et d'autre part, le reste du système,
passivement réceptif : il n'y a pas un moteur et un
mû. Bien sûr, la répartition des masses et la prédominance du soleil dissimulent la vérité : il semble qu'il
en soit ainsi, que les inégalités sont des perturbations,
par rapport à une loi centrale. En fait, la loi de
Newton est une loi d'attraction mutuelle, et chaque
point du système, chaque partie de la matière distri-
buée dans l'espace, chaque molécule sont attirant-
attiré-stable. Chacun donne l'attraction, la reçoit,
l'équilibre. Chaque corps, selon sa masse et ses distances respectives à chaque instant, est un échangeur de
forces. Chaque point est un centre : le problème des *n*
corps est monadologique. Cela dit, il est intéressant
d'observer que, si le système solaire n'est pas perturbé
par des forces extérieures, s'il est clos et le siège,
seulement, de mouvements relatifs, il comporte un
point comme fixe, son centre de gravité général, qui se
trouve, on le devine, assez voisin du centre du soleil.
Voici donc le dernier avatar de la question du point
fixe : généralisé, relativisé.

Pour l'âge classique, il n'y a de système que par
référence à un point, à partir d'où l'ordre se déve-

loppe. Il n'y a de savoir rationnel, de cohérence et de raison, que d'une variété hiérarchisée. Le monde est un système parce que le faisceau des forces centrales réunit ses éléments autour de son *archê*, le soleil. En comparaison, l'univers est en désordre, les étoiles sont disséminées anarchiquement. Au milieu du XVIIIe siècle, Thomas Wright lance l'idée qu'il existe un plan fixe autour duquel s'ordonne cette distribution. Les étoiles sont d'autant plus nombreuses qu'elles en sont proches, d'autant plus rares qu'elles en sont distantes. Kant fait passer ce plan par notre point de vue, le soleil, et la couronne extérieure de la Voie lactée. La *Théorie du ciel* expose une cosmogonie où tout système naît d'une distribution par formation d'un centre et ordonnance par rapport à un plan. Ce plan est unique, est multiple. Lieu des orbites des particules autour de leur noyau, c'est déjà le schéma de Böhr, équateur d'une masse fluide en rotation, c'est le résultat de Bernoulli et d'Euler, plan équatorial du soleil, où, à très peu près, se dessinent les orbes planétaires, lieu générique de la cosmogonie de Laplace et table fixe pour le couple général de Poinsot, plan de distribution pour la Voie lactée, prévu par Thomas Wright, répété dans tout l'univers pour chaque galaxie, elliptique ou circulaire. De l'atome élémentaire à l'espace global, toute variété, tout corps, toute chose existe et peut être pensée en référence à un plan, qui doit être unique pour la totalité du réel. Ce processus d'extrapolation (d'extraplanation) est aussi le fait de Poinsot, sauf qu'il ne passe pas à la limite vers l'unité du plan commun à la totalité des choses. Mais il fait mieux : il montre que, pour tout système concevable, la position du plan est indépendante de la forme que prend la loi des interactions intérieures au système. En effet, pour obtenir un invariant par toutes variations, comme aux temps de Ptolémée, puis de

Kepler, il suffit de projeter les aires képlériennes de tous les astres et de tous les points matériels sur un plan, de les multiplier par leur masse, et d'en faire la somme. Elle est nulle pour une infinité de plans de projection, il n'en existe qu'un où elle est maximale. C'est le plan fixe équatorial du système solaire. Or le calcul n'a jamais fait intervenir la forme newtonienne des forces centrales : elle peut y être quelconque, et l'assignation du plan invariant est bien indépendant d'elle. Newton, couronné par Laplace, est remercié par Poinsot. A l'aurore du siècle, le système le plus général, stable et concret, se réfère à un plan, table où se trouve écrit le couple général, deux forces opposées, qui en est le moteur. L'*archê* devient un sol, où sont tracées, comme sur une épure, les formes projetées des causes, des *moteurs*.

*

Le plan n'est pas toujours une idéalité géométrique, celui de Monge ou celui de Kant, Laplace, Poinsot, celui de la lumière polarisée ou de la symétrie en stéréochimie, ceux enfin, déjà moins idéaux, qui organisent les réseaux de cristallographie : Haüy, Bravais, Delafosse et Romé de l'Isle. La représentation s'y projette, comme le fait le système du monde pour les uns ou l'ordonnance des choses locales pour les autres. Programme, projet, synopsis. L'architectonique des sciences est tabulée, par le positivisme, comme les animaux et végétaux sont classifiés par les systématiciens et taxinomistes. La rubrique n'est plus une chaîne, c'est un espace à deux entrées. Table ou feuille combinatoire, qui multiplie les polytomies : nouvelle logique où disparaît l'unilinéarité de la phrase, la série monodrome des événements, au profit de la nouvelle écriture bidimensionnelle. Déterminant, matrice, table de vérité, mais aussi les bandes du spectre, mais aussi le tableau des équations différentielles d'un système. Ces nouvelles tables sont des plans de fonctionnement ou d'architecture pour les sciences en -logie, biologie, épistémologie, etc., ce sont des volumes de plans posés l'un sur l'autre, comme les feuilles d'un livre – ceci tuera cela – pour les sciences en -gonie. Et le XIXᵉ siècle invente plutôt une épistémogonie, avec Comte, une géogonie ou une biogonie. D'où la lecture double du tableau de Mendeleïev, comme de tout système : soit comme maille bidimensionnelle et synopsis à deux entrées, soit comme enchaînement où la troisième dimension peut être le temps ou la logique numérale du simple au complexe, un évolutionnisme. Le plan unique de Geoffroy ou les plans de Cuvier, par invariant et variations, portent bien ce double indice, d'organisation et de production, de genèse et de système, d'espace et de temps, de géométrie et d'histoire.

Une cosmogonie, une genèse en général ne sont possibles et pensables que si un état de choses, après avoir été saisi dans les invariants de son fonctionnement, c'est-à-dire ses lois, est considéré dans les invariants de son propre temps, c'est-à-dire comme fossile. Or les fossiles de Laplace : équateur solaire, faible inclinaison sur lui des plans orbitaux, petite excentricité des ellipses, anneaux de Saturne, sont tous des variétés planaires. La cosmogonie commence par une stratigrahie du ciel. De même, lorsque la vieillesse du monde est calculée sur l'irréversibilité du refroidissement, tout corps céleste à trois états est à trois couches, d'importance variable, solide, liquide, gazeuse, enveloppes superposées qui sont les marques de son âge. A la rigueur, cela n'est pas si loin de Boucher de Perthes, de la préhistoire des couches à ossements, ou de Brongniart, de la paléontologie stratigraphique.

Toute formation est évaluée selon des formations.
Surfaces empilées, ensembles d'éléments définis
comme restes ou traces, tables où le temps des histoires demeure écrit, comme sur les pellicules feuilletées
d'un palimpseste ou les pans coupés d'une pierre de
Rosette. Le temps de la série animale se projette et se
développe, entier, par les tuniques enveloppantes d'un
embryon unique. Le monde concret devient livre et
les tissus deviennent textes. Historiographie : les falai-
ses, au bord de la mer, leurs stratifications entassées,
ne sont, chez Michelet, que des bibliothèques. Quand
la référence est un plan, recueil de traces projetées,
tout découpage du réel est quelque chose comme un
livre : annonce de la résolution des choses en mots, de
la prédominance du langage. Ceci tuera cela, ceci
tuera tout. C'est le profil étouffant de l'affaire, l'écologie se fait école. Bref, le modèle se propage rapidement par toutes les régions de l'encyclopédie, et n'en
laisse pas une intacte. Il saisit de bonne heure la
méditation philosophique, où l'âge des systèmes pla-
nifie les totalités, où Fichte décolle les écailles de
l'oignon. Il perdure jusqu'au Husserl de la *Krisis*.
Voici le champ de fouilles : il faut mettre au jour,
feuilles après feuilles, les plans ou couches ou formations successifs déposés depuis l'origine, et ceci jusqu'au sol, à la page de garde, à la table archaïque, à
l'infrastructure, à l'alphabet originaire. L'*archê* première était un point, elle commence d'être un ensemble, mais la hiérarchie se conserve par la fascination
de la base, des contraintes essentielles à la détermination : fondement de la fondation, socle, tuf. Alphabet
primitif écrit sur l'arène archaïque : axiomes ou rêves,
Hilbert et Freud. Questions portant sur un *quo nihil
retro dici vel scribi possit.* Philosophie qui cherche un
dernier site en arrière de tous les arrières possibles.
D'où, fatalement, elle ne peut se tromper.

La question préjudicielle n'était possible, tout à l'heure, que par l'imbécillité de la partition. Et, par elle, impossible à résoudre. *Elle n'est formulable, maintenant, qu'au milieu des invariants reconnus*, dès que les classifications sont entre parenthèses. Le savoir ne serait qu'une formation parmi d'autres, dont le problème est de la situer relativement à ces couches, dans un système global qui reste hiérarchique. Les invariants sont toujours des *archês*. La nouvelle science détruit ce vieux résidu fantastique. La question sur l'histoire des sciences est enveloppée dans un état historique des sciences.

La variété feu-nuage

L'univers de Laplace est privé de matière, sauf une cohésion hypothétique et variable : il est réduit aux figures et aux mouvements, à la géométrie et à la mécanique. Il est privé de vie, soumis uniquement aux forces de gravitation. Il est privé d'histoire : ses variations parcourent, de l'invariant au même, des segments temporels fermés, inégalités annuelles ou séculaires; le temps n'est pas irréversible, il retourne sur soi, il est une révolution; l'événement cométaire est toujours périodique, on ne prévoit que du passé. Monde stable, clos, immortel en son genre et son bilan sensible, notre sécurité sous le fléau. L'horloge des classiques à son plus haut couronnement.

Coup de tonnerre. La gravitation n'est pas, seule, universelle. La chaleur l'est tout autant : nul corps n'est neutre sous ce rapport, n'échappe à cette communication. Le XIXᵉ siècle répercute trois fois, et longuement, cette déflagration, les trois coups précédant notre modernité. Trois théorèmes traversent trois

régions sans laisser de résidus, dans la totalité de
l'être et du connaître. Il y a de la matière parce qu'il y
a de la chaleur : la physique des atomes va naître de
ce four, où danse leur agitation aléatoire. La gravité
n'est plus qu'une force d'interaction parmi d'autres. Il
y a de la vie parce qu'il y a de la chaleur : le principe
vitaliste est dépouillé de son mystère par l'énergie et
l'information. Il y a de l'histoire parce qu'il y a de la
chaleur : son origine, sa cause, son cours irréversible
et sa fin. La cosmogonie prend source, avec Kant et
Laplace, dans le brasier solaire, le refroidissement
compte les temps; elle ne quittera plus les fournaises
stellaires et galactiques. A l'autre bout des choses,
mais il n'y a plus ni série, ni bout, il n'y a de
transformation de la matière par l'être humain vivant,
de métamorphose technique et pratique, il n'y a de
changement d'état, de transsubstantiation que par le
feu. Par la chaleur, un sujet, dont le principe est la
chaleur, travaille un objet, qui est un siège de chaleur : il va bientôt falloir dire autrement cette phrase
qu'une langue vieillie rendait répétitive, n'écrire chaleur qu'une fois et supprimer le couple sujet-objet,
impertinent. Monde né, à plusieurs égards, dont on se
met à multiplier l'origine, et qui mourra, d'un coup,
dans la nova solaire, ouvert ou clos, c'est la question,
en formation sans retour dans la dramaturgie de
l'irréversible, notre monde en péril sous les torchères.
La révolution industrielle.

    Le soleil était jadis le point fixe, noyé dans le plan
fixe équatorial; naguère devenu foyer stable d'une
ellipse; il est foyer brûlant, origine, changement,
dégradation et mort; et il y a des millions de soleil,
dispersés.

*

La chaleur est universelle. Comte le répète, en écho de Fourier. La trentième leçon du *Cours de philosophie positive* résume avec austérité, en ses premières lignes, une rhapsodie mondiale sur la première grande idée dangereuse de l'âge romantique : le *Discours préliminaire* à la *Théorie analytique de la chaleur.* Ici, l'universalité du phénomène thermique est extensive, des entrailles du sol au régime des vents. Là, elle est compréhensive. Comte : il y va des modifications profondes des corps réels en général, de leur état d'agrégation, de l'intime composition des molécules : intime, profond, il y va de l'intérieur. Géométrie, mécanique, astronomie, barologie, le système du savoir positif convenait au système du monde; on pouvait penser, le bilan produit, qu'il n'avait jamais été formé que pour connaître de la gravitation qui, de son côté, constituait l'univers. Or ces sciences voient sans toucher, décrivent sans intervenir, laissent intactes et inchangées la surface phénoménale des choses, la manifestation des forces en travail, la forme de l'apparence, la communication des mouvements. Extérieures, par leur discrétion méthodique, elles ne vont point à l'intérieur, sauf dans ce moulin, cette horloge, où fonctionne, *partes extra partes*, l'équipage classique de poulies dentées, cordes, poids, moufles et polispastes. De fait, le monde gravitationnel, Comte l'a vu, demeure cartésien par-delà Newton, il conduit à une phénoménologie, ce terme d'astronome, conçu par Lambert pour le ciel et pour le regard. La chaleur induit au contraire en tentation ontologique : elle change les états de la matière, bouleverse les édifices moléculaires, fouille et bouscule l'intérieur des choses. Elle est anticartésienne et, pour tout dire, antipositi-

viste; d'où l'aveu qui trahit le professeur du *Cours :*
elle est l'*antagoniste* de la gravitation. Qui ne voit, en
effet, que la cosmogonie de Laplace est orthogonale,
dans le temps, à la classification mécaniste des corps
matériels, dans l'espace, que le feu et le froid traversent d'un trait les gaz, liquides et solides stratifiés sur
les corps célestes? Que la thermologie rend raison des
différences entre mécanique des solides et hydrodyna-
mique ou mécanique des fluides? On n'accède à la
nature qu'en la transformant : or, elle se transforme
d'elle-même. Il y va de la matière, il y va de l'intérieur. Il y va, donc et deuxièmement, de l'action de
l'homme sur la nature. Le forgeron pratique la transsubstantiation que la cosmologie regarde, alors que le
mécanicien ne sait ou ne peut que transmettre, trans-
férer, transporter. Les choses ne restent plus intactes
sous la puissance du feu. Chemins rebattus pour le
passage des forces mouvantes, elles deviennent des
lieux où le travail est suscité. L'intervention supplante
le regard, la transformation de l'objet supplante l'ob-
jet-transfert. D'où la réputation naissante de la pratique et le soir de la théorie. La vieille phénoménologie
mécaniste ne décrit plus que la topographie par où la
chaleur est dirigée, conduite; les organes de transmission obéissent comme des conséquences, la forme est
une suite, un complément, et non plus l'essentiel. Et
la commande est au ras du foyer. L'antagonisme de
Comte est un combat réglé, soldé par l'agonie de la
question comment? qui, naguère, effaçait la question
quoi? Le mécanisme n'est plus que le lieu de la
question par où? La gravité, qui lui donnait sa force
principale, nul ne l'exploite qu'en la subissant, nul ne
lui commande que par obéissance préalable; elle ne
peut être capitalisée, elle ne laisse toucher que sa
rente, ici, en un point de son champ, au fil de l'eau,
dans le lit du vent, sur la gorge du réa. La chaleur, au

contraire, tout le monde sait la concentrer, la capitaliser, en accélérer ou retarder les profits. Fourier le dit fort bien, et répond d'un coup aux quatre questions de lieu : tout corps la contient, la reçoit, la transmet, la conduit. Choses qui ne conviennent à la gravitation que pour la communication et l'échange, non pour la contenance et pour la question où? La chaleur peut être emmagasinée, puis extraite, et quasi à loisir. Chaque lieu du monde, chaque partie de la matière est le roseau de Prométhée, où la nature se fait obéissante. Dans la grande partie d'échecs menée sans triche et subtilement depuis avant le néolithique, le match nul édicté par le chancelier Bacon est un faux pronostic, l'un des joueurs paraît maté. Il faudra longtemps pour découvrir que la règle d'équilibre est déontologique et non fatale. L'universalité du feu, notre meilleur coup, est comprise dans les corps, enfermée dans tout corps. Nul d'entre eux n'est ni chaud ni froid. Il n'existe que des banques thermiques : toute économie fonctionne-t-elle comme la machine énergétique de son temps? Mais, troisièmement, je suis, moi aussi, comme être vivant, siège de chaleur et pôle double de ses échanges : il y va, pour finir, de la vitalité, dont Comte annonce tranquillement qu'elle est, par essence, subordonnée à la chaleur. Les trois coups annoncés sont bien répercutés : l'inerte, le vivant, leur rapport laborieux. On retrouve un monde unitaire, du jour où on trouve le feu.

*

La variété feu traverse le savoir, répétitivement, le féconde à nouveau et le réunit, d'une part à une autre, aussi éloignée qu'on veut de la première, comme le faisaient, à l'âge classique, la variété du point, à l'âge romantique, la variété du plan. Celles-ci avaient en commun la fixité, le rapport et la référence, autour de quoi se conçevait du réversible. Il y a de la statique, il y a des invariants conservés. Révolutions tranquilles et circulaires : du pour au contre, sur des chemins verses, les séquences balancent. Sous l'empire du feu, l'empyrée, sa révolution sans retour, l'irréversible naît, puis le gaspillage pullulant de la matière analysée, puis l'aléa stochastique. Sous les figures stables et les mouvements dominés – Descartes ou l'apparence traversée, retrouvée, le décor du décor, et ainsi de suite –, gît un réel nouveau, suscité par le feu, objet de théorie, adjuvant des pratiques, un réel qui n'est plus rationnel. Du monde horloge au monde four. L'horloge est le miracle du four, où fondaient ses organes. Voici le mot de la révolution : le réel n'est pas rationnel, le rationnel, pourtant inévitable, là, est réellement impossible. Tout savoir, depuis lors, du monde et de l'univers, des choses et de leurs entrailles noires, des êtres vivants jusqu'à l'élémentaire de leur enchaînement, suit la vieille route du feu, et ce faisant découvre du rationnel, des stabilités, des invariances étonnantes, derrière quoi le réel désordonné clame son bruit sans nom. Notre science du monde est coupée, orthogonalement, par la science de la chaleur.

*

La science contemporaine se constitue sur les domaines interdits par Auguste Comte plutôt que sur ses plans. Il condamnait la logique, la théorie des nombres, la mathématique abstraite, comme du bavardage, et elles ont prévalu; il condamnait le calcul des probabilités, il se révèle comme l'instrument le plus fort dans les sciences exactes. La cosmologie devait se restreindre au monde solaire, l'astrophysique, depuis Herschell et Savary, fouille l'univers des étoiles. Et ainsi de suite. En fait, les espaces interdits par l'esprit positif sont séparés de son espace propre comme les distributions le sont du système. D'une part une architectonique solide et planifiée, de l'autre des multiplicités de choix, de chemins, d'objets, voire de sciences possibles. Et c'est le feu, le feu de la révolution industrielle qui disperse par explosion le vieil édifice régulier, consistant, uniforme. Le progrès linéaire ou la série classique, figurait autrefois la généalogie des sciences. L'espace tabulaire où se comblent les lacunes la figurait tantôt. Elles se dispersent maintenant par une multiplicité de dimensions. Elles éclatent. L'objet du savoir devient la multiplicité comme telle, une distribution, celle-là même que l'on disait originaire et que le temps, lentement, recouvrait par un ordre. Non pas la négation de l'ancien monument, sa pluralisation. Ceux qui ont compris le nouvel esprit par opposition à l'ancien, disent toujours esprit et symétrisent le positivisme. Ils retombent dans ses interdits. Hors le point, il y a un nuage de points ; hors le plan ou les piles d'assiettes, il existe un univers ouvert de variétés. Des ensembles variés à l'infini, des espaces dont on ne finit pas d'en découvrir encore ; la multiplicité ne caractérise pas seulement l'objet d'une région, mais la région par elle-même : il y a des logiques, des géométries, des algèbres, des mathématiques. On sait enfin pourquoi ce mot est au pluriel, et comment il faut pluraliser les autres.

Par la thématisation des ensembles, par la topologie des espaces, par le champ de l'aléatoire, par l'étude des énergies, par la physique des particules, par les nuages stellaires ou galactiques, par les quanta et l'indétermination des trajets, par la biochimie génétique, par le traitement des grandes populations, par la théorie de l'information, par tout message plongé dans la mer innommable du bruit... par mille régions connectées de près ou de loin à la vieille thermologie et à ses descendants, tout objet, tout paquet d'objets, mais aussi tout domaine, toute collection de domaines, sont, à la rigueur, des nuages. Dont les bords portent les problèmes. Fermés, ouverts, stables, instables, définis ou indéfinis. Tout se passe comme si l'essentiel était une épistémologie de l'ultrastructure ou des interstructures. Bords, adhérences, membranes, connexions, entourages, régulation. Les lieux de passage et de la communication, les carrefours d'Hermès.

Le théorème de Brillouin

L'exactitude n'est jamais en vue qu'au prix d'une néguentropie infinie. Obtenir, par exemple, une mesure précise, en finir, plus généralement, avec la monnaie de la connaissance approchée, coûteraient une quantité infinie d'information. Ce résultat de Brillouin recoupe mille et trois théorèmes de limitation parmi les autres disciplines. Tout comme si le savoir contemporain pouvait, désormais, reconnaître ses bords. Il en résulte un bouleversement complet des théories possibles de la connaissance, et pas seulement scientifique : immédiate, tout aussi bien, esthétique au sens propre. Qu'un démon aussi fou que Faust, mais aussi amoureux pour se sentir si riche, ait décidé de payer un tel prix pour gagner cette fidélité, je suppose qu'il lui faudra longer l'infinité des temps pour débiter sa dette. L'enfer de la perfection et le discours interminable.

Je ne reprends pas, pour l'avoir analysé ailleurs dans le détail, ce résultat que les conditions de possibilité de la connaissance historique ne sont pas diffé-

rentes de celles de la connaissance physique. Non pas
dans le sujet, mais dans l'objet lui-même. Il s'agit,
dans les deux cas, de solides sur quoi est portée de
l'information en inscrit. Cela justifierait à soi seul
l'importation d'une loi de physique dans le domaine
de l'histoire, si un principe universel d'échange ne
faisait pas l'organisation de toute démarche gnoséolo-
gique. Il fut un temps où le chancelier Bacon indiquait
qu'on ne commande à la nature qu'en lui obéissant. Il
s'agissait là d'une version de l'échange énergétique en
termes de domination jupitérienne ou de combat
martial. La loi physique et l'ordre des choses étaient
compris comme décret politique ou parole de roi; par
une ruse de maître, le commandant, d'abord vaincu
dans la bataille, gagnait enfin la guerre contre un
adversaire nommé la nature, l'esclave. Adversaire
loyal, qui se cachait sans doute, mais qui ne pouvait ni
tricher ni ruser. Le schéma de la guerre et de l'asser-
vissement servait de mise en scène et de modèle à la
connaissance du monde. Nous ne sommes encore pas
sortis de cette brutalité initiale, induite par les lignes
de force du comportement animal dans la niche
écologique. Et notre science est toujours hiérarchique
alors que l'adversaire est mort, à jamais. J'entends par
cette mort le fait que les macroénergies en stock sont
domestiquées ou domesticables. La guerre du chancelier n'aura plus lieu. Sa mise en scène date du temps
de la niche finie. Mars ou Jupiter, comme deus ex
machina, est une image dangereuse à faire peur aux
enfants des écoles ou à ceux qui règnent dans les
palais, un tigre de papier. Restent les microénergies.
La phrase de Bacon se traduit alors subtilement et
l'échange, nu, paraît dans sa vérité, devant l'ancien
théâtre. Hermès ou Quirinus prennent la relève. Oui,
on commande à la nature, mais au sens où on lui
passe une commande, au sens où on lui demande de

donner contre rétribution; mieux encore, au sens où l'on tient les organes de contrôle, servocommande ou télécommande. Alors, il y a et demande et réponse. Cela suppose qu'elle puisse répondre, qu'elle puisse écouter. Cela suppose qu'on puisse lui répondre, qu'on puisse et veuille l'écouter. D'où obéir, c'est-à-dire écouter : ὑπαχούειν disaient les Grecs. Alors, la recherche physique n'est que la découverte progressive du code d'un dialogue. Elle met en place des échanges énergétiques dans sa pratique et sa théorie se réduit à l'alphabet du code qui les rend possibles. On ne demande à la nature que si on sait l'écouter. Or, ce qu'elle demande, à son tour, n'est que le prix de ce qu'elle donne. Le code du dialogue dit la monnaie de cet échange. Alors, Brillouin c'est Bacon, c'est la vérité de Bacon, débarrassée des haillons du drame préhistorique. Sa vérité, sa limite, sa généralité : la règle vaut pour toute la connaissance physique mais aussi pour toute connaissance de tout objet. Ne tenant pas compte du sens, de la qualité, de la valeur de l'information, la règle vaut *a fortiori* lorsque interviennent ces contraintes. Demandez de l'information, il faut payer en néguentropie. Au bout du compte, demandez la précision ou l'exactitude, cherchez à déterminer un bord rigoureux, un découpage exact, cela équivaut à vous faire donner une quantité d'information infinie, donc à exiger de vous une dépense infinie en néguentropie. Toute connaissance a un prix, un coût, indexés, à l'étiquette. Quelle qu'elle soit, elle est toujours évaluable, comptabilisable dans un bilan global du doit et du reçu. La théorie de la connaissance est le tableau de ce bilan. Si toute observation, si toute expérience est évaluable, alors la théorie de la connaissance est une science, comme l'arithmétique ou la statique... ou l'économie. Retour à Bacon : voulez-vous commander en maître, définitivement?

Cela revient à déséquilibrer le bilan, à refuser de payer
le juste prix, voire à prendre sans donner du tout. Il
faut bien, dans ces conditions, qu'il y ait de la faillite
en quelque endroit. Or le failli, celui qui doit déposer
le bilan, c'est le maître du chancelier, le *déterministe*.
Dans son rêve géant, celui-là ne voulait pas compter
le coût de l'expérience, des approches et des erreurs,
passait à la limite sur l'*interminable* de droit (le
volume qui s'allonge indéfiniment dans la discussion
du théorème de Liouville par Borel-Perrin) et réduisait ses dettes à zéro. Il posait une loi mathématique
de rêve et négligeait les erreurs pratiques. Or, la loi
exacte est la négation du débit. Lorsqu'il faut régler ses
dettes, la loi édictée par le déterministe s'effondre. La
loi n'existe que dans l'intérêt de quelqu'un : celui qui
veut tout prendre et ne rien donner, celui-là même qui
boute Monsieur Dimanche hors de céans. Les lois
exactes, rigoureuses, sont fausses *et* injustes, fausses
parce qu'injustes, injustes pour la justice-bilan. La
balance, fléau de la loi. Toute loi est in-juste, celles de
l'aristocrate et celles de Laplace. Pour les mêmes
raisons. Le déterministe, le législateur clôt, *termine* la
colonne du doit. De son propre chef. Le réel est sans
loi. Le réel est et n'est pas rationnel.

En vertu donc de la règle universelle d'échange, en
vertu des coûts et des bilans énergétiques de l'expérience en général, j'ai le droit d'importer le Brillouin
en tous domaines où il y va de l'objet. La mathématique, me semble-t-il, échappe tout entière à cette
extension; ou plutôt, l'objet mathématique pourrait
être défini cela même qui tombe hors la règle. D'où
l'on voit tout nouvellement pourquoi la mathématique pure est un jeu *gratuit*. Thalès ou la grâce, Thalès
ou le miracle. Il faudra bien y revenir. Cela dit, soit un
ensemble de monuments, restes, traces et marques de
ce qu'on appelle un moment donné de l'histoire. Ce

moment est identiquement, pour nous, cet ensemble, ce *nuage* documentaire. Il s'agit bien d'un ensemble objectif : solides matériels porteurs d'une information inscrite sur eux d'une manière ou d'une autre, selon tel ou tel code. Le Brillouin dicte alors que la connaissance exacte de ce nuage, et même son découpage précis, coûterait une quantité infinie de néguentropie. Il faudrait une insurpassable fortune pour payer la transformation du nuage en un ensemble dominé de part en part. D'où ce théorème, banal à force d'évidence, mais contraignant : *la connaissance exacte d'un segment déterminé du passé coûterait l'infinité ouverte du temps à venir.* Car il faut bien l'infinité du temps pour acquitter une dette sans borne. L'histoire comme science doit être payée du reste infini de l'histoire comme temps. L'idéal de connaissance exacte, finie, fermée, définitive, implique l'horizon indéfiniment repoussé de l'avenir : à strictement parler, il n'y a pas de différence entre ces deux arrière-mondes. L'histoire savoir coûte l'histoire temps. On n'en finira donc jamais de prendre la Bastille ou d'enterrer les communards. Tout comme si l'histoire était cette étrange décision de la passion phylogénétique de payer par un prix infini, par un discours interminable, les fragments épars de son propre passé. Maladie ou thérapeutique, qui le dira?

A tout prendre, cela, on le savait, sans doute, mais on ne savait pas, peut-être, que c'était démontrable et nécessitant. L'intérêt de l'établir clairement et distinctement réside, comme il arrive, dans ses corollaires. Une loi suppose l'exactitude et la précision des observations et des expériences; elle suppose éliminées les erreurs et approches, ce qu'on a nommé, plus haut, négation ou refus de la dette. Qui prétend avoir trouvé une loi, prétend à l'exactitude au moment même où il l'exhibe : ou cela est absurde, car il prétend avoir terminé la colonne du doit, de droit interminable, ou c'est décisoire, par le refus de l'assumer. Ou il n'y a pas de loi, ou elle est arbitraire, comme l'est la dispense qu'on se donne d'acquitter le reliquat. D'où le deuxième théorème, à pouvoir surabondamment corrosif : c'est une seule et même chose de prétendre montrer une ou plusieurs lois historiques, et de décider que l'histoire est finie, au moins à terme. Qui a dit ou dira découvrir une loi historique arrête, par cela même, et par sa décision, le temps de l'histoire. La législation est coextensive à la fermeture. A sa naissance, le XIXᵉ siècle répète le geste de Josué : Laplace et la stabilité du système solaire, Hegel et sa clôture. Ne dites plus loi, dites plutôt arrêt.

Qui donc, cela posé, a intérêt à poser une loi de l'histoire, sinon celui qui veut suspendre le temps? Or, qui cherche le pouvoir, en économie, politique ou philosophie, a toujours intérêt à clore la genèse, celle qui vient vers lui. Au moins pour n'être pas contraint à payer indéfiniment ce dont il se saisit. Soumettre l'histoire à législation, c'est identiquement la soumettre à qui s'en empare. La loi, c'est le vol.

Mais qu'est-ce que prendre la Bastille ou défendre Montmartre contre les Versaillais? C'est un segment de l'histoire. Il faut pouvoir le découper. Il faut une ou plusieurs coupures, le découpage d'un phénomène. Or cette dissection est d'une précision (couper dit, par le latin, précision, décision, concision) ultra-fine. Derechef, cette précision exige une néguentropie infinie, c'est-à-dire l'infinité de l'histoire à venir. Découpez, c'est une décision. Ou vous y dépensez un temps interminable. Et toute décision est à évacuer, quelle qu'elle soit. Ce n'est pas l'intervention du sujet ou du groupe qui ruine l'objectivité. C'est la *matière* même du propos. Son objet. Un matérialisme conséquent dit cela, inévitablement, et sur le monde et sur l'histoire.

Coupure est un mathématisme, une décision de la raison, un impossible physique, dans les limites de l'expérience. Hors des bords de l'épure.

Ces résultats mettent en jeu non point une conception de l'histoire, mais une conception de la science. C'est-à-dire, au moins pour l'instant, de l'ordre et du désordre, de l'ensemble aléatoire, du grand nombre et de la détermination. En ce sens, les contemporains, j'entends par là les travailleurs qui font la science, non les cabalistes qui répètent les textes, ont renversé de fond en comble l'idéologie de leurs pères et ont renoué avec la philosophie d'aïeux qu'on n'aurait jamais dû oublier, les matérialistes de notre mère la Grèce. Oui, le désordre précède l'ordre et seul est réel le premier; oui, le nuage, c'est-à-dire le grand nombre, précède la détermination et seuls les premiers sont réels. La loi, la chaîne, l'ordre sont toujours des exceptions, quelque chose comme des miracles. La probabilité rarissime a pris la place de l'inévitable. S'il y a un ordre des choses, il y a toujours un calcul sous-jacent qui montre à l'évidence qu'il n'aurait pas dû être. Ce retournement radical vis-à-vis du concret objectif, qui aurait dû transformer depuis longtemps nos habitudes et nos manières de penser, ne date pas d'hier : Brillouin est parmi les derniers d'une généalogie qui remonte, au moins, à Boltzmann. Il ruine à tout jamais les espoirs sereins de laplaciens, positivistes et autres ordonnateurs. Mais la manie de la propreté a la vie tenace, et la conception romantique, je veux dire laplacienne, a perduré chez les historiens, qui ne peuvent concevoir leur discipline comme science que si elle aboutit à des enchaînements législatifs. Or, si l'histoire doit être une science, elle doit d'abord y renoncer. Elle doit le faire, si elle veut l'être et pour l'être. Ces résultats ne critiquent donc pas la conception scientifique de l'histoire, ils contribuent à la fonder.

Revenons un moment aux tableaux dressés, il y a peu, de cette histoire *des* sciences conçue de manière compacte. Peut-être y trouverons-nous trace d'une préhistoire de l'histoire. Les schémas de la mécanique, rationnelle ou céleste, y étaient des modèles fidèles et clairs des deux grandes structures synchroniques, point et plan fixes. La question, pour les deux disciplines, consiste, globalement parlant, à décrire et à expliquer un mouvement quelconque. Les conditions initiales, le bilan des forces en présence, le parcours, le lieu terminal... et, pour finir, la loi précise du tracé. En préalable, au moins pour la seconde, une masse qui devient vite gigantesque, d'observations plus ou moins fines, et, pour les deux, la recherche d'un nombre plus ou moins élevé de paramètres. Le problème prend cette forme peu à peu, mais cette forme canonique s'impose, plus ou moins consciemment, à tout savoir *qui opère le traitement d'un ensemble de données variables par le temps*. On savait depuis longtemps que, de plusieurs manières, l'histoire était tributaire de l'astronomie : techniques de datation, idée d'un « modèle » fidèle pour un ensemble de phénomènes apparents, etc. Ici, elle l'est par le déplacement, non toujours distinctement dominé, des méthodes de la mécanique. Les états successifs de cette méthodologie ont profondément marqué notre conception de l'histoire. Les deux structures précitées ont, d'abord, en commun la fixité d'un élément, point ou plan, de sorte qu'il faut toujours trouver l'invariant par de certaines variations, bref, de référer le mouvement au repos. Alors, vont se succéder les dénominations de l'invariant : le point de référence, le point de vue, le point initial et le point final, les points

courants, ordinaires ou singuliers, considérés eux-
mêmes comme des états d'équilibre sur la trajectoire,
stations ou stades. En bref, le système des situations, le
découpage du phénomène et ses bords, la description
point par point du mouvement. Dès le moment où il
existe un point fixe (ou plusieurs) l'ensemble des
données forme une chaîne; la concaténation des événements implique l'idée de cause et celle d'effet, la
référence implique celle de conditions. Mais, de plus,
la ponctualité impose l'*unicité* du causalisme. Des
chaînes univoques, sur un temps monodrome, vont
d'un point à un autre. Je n'ai qu'un père qui n'a qu'un
père... figure archaïque de la question. Passons au
plan fixe, qui projette sur un invariant le grand
problème des trois corps. Et le problème des trois
corps est un modèle majeur, universel, qui habite
depuis deux siècles l'impensé de notre raison. Le
nombre des paramètres augmente, la chaîne univoque
n'est plus qu'un sous-ensemble : le graphe est un
réseau géant. Multiplicité des conditions, pluralisme
en étoile. Il n'existe plus de phénomène dont on
puisse dire qu'il est univoquement déterminable.
Aveu qui ne rompt pas avec le causalisme. Ce n'est
pas parce que les séries sont croisées, enchevêtrées,
conjonctives, que la détermination s'évanouit : au
contraire, elle va jusqu'à la surdétermination. Il suffit
de dessiner le réseau par positions, mouvements,
rapport de forces, écrire le *tableau* des équations
différentielles, ou projeter le tout sur un plan, la
grande table du monde, où Poinsot écrit son couple à
deux forces opposées, synthèse et moteur de tous les
couples du monde. Et la grande loi de la surdétermination close par rotation sur elle-même reste schéma-
tisable par le couple à la Poinsot, la dialectique de la
thèse et de son contradictoire. Ce mouvement n'a
nulle raison de s'arrêter : l'histoire est ouverte à

droite. Indéfinie. Voici les deux états du causalisme, de la détermination, du temps sans fin; ils vont de l'un au multiple, du Dieu des philosophes classiques au dieu de Laplace. Il n'y a là que des grilles géométriques et des schémas mécaniques. Quoi au sujet du réel? Il n'est pour le moment que rationalité. Or, de fait, il est un ensemble en nuage.

*

Le grand Pan est mort. Les systèmes à totalité sans extérieur, à explication ou compréhension universelle et sans lacunes, structurés par différence, lois sérielles et tableaux synoptiques, hiérarchisés par références et fonctionnant par un moteur, ou à plans étagés comme couches ou strates, sont désuets comme le sont leurs modèles mécaniques de fonctionnement, telles variétés orthogonales à une science morte. L'intérêt d'une histoire *des* sciences est de montrer des constantes répétitives et non perçues du savoir rigoureux ou exact, déborder tout à coup de leur cadre encyclopédique ordinaire et se répandre en tous lieux où elles passent pour raison. Cette raison, par l'ignorance entretenue de ceux qui ne peuvent habiter le cadre, perdure longtemps après qu'il a explosé. D'où un décalage, un retard, parfois séculaires, entre des techniques, des stratégies ou des méthodes qu'on nomme partout rationnelles et qui ne se ressemblent plus. La désuétude en question est de cet ordre : ces systèmes sont rationnels, ils ne sont rationnels qu'au sens de ceux dont le savoir contemporain a pris congé depuis plus de cent ans. Le buissonnement du réel se passe désormais de ces grilles, et ce n'est pas pour rien qu'au début de ce siècle Jean Perrin en appelait aux matérialistes de l'Antiquité. Revenir aux choses elles-mêmes, aux multiplicités mélangées, aux dispersions

en les prenant telles quelles, ne plus les enchaîner
dans des séquences linéaires ou des plans multiples
tissés en réseau, mais les traiter directement comme
grand nombre, grandes populations, nuages. Où le
tissage régulier devient exception et non plus norme
totalisante. La loi n'est plus la loi, elle est le bord.
Produit par le nuage et non par la raison de qui le
possède, le sait, le regarde. Rendre aux choses elles-
mêmes la totalité de leurs droits avant d'intervenir.
Toutes nos partitions et tous nos découpages, nos
différences, chaînes, séries, séquences, conséquences,
systèmes, ordres et formations, hiérarchies et *archês*,
sont de choix, de pouvoir, d'arbitraire, le miracle
probabilitaire ultra-rare de l'historien-dieu, ils sont à
dissoudre, à fondre, à mêler, comme ensembles mou-
vants, au feu an-archique. Le réel-nuage est privé
d'*archê*, ce résidu d'idéalisme qu'on nommait autrefois la raison et qui n'est que le siège du dominateur
ou son ordre.

La politique

PAR

JACQUES JULLIARD

L'histoire politique a mauvaise presse chez les historiens français. Condamnée il y a une quarantaine d'années par les meilleurs d'entre eux, un Marc Bloch, un Lucien Febvre, victime de sa solidarité de fait avec les formes les plus traditionnelles de l'historiographie du début du siècle, elle conserve aujourd'hui encore un parfum Langlois-Seignobos qui détourne d'elle les plus doués, les plus novateurs des jeunes historiens français. Ce qui n'est pas, naturellement, pour arranger son cas.

Il n'entre pas dans notre intention de réexaminer une à une les pièces d'un procès mille fois instruit, et bien instruit. Comme tout un chacun, je tiens le cas pour pendable. Les faits qui sont reprochés sont de ceux que l'historien d'aujourd'hui n'a pas envie d'excuser; mes seuls doutes, j'y reviendrai, portent sur l'identité de l'inculpée, et sur l'opportunité de maintenir à son égard l'interdiction de séjour dont elle a été frappée. Contentons-nous pour le moment de rappeler sommairement les principaux attendus du jugement.

L'histoire politique est psychologique, et ignore les conditionnements; elle est élitiste, voire biographique, et ignore la société globale et les masses qui la composent; elle est qualitative et ignore le sériel; elle vise le particulier et ignore la comparaison; elle est narrative et ignore l'analyse; elle est idéaliste et ignore le matériel; elle est idéologique et n'a pas conscience de l'être; elle est partielle et ne le sait pas davantage; elle s'attache au conscient et ignore l'inconscient; elle

est ponctuelle et ignore la longue durée; en un mot,
car ce mot résume tout dans le jargon des historiens,
elle est *événementielle*. En somme, l'histoire politique
se confond avec la vision naïve des choses, celle qui
attribue la cause des phénomènes à leur agent le plus
apparent, le plus haut placé, et qui mesure leur
importance réelle à leur retentissement dans la conscience immédiate du spectateur. Une telle conception,
c'est l'évidence, est précritique; elle ne mérite pas le
nom de science, même affublée de l'épithète d' « humaine », et surtout pas de sociale. Car désormais, de
l'aveu général, il n'ese d'histoire que sociale, c'est-
à-dire collective, mettant en scène des groupes, et non
des individus isolés[1]. Déjà en 1911, quand Henri Berr
s'en prenait à l'histoire traditionnelle[2] et lui opposait
la « synthèse historique » qu'il avait l'ambition d'élaborer, c'était bien principalement l'histoire politique
qui était visée, celle des Seignobos et des Lavisse qui
tenaient le haut du pavé sorbonnard : une histoire
trotte-menu, tricote-menu, une histoire « au petit
point » (Annie Kriegel), pour laquelle toute l'élaboration historique consistait à enfiler sur le fil d'un temps
merveilleusement lisse et homogène les événements-
perles de tous calibres : batailles et traités, naissances
et morts, règnes et législations.

Ouvrons les *Combats pour l'histoire*, ce livre toujours jeune de Lucien Febvre; il retentit d'anathèmes
contre le « politique d'abord » qui est la doctrine
implicite de l'école en place, et qui définit parfaitement « une forme d'histoire qui n'est pas la nôtre[3] ».
C'est celle qui ignore que dans les sciences de l'homme
comme en biologie ou en physique, les « faits » ne
sont pas « tout faits »; qu'ils ne sont pas ces pièces
d'une mosaïque disloquée qu'il suffirait à l'historien
de reconstituer; qu'ils sont le résultat d'une élabora-

tion intellectuelle, qui suppose hypothèses de départ et traitement préalable du matériau expérimental.

« L'histoire historisante demande peu. Très peu. Trop peu pour moi, et pour beaucoup d'autres que moi. C'est tout notre grief, mais il est solide. Le grief de ceux à qui les idées sont un besoin[4]. »

Somme toute, l'histoire politique a dépéri, victime de ses mauvaises fréquentations[5]. Non qu'elle ait disparu. Sous la forme récitative, biographique, psychologique elle continue de représenter quantitativement une fraction importante, dominante peut-être de la production livresque consacrée au passé. Elle continue d'être à la base de la périodisation la plus communément reçue : « le règne de Louis XIV »; « la république de Weimar »; « l'U.R.S.S. après Staline », etc. Mais depuis longtemps, elle a cessé de sécréter sa problématique, et d'inspirer des travaux novateurs. Une revue comme les *Annales* peut se permettre, sans trop d'injustice, de continuer à en ignorer largement la production.

Pourtant, disons-le tout net, cette situation ne peut plus durer. D'abord parce qu'on ne gagnerait rien à confondre plus longtemps les insuffisances d'une méthode avec les objets auxquels elle s'applique. Ou bien en effet, il y a une nature propre des phénomènes politiques, qui les cantonne dans la catégorie de l'événementiel – simple écume des choses qu'on peut se permettre de négliger sans dommage; ou bien, au contraire, le politique, comme l'économique, le social, le culturel, le religieux, s'accommode des approches les plus diverses, y compris les plus modernes et dans ce cas il est grand temps de les lui appliquer. Comme le notait récemment Raymond Aron, « il n'y a jamais eu de raison, logique ou épistémologique, d'affirmer que la connaissance historique des phénomènes économiques et sociaux présente en soi un caractère plus scientifique que celui des régimes politiques, des guerres ou des révolutions[6] ». Et Fernand Braudel, qui ne passe pas pour nourrir une sympathie exagérée envers l'histoire politique, n'en remarque pas moins, dans sa critique du temps court – le temps de l'événement – que celui-ci existe dans tous les domaines, et pas seulement dans la politique. Et qu'à son tour, ce dernier peut lui échapper : « D'où chez certains d'entre nous, historiens, une méfiance vive à l'égard d'une histoire traditionnelle, dite événementielle, l'étiquette se confondant avec celle d'histoire politique, non sans quelque inexactitude : l'histoire politique n'est pas forcément événementielle, ni condamnée à l'être[7]. »

Justement, le mouvement de désaffection des chercheurs à l'égard du champ politique est en train de s'inverser. Jusqu'ici considéré avec méfiance ou dédain, celui-ci reprend ses droits au fur et à mesure que nos contemporains prennent une nouvelle conscience de son importance et de son autonomie. Longtemps en effet, les historiens, français en particulier, ont pu estimer qu'il n'y avait pas pour eux d'inconvénient majeur à se désintéresser de la vie politique : tant d'autres champs nouveaux s'ouvraient à leur curiosité, dont l'école des *Annales* leur montrait les voies : et en premier lieu cette histoire économique et sociale, telle que la pratiquait Marc Bloch, dans ses grands livres; ou cette histoire intellectuelle renouvelée, histoire des mentalités et de l'outillage mental et non plus seulement des idées, à laquelle Lucien Febvre consacrait tant d'ouvrages neufs, éclatants de vie et d'intelligence. Mais qu'on le veuille ou non, cette orientation de l'historiographie est contemporaine d'une certaine vision marxiste des choses (ou prétendue telle) qui faisait des phénomènes de conscience et de volonté, donc, au premier chef, des phénomènes politiques, un *reflet* de l'action, plus

fondamentale, des forces économiques et sociales;
contemporaine aussi d'une conversion à la primauté
de l'économique qui se faisait jour dans les sociétés
occidentales, en dépit d'un certain retard de la France.
Ce qu'il y a de commun à ces deux visions, c'est un
certain dédain pour les phénomènes politiques; c'est
la conviction, qu'on dirait sortie de Saint-Simon,
qu'un problème politique n'est jamais qu'un problème
économique mal posé. Qu'on nous entende bien : il
ne s'agit pas, ni de près ni de loin, de faire des
fondateurs des *Annales* les adeptes d'on ne sait quel
matérialisme vulgaire, d'on ne sait quel « spiritua-
lisme économique [8] », d'une sorte de saint-simonisme
épistémologique tendant à chasser la politique de
l'univers social. Non, c'est tout le contraire qui est
vrai. L'histoire totale qu'ils ont voulue a eu, entre
autres mérites, celui de réintroduire les hommes, avec
leur chair et leur sang, dans une histoire qui ressem-
blait parfois à un théâtre de marionnettes.

Or, aujourd'hui, l'illusion qu'on pourrait faire disparaître l'univers politique en lui substituant ce
qu'elle est censée camoufler, cette illusion-là, s'est
dissipée. Il y a, nous le savons bien, des problèmes
politiques qui résistent aux modifications de l'infrastructure, et qui ne se confondent pas avec les données
culturelles prévalentes à un moment donné. L'autonomie du politique, au dire de Paul Ricœur [9], consiste en
ceci qu'elle « réalise un rapport humain irréductible
aux conflits de classe et aux tensions économiques et
sociales de la société »; que d'autre part, elle engendre
des « maux spécifiques ». C'est, en d'autres termes,
tracer des limites à l'optimisme organisateur en soulignant que la nature des transformations introduites
dans la société par des interventions volontaires, c'est-
à-dire le plus souvent bureaucratiques, ne réagit pas
nécessairement sur les agents de cette transformation,

bureaucratie ou pouvoir politique. Si l'on veut à tout prix dater le point de rebroussement de la courbe pour la conscience occidentale, nous avancerons 1956, l'année du rapport Khrouchtchev. Il était en effet naturel que l'aveu d'impuissance de la société soviétique à contrôler le développement de son propre pouvoir politique s'accompagnât d'une incapacité à expliquer théoriquement cette excroissance autonome.

Dans un tout autre registre, la réinterprétation du marxisme qu'ont proposée Althusser et ses élèves, distinguant des « pratiques » ou des « instances » autonomes au sein d'un mode de production donné contribue elle aussi à restituer à la politique une spécificité qu'elle paraissait avoir perdue au sein de tout un courant de pensée. Elle encourage des recherches portant non seulement sur le mode d'articulation de l'instance politique avec l'ensemble de la formation sociale, mais encore sur les structures internes de cette instance[10].

Mais il faut aller plus loin et se demander si ce « retour du politique » n'est pas la conséquence d'un accroissement de son rôle dans les sociétés modernes. Si, en s'inspirant d'une formule que Trotski applique à la révolution, on définit l'histoire politique comme l'histoire de l'intervention consciente et volontaire des hommes dans les domaines où se jouent leurs destinées, on peut considérer les efforts croissants de l'humanité pour maîtriser un devenir qu'elle a surtout jusqu'ici subi, comme une extension du rôle et du champ d'application de la politique. Il se pourrait par exemple, qu'au-delà des différences dans l'appropriation des moyens de production, les efforts pour maîtriser et orienter le développement économique constituent un des faits majeurs des dernières décennies. En d'autres termes, le passage d'une économie « naturelle » ou « spontanée » reposant sur les mécanismes du marché, l'initiative de l'entrepreneur et la loi du profit à une économie planifiée, fondée sur la prévision et la définition des objectifs sera, s'il se confirme, un fait majeur dans l'histoire de l'humanité, qui consacrera la prépondérance des choix politiques sur les mécanismes naturels[11]. La même évolution est prévisible en matière démographique : le passage d'un rythme démographique subi passivement à une planification de la naissance et de la santé est un phénomène prévisible, rendu d'ailleurs nécessaire par le formidable accroissement de la population. De même, la notion de planification culturelle est en train de s'imposer comme une nécessité. Qu'est-ce à dire, sinon que la « politique économique » est une partie importante, de plus en plus importante, des études économiques; que la « politique démographique » deviendra sous peu un élément essentiel des études de population; qu'il en ira de même en matière culturelle, etc.? Au fur et à mesure que la société naturelle cède la place à ce qu'Alain Touraine appelle la « société programmée », l'étude des politiques sectorielles prend une importance croissante comme facteur d'explication; et la politique tout court, la politique avec un P majuscule n'est plus un secteur séparé, épiphénoménal de la vie des sociétés, mais la résultante de toutes ces politiques sectorielles. Ce qui caractérise la domination bureaucratique sur le monde moderne, telle que l'a décrite Max Weber, c'est son universalité : le citoyen français ressent infiniment plus le poids de l'appareil d'Etat démocratique contemporain que le sujet de Louis XIV ou de Louis XV les effets de la « monarchie absolue »; la vie du paysan chinois contemporain est infiniment plus affectée par la « politique de Mao Tsé-toung » que son ancêtre ne le fut par le despotisme des Ming.

Ajoutons enfin que le développement des moyens

modernes de communication et d'information « poli-
tise » immédiatement un grand nombre d'événements
en leur donnant un retentissement public, une singularité, voire une exemplarité qui n'existeraient pas
sans eux [12]. Il n'y a pas d'événement politique par
nature, mais par l'écho qu'il provoque dans une
collectivité; la connaissance immédiate de l'événement en modifie radicalement la nature, quand il ne la
crée pas de toutes pièces : c'est parce que l'on s'attend
à ce qu'il y ait beaucoup de monde à une manifestation qu'il se trouve en effet beaucoup de gens pour s'y
rendre. Nous sommes dans le domaine de ce que
Merton appelle la « *full-filling prophecy* », c'est-à-dire
de la prédiction autocréatrice.

Ainsi, le double phénomène de l'avènement des
masses et de la programmation des grands secteurs de
l'activité sociale nous conduit à une conception de la
politique infiniment plus large que celle qui a été
communément admise. Si désormais la somme du
pouvoir ne réside plus dans le monarque, mais dans
un « prince collectif » (Gramsci), qu'il soit parti,
syndicat, administration, groupe de pression, alors, la
politique n'est plus affaire de psychologie et de morale, mais de sociologie [13] et de praxéologie. La question n'est plus désormais de savoir si l'histoire politique peut être intelligible, mais bien de savoir si
désormais il peut exister une intelligibilité en histoire
en dehors de la référence à l'univers politique. Si
désormais la politique est au poste de commandement
(Mao Tsé-toung), l'instance politique, pour être elle-
même conditionnée, n'en sera pas moins la plus
significative. Nous voici loin d'une histoire-batailles
sans autre propos que de raconter; nous voici même
au-delà d'une histoire sectorielle qui épuise son ambition dans une intelligibilité purement instrumentale;
nous voici au seuil d'une histoire qui s'efforce de

mettre en rapports des fragments épars d'explication au sein d'une interprétation totalisante.

Que politistes et sociologues aient précédé les historiens dans la réévaluation du phénomène politique à l'époque contemporaine, la chose est après tout naturelle, cependant que les travaux les plus marquants de l'historiographie française portaient sur l'époque moderne, du XVe au XVIIIe siècle; mais on ne saurait se satisfaire d'une situation caractérisée par une coupure à la fois chronologique et épistémologique entre l'histoire et les autres sciences humaines.

C'est pourquoi le renouvellement de l'histoire politique se fera – est en train de se faire – au contact de la science politique, discipline encore jeune et tâtonnante, mais en pleine expansion, et dont l'historien ne peut pas plus ignorer les recherches qu'il ne peut se désintéresser des acquis de l'économie politique, de la démographie, de la linguistique ou de la psychanalyse. Il n'est que de considérer par exemple les deux volumes très suggestifs que René Rémond, qui enseigne conjointement, ce n'est pas un hasard, à l'Université de Nanterre et à l'Institut d'Etudes politiques de Paris, a consacrés à la vie politique en France de 1789 à 1879[14]. Abandonnant délibérément le récit événementiel, l'auteur a choisi d'étudier près d'un siècle d'histoire française contemporaine avec une problématique et des instruments d'analyse qui sont ceux des politistes : cadres institutionnels, bien sûr, mais sans cesse confrontés avec la pratique; forces en action, qui ne comprennent pas seulement le « personnel politique », au sens étroit, – ce que Mosca appelait la « classe politique » – mais les différents cercles concentriques qui définissent le rayonnement d'une organisation ou d'une doctrine. C'est ce que Gabriel Le Bras et ses élèves ont fait en sociologie religieuse; c'est ce que Maurice Duverger a fait pour les partis politiques contemporains en distinguant électeurs, sympathisants, adhérents, militants, permanents. Certes, il n'est pas question d'appliquer mécaniquement aux partis politiques embryonnaires et informels du début du siècle les concepts qui valent pour des machines aussi complexes et aussi articulées que le parti communiste français d'aujourd'hui par exemple. Mais l'utilisation de pareils schémas, auxquels a recours René Rémond, permet d'introduire dans l'histoire politique une dialectique de la continuité et du changement, de la structure et de la conjoncture qui lui manquait jusqu'ici. Dans un ordre d'idées légèrement différent, l'analyse qu'Annie Kriegel a consacrée au parti communiste français mérite de retenir l'attention des historiens autant que des politistes [15]. Venant après une série d'ouvrages de nature plus classique sur les origines et l'évolution du P.C.F., celui-ci considère l'organisation communiste comme une véritable contre-société, avec sa hiérarchie et ses règles de fonctionnement propres, son code, son rituel et son langage. Il s'agit bien, comme l'indique le sous-titre, d'un « essai d'ethnographie politique ». Certes, ce n'était pas la première fois que l'on regardait le P.C.F. comme une véritable société autonome; mais c'était bien la première fois que ce regard ethno-sociologique donnait lieu à une étude aussi systématique et aussi neuve. Ce n'est pas non plus forcer le trait que d'affirmer que la qualité d'historienne d'Annie Kriegel n'est pas étrangère à cette réussite. A bien des égards, ce livre est l'aboutissement de ses ouvrages antérieurs où la minutie du détail concret, l'enquête empirique, le souci de conjuguer l'ordre de la permanence et l'ordre du changement sont la marque même de l'histoire.

Ce ne sont là que deux exemples, alors qu'on pourrait en citer tant d'autres! qu'il s'agisse des régimes électoraux, des élections elles-mêmes et de leurs résultats, des manifestations spontanées, des groupes de pression, du poids et de la mesure de l'opinion publique, le champ est largement ouvert pour des études neuves, fondées sur le sériel, le comparatif, qui donneraient enfin à l'histoire politique une respiration plus large, plus profonde, à la place du halètement événementiel auquel elle paraissait naguère vouée.

Ce n'est là, bien sûr, qu'un début, qui pose, et c'est heureux, plus de problèmes qu'il n'en résout. Nous en avons assez d'une histoire politique qui avait réponse à tout parce qu'elle ne faisait question à rien ni à personne. Qu'est-ce en particulier que la « vie politique »? Concept encore bien vague, au dire de René Rémond lui-même. N'allons pas, sans plus de discours, nous l'incorporer au moment où les politistes commencent à le remettre en cause. Qu'est-ce même que l'histoire politique tout court, dès lors qu'elle ne serait plus cet à-côté de l'histoire, renvoyé par les professionnels à l'enfer des mass media et des revues distrayantes? Ma foi, nous le verrons bien à l'usage. En attendant, qu'il nous suffise de signaler le profit pour l'histoire politique d'un changement de perspectives qui, dans bien des cas, consisterait pour elle à rattraper son retard et à refaire le chemin déjà parcouru par d'autres.

Et tout d'abord en matière de durée. L'historien politique était jusqu'ici un coureur de 100 mètres. Il va lui falloir désormais s'entraîner pour le 1 500, voire le 5 000 mètres. Certains ont déjà commencé, même si leurs livres ne sont pas actuellement rangés au rayon de l'histoire. A bien des égards, *Paix et guerre entre les nations*[16], qui fonde une sociologie des relations internationales, est un livre d'histoire politique, comme une grande partie de l'œuvre sociologique de Max Weber relève de l'histoire profondément entendue[17]. Un des principaux intérêts de ce livre d'actualité politique qui s'achève par une réflexion sur les conditions de l'action internationale dans le contexte nucléaire, est de développer une actualité *en profondeur*, qui va chercher ses adhérences aussi bien dans la Grèce du IVe siècle que dans l'Allemagne de Bismarck et la Russie de Staline. « Bien que ce livre traite surtout du monde présent, l'intention profonde n'en est pas liée à l'actualité. Mon but est de comprendre la logique implicite des relations entre collectivités politiquement organisées[18]... » S'il s'agit en effet de comprendre un système de relations, la séparation traditionnelle du passé et du présent perd de son importance; de même la loi sacro-sainte de la continuité historique. S'il s'agit de pousser le plus loin possible l'exploration d'une structure intelligible, on ne voit pas comment, à propos de chaque problème, on ne développerait pas autant qu'il est nécessaire la démarche régressive, qui est, somme toute, la méthode propre à l'historien; on ne voit pas non plus comment une histoire, quelle qu'elle soit, ne serait pas *contemporaine*, au moins dans sa visée fondamentale. Qu'on puisse arrêter à une date donnée l'examen d'une question, autrement que pour des raisons de commodité, tendrait à prouver qu'il s'agit d'une pauvre question, d'un problème sans intérêt. Mais il n'est d'histoire contemporaine que *politique*, c'est-à-dire posant des problèmes de décision. L'illusion d'une histoire sans politique repose sur un matériau mort et sans intérêt.

L'historien politique, donc, devra de plus en plus faire appel à la *longue durée*, c'est-à-dire envisager la temporalité dans laquelle il travaille sous l'angle de la permanence, et pas seulement du changement. Il va lui falloir aussi renoncer à cette continuité historique se déroulant le long d'un temps homogène, dont il avait fait un dogme, pour réunir, au moyen de la comparaison, les éléments d'une structure que l'événement camoufle derrière sa singularité. Ainsi, la *révolution* : elle fut longtemps considérée comme le bastion le plus inexpugnable de la singularité; une sorte de moment démiurgique où l'histoire, bousculant ses propres normes, procède à une nouvelle distribution autoritaire des cartes entre les acteurs. Longtemps donc, l'histoire « révolutionnaire » figura parmi les plus conservatrices qui soient, les plus rivées à l'événement. Or voilà qui est en train de changer. De plus en plus, sociologues et historiens se tournent vers l'étude comparée des *phénomènes révolutionnaires*, échappant par là à la double tyrannie de l'événement unique et de la continuité spatio-temporelle. Dans un livre récent, Roland Mousnier a analysé *les fureurs paysannes* [19] au XVIIᵉ siècle dans trois pays aux structures sociales aussi différentes que la France, la Russie et la Chine. Le rôle de la pression fiscale et de cette forme de fiscalité indirecte très lourde que constituent le logement et l'entretien des armées par l'habitant; celui des grandes calamités atmosphériques et des données climatiques de longue durée, étudiées naguère par E. Le Roy Ladurie, avec leurs cortèges de disettes, famines, épidémies, en un mot, le rôle de la *conjoncture* y est fortement souligné. Au-delà, Roland Mousnier, sceptique sur le caractère de classe de ces mouvements, souligne, notamment pour les révoltes paysannes dans la France du XVIIᵉ siècle, le rôle des privilégiés, considère qu'elles sont avant tout des réactions contre l'Etat, en raison du renforcement de son rôle en France et en Russie, ou en raison de la crise de la dynastie des Ming dans la Chine de la même époque. Que l'on accepte ou non les conclusions de l'auteur, il est certain que des analyses comparées de ce genre sont seules capables de nous faire avancer dans l'intelligence des phénomènes révolutionnaires. Car la révolution ne saurait plus longtemps être considérée comme un phénomène ponctuel, simple parenthèse, si essentielle qu'elle soit, dans le flux historique. Considérée sous l'angle plus large des structures mentales, du comportement social ou du projet, elle constitue une donnée endémique dans de nombreuses sociétés.

Dans un brillant essai sur les *Primitifs de la révolte*[20], centré sur l'Italie et l'Espagne, Eric Hobsbawm s'est attaché à dégager la signification de mouvements archaïques qui ont pour cadre principal le milieu rural et pour raison d'être le malaise social engendré par la confrontation des genres de vie traditionnels avec la société industrielle; mouvements divers, imprévisibles, contradictoires : le millénarisme[21] des uns est une façon d'échapper à une réalité déconcertante par la fuite dans l'imaginaire; chez d'autres au contraire (*fasci* siciliens des années 1891-1894) la vision sociale est beaucoup plus positive; le communisme paysan tend à s'apparenter au socialisme ouvrier, dans ses méthodes comme dans ses objectifs.

C'est pourquoi la recherche entreprise dans les sociétés préindustrielles doit trouver son prolongement à propos des phénomènes révolutionnaires de l'époque industrielle. Etudier les phénomènes révolutionnaires en eux-mêmes, c'est renoncer à la vieille problématique de la causalité linéaire (du type : les causes intellectuelles, les causes économiques de la révolution), refuser de voir dans la révolution comme fait politique un simple sous-système déterminé de l'extérieur par quelque autre instance. Renonçant aux facilités de l'histoire-totalité et de l'histoire-dévoilement, il s'agit de mettre en lumière les lois de fonctionnement interne des phénomènes révolutionnaires[22]. On verra notamment combien le projet

révolutionnaire, dans sa globalité – et dans son irréa-
lité – est essentiel à la réflexion de l'historien, en
raison de la scansion particulière qu'il introduit dans
la temporalité. Dans la façon dont elle est vécue par
ses acteurs, la révolution n'est pas un simple « temps
fort », un moment privilégié de l'histoire, mais une
ressaisie de l'histoire globale, passé, présent et avenir,
un « instant d'éternité », pour reprendre la formule
que Proust appliquait au mécanisme de la mémoire
affective[23]. La révolution ne relève pas, en dépit d'une
durée qui peut être très courte, de l'éphémère et du
transitoire; elle est vécue comme une coupure, une
volonté de changer l'histoire.

L'événement, notamment sous sa forme politique,
n'est donc pas à considérer comme un simple *produit;*
il n'est pas le grain de sable devenu perle dans le corps
de l'huître-structure; au contraire, pour autant qu'il
matérialise un point de rebroussement de l'histoire, il
est à son tour *producteur* de structure. A propos du
livre de Paul Bois sur les *Paysans de l'Ouest*[24],
Emmanuel Le Roy Ladurie a récemment attiré l'attention sur la réévaluation en cours de l'événement
politique et sur son nouveau mode d'insertion dans
une histoire sociale de longue durée[25] : sans qu'il soit
possible ici d'entrer dans le détail de l'analyse, indi-
quons seulement que, pour l'auteur, la chouannerie,
en l'espace de deux années, a mis en place des
structures politiques et mentales qui sont restées à peu
près stables jusqu'à nos jours et qui ont résisté à
l'érosion d'autres événements. Comment l'apparition
de la chouannerie s'explique elle-même par la structure différente de la production paysanne dans l'ouest
et dans le sud-est de la Sarthe au cours du XVIIIe siècle;
comment cette structure différentielle est génératrice
d'une prise de conscience de la classe paysanne et d'un
antagonisme ville-campagne est une autre histoire :

ou plutôt la même histoire reprise en sens inverse :
après la remontée de la structure contemporaine à
l'événement révolutionnaire (ou contre-révolution-
naire), c'est la redescente de celui-ci à la structure
précédente; en somme, le repérage d'une véritable
dialectique structuralo-événementielle, ou socialo-
politique. L'événement-stalactite est aussi l'événe-
ment-matrice. La part d'imprévisible, sinon d'incondi-
tionné dans cette affaire réside dans le fait que c'est cet
événement-là (la chouannerie) et non un autre qui
s'est trouvé à l'origine, clairement perceptible, d'une
longue chaîne postérieure.

Réconciliée avec la longue durée, la politique l'est
aussi, et de plus en plus avec le *quantitatif.* Ici encore,
c'est la science politique qui a montré la voie : il y a
longtemps que les chercheurs se sont efforcés de
quantifier la politique, en s'attaquant avec prédilection au domaine qui s'y prête le plus aisément : la
géographie électorale. Il ne se passe guère d'élection
importante en France depuis une quinzaine d'années
qui ne donne lieu à un volume d'analyses chiffrées
émanant de la Fondation nationale des Sciences politiques. Les facilités qu'offrent au traitement qualitatif
et à la comparaison les consultations électorales, ont
même eu pour effet de déformer la perspective en
conduisant à privilégier ce genre de comportement
politique par rapport à d'autres, non moins significatifs, mais plus difficilement mesurables, tels que par
exemple la crise ou la révolution. Selon une remarque
de M. Bertrand de Jouvenel[26], la science politique, en
France comme aux Etats-Unis, tend à privilégier les
conduites politiques *faibles* par rapport aux conduites
politiques *fortes* ou dramatiques. D'aucuns décèleront
derrière cette préférence une inclination idéologique
inavouée; il est également permis d'y voir l'effet de
facilités méthodologiques particulières. Bien entendu,

de telles données politiques ne prennent tout leur sens pour les historiens qu'à l'intérieur de la dimension temporelle; dans le dernier siècle que nous venons de vivre, qui correspond à l'avènement du suffrage universel, l'histoire n'a pas encore tiré tout le parti qu'elle peut attendre de l'établissement de monographies portant sur l'évolution du comportement électoral dans une aire géographique donnée. Il en va de même pour le comportement des élus : procédant à une analyse factorielle des principaux scrutins émis à la Chambre des députés au cours de la législature 1881-1885, Antoine Prost et Christian Rosenzveig sont arrivés à des conclusions intéressantes[27]. Ils ont fait apparaître l'absence d'esprit de parti dans cette assemblée où c'est le comportement des députés lors des scrutins qui dessine les orientations politiques, et non l'inverse. La démonstration n'est pas sans importance pour les débuts de la vie politique moderne, à un moment où l'on peut se demander si les partis préexistent implicitement à leur reconnaissance légale par la loi de 1901 sur les associations, ou si au contraire ce sont les mesures institutionnelles qui ont accentué les clivages.

Mais l'on n'en finirait pas d'énumérer les domaines où le recours au quantitatif est en train de renouveler les méthodes et souvent même le champ de l'histoire politique. Citons pourtant un cas particulièrement significatif : l'étude de l'opinion publique.

Tout le monde sait la place croissante que tiennent les sondages d'opinions dans la conduite des affaires contemporaines et même dans la façon dont l'opinion tout entière perçoit ses propres tendances. Nous sommes là devant un cas typique de modification de la nature du phénomène par son observation et par la diffusion de cette observation. C'est pourquoi les plus discutés, les plus suspects de ces sondages sont ceux

qui portent sur les *intentions* de la population considérée (intentions de vote, intentions d'achat, etc). Au
contraire, lorsqu'il s'agit de mesurer de simples points
de vue sans incidence immédiate sur un comportement précis, il semble que l'enquête gagne en solidité
ce qu'elle perd en possibilités de vérification expérimentale. Ainsi, à la fin de l'année 1971, l'Institut
français d'Opinion publique a publié[28] un bilan fondé
sur un ensemble de sondages particuliers, de la façon
dont les Français ont ressenti les événements de 1971
et de leurs jugements sur la façon dont ils sont
gouvernés. Qui pourrait nier, compte tenu des réserves
habituelles en pareil cas et des difficultés d'interprétation inhérentes à tout sondage, que nous avons là à
notre disposition un matériel infiniment plus solide
que les habituelles synthèses des rapports des préfets,
réalisées par le ministère de l'Intérieur, dont l'historien est bien souvent obligé de se contenter, quand
elles existent, pour les périodes antérieures[29]? C'est
pourquoi l'historien politique qui s'intéresse à l'état de
l'opinion publique dans une période antérieure à
l'instauration des enquêtes par sondage – c'est-à-dire
toute l'histoire antérieure à la Seconde Guerre mondiale – lorgne avec envie vers les matériaux dont
dispose le politiste ou l'historien du contemporain
immédiat. N'a-t-il aucun moyen de faire appel de
l'irréversible et de l'irrémédiable retard de la technique sur sa curiosité? Pas tout à fait. Il peut d'abord
procéder par analyse de contenu des divers écrits,
livres, brochures, journaux dont il dispose pour sa
période; examiner, notamment grâce aux ressources
de la sémantique quantitative, quelles relations le ou
les scripteurs entretiennent avec la société de leur
temps. La fécondité de ces méthodes n'est pas dou-
teuse. Elle ne va pas sans de redoutables problèmes de
méthode[30] et des interrogations fondamentales : com-

ment tester le degré de représentativité d'un écrit et même d'un ensemble d'écrits? Quelle opinion reflète le journaliste? la sienne? celle de son journal? celle de ses lecteurs? Le recours à des critères objectifs (comptages de mots, examen de fréquences, calcul des surfaces par sujet) constitue une garantie supplémentaire; mais de telles méthodes ne dispensent pas de l'interprétation, car rien ne prouve que l'importance d'un thème, d'une opinion, d'un concept soit proportionnelle à sa fréquence : un cas extrême comme celui de la presse soumise à la censure suffirait à nous en persuader. Or, à défaut de censure politique, n'existe-t-il pas toujours une censure sociale, une résistance à l'apparition d'idées nouvelles?

Faute d'avoir en main de véritables sondages pour une période déterminée, l'historien peut sécréter son propre document par le recours à la méthode des sondages rétrospectifs. C'est ce qu'a fait Jacques Ozouf en adressant à vingt mille instituteurs retraités un questionnaire portant sur leur situation et leur opinion avant 1914[31]. Cette méthode a donné de passionnants résultats. Son application est naturellement limitée dans le temps : on ne peut remonter au-delà de la durée moyenne d'une vie humaine; limitée aussi par la plus ou moins grande propension des groupes sociaux à répondre à de pareils questionnaires; limitée enfin en raison de la transformation par le présent de l'optique des souvenirs. Il reste qu'elle peut rendre de grands services en histoire contemporaine, et qu'elle peut inciter historiens et politistes, à défaut de pouvoir toujours produire les archives du passé, à préparer dès maintenant les archives du futur, en suscitant sur les événements présents ou récents, des enquêtes et des témoignages qui seront autant de matériaux précieux pour l'historien de demain[32].

Ce que nous avons souligné jusqu'ici, c'est la néces-

sité d'un rattrapage. Il n'y a aucune raison, en dehors
de celles, circonstancielles, que nous avons évoquées,
pour que la révolution qu'ont connue à partir de 1930
les autres branches de l'histoire dans leur méthodologie et leur périodisation, ne s'étende pas à l'histoire
politique. C'est du reste ce qui est en train de se
produire.

Mais il n'est pas possible d'en rester là. L'histoire
politique, comme la sociologie politique, a besoin
d'une problématique : d'une manière de plus en plus
systématique, l'histoire politique de demain sera
l'étude du pouvoir et de sa répartition.

Y a-t-il là quelque chose de radicalement nouveau
par rapport aux conceptions traditionnelles de l'histoire politique et de la science politique? Non, si par
pouvoir on entend exclusivement le fait étatique, qui a
retenu de longue date l'attention des juristes et des
historiens. Oui, si l'on retient du pouvoir une notion
beaucoup plus large, dans laquelle l'Etat, cette « institution des institutions », ne serait plus qu'un cas
particulier, un cas limite même; pour Maurice Duverger « le concept de la souveraineté est un système de
valeurs qui a eu et conserve une grande importance,
mais n'a pas de fondement scientifique[33] ». Pour lui,
institution étatique et société nationale, qui caractéri-
sent les pays occidentaux ne sont pas d'une nature
différente des autres groupements humains, et relèvent
des mêmes méthodes d'analyse. Même point de vue
chez Georges Balandier, qui, s'efforçant de fonder une
anthropologie politique à partir d'une réflexion com-
paratiste sur les phénomènes politiques dans les pays
développés et dans les sociétés segmentaires, constate
que « l'analyse du phénomène politique ne se confond
plus avec la théorie de l'Etat... les progrès de l'anthropologie qui imposent la reconnaissance des formes
politiques " autres " et la diversification de la science

politique, qui a dû interpréter les aspects nouveaux de
la société politique dans les pays socialistes et dans les
pays issus de la colonisation, expliquent en partie
cette évolution[34] ».

Quelle est sur ce point la position des historiens ?
Longtemps, la plupart d'entre eux ont marché sur les
pas des juristes et ont abordé le problème du pouvoir
étatique par le biais de l'analyse de la souveraineté.
Examinant les rapports de la communauté politique et
de la communauté ethnique au Moyen Age *(populus*
et *natio)*, Bernard Guenée estime qu'on a « jusqu'ici
accordé trop d'importance à la notion de souveraineté
dans la définition de l'Etat[35] »; il constate que les
constructeurs de l'Etat se sont aussi attachés à construire une nation et que, dès le XIVᵉ siècle, celle-ci est
devenue le meilleur soutien de celui-là; point de vue
qui est celui de la sociologie politique et qui nous
éloigne des constructions purement juridiques gravi-
tant autour de la notion de souveraineté.

Est-il besoin de le dire ? Le souci de mettre en
lumière les relations entre les institutions politiques et
les formations sociales qui les sous-tendent s'affirme
encore plus nettement au fur et à mesure que l'on se
rapproche de l'époque contemporaine; il est une des
bases essentielles de la sociologie des partis politiques
qui s'est beaucoup développée depuis une vingtaine
d'années[36]. Contrebattu par les explications de type
fonctionnaliste, il n'en conserve pas moins une grande
importance. De ce point de vue, l'effort de Nicos
Poulantzas pour penser théoriquement, dans une perspective marxiste, les rapports du pouvoir politique
avec les classes sociales[37] mérite d'être signalé. En
dépit d'une certaine tendance à la sophistication, il
n'en constitue pas moins un effort intéressant pour
restituer à la notion de pouvoir politique, au sein
d'une problématique générale de la lutte des classes

dans un mode de production déterminé, un statut d'autonomie relative que les faits n'avaient cessé de lui conférer, mais que la conception trivialement marxiste de la politique-reflet s'entêtait à lui dénier.

Qu'il soit marxiste ou non, l'historien ne peut se désintéresser du problème de la nature sociale du pouvoir politique. Dans ce domaine, le recours aux méthodes statistiques, appliquées par exemple à l'étude des conseillers généraux au cours du XIXᵉ siècle ont approfondi notre connaissance du personnel politique et ont permis d'échapper à l'occasionnalisme naïf dans lequel l'histoire politique s'est longtemps complue[38]. Dans ce domaine, tout ou presque reste à faire : que savons-nous de la composition sociale des partis politiques, des assemblées élues de la IIIᵉ République? Peu de chose en vérité; c'est pourquoi, en dépit de maints ouvrages de valeur, la véritable histoire politique de cette période reste encore à écrire.

Mais c'est probablement des analyses fonctionnalistes ou systématiques que viennent aujourd'hui pour l'histoire politique les défis les plus sérieux et les stimulations les plus fécondes. Conçues et mises en application aux Etats-Unis, elles tendent actuellement à gagner la science politique française avec un temps de retard qui est sans doute davantage à mettre au compte de notre provincialisme culturel que de notre originalité idéologique. Stimulation tout d'abord : la faible capacité opératoire de notre histoire politique tient en premier lieu à sa répugnance à forger des concepts nouveaux et à se proposer des modèles explicatifs. Notre empirisme positiviste est aujourd'hui à bout de souffle. Soit des institutions telles que parti, syndicat ou régime politique, considérées dans leur ensemble à un moment donné : il y a un intérêt heuristique évident à les considérer comme un système cohérent réagissant à une série de tensions externes par la recherche de réponses adaptées au rétablissement de son équilibre. Telle est l'idée de base du système cybernétique mis au point par David Easton[39]. Les effets de l'environnement sur le système (inputs) et les réponses du système (outputs) constituent un ensemble d'échanges et de transactions qu'il est possible de ramener à un petit nombre de types élémentaires. Ce modèle a déjà fait l'objet d'applications particulières en France de la part de Daniel Lindberg dans le cas de la Communauté européenne considérée comme un système politique ou de Georges Lavau dans le cas du Parti communiste français[40]. Certes, le résultat d'une pareille démarche n'est pas de bouleverser l'état des connaissances sur une question. Ce n'est d'ailleurs pas son objet. Mais elle permet de poser en termes systématiques une question essentielle : comment *fonctionne* le P.C.F.? Et peut-être aussi une seconde, que je formulerai volontiers aussi : *qu'est-ce qui fait courir* le P.C.F.?

Rien ne s'oppose théoriquement à ce que les historiens appliquent pareille démarche à l'objet de leurs propres recherches. Je suggère par exemple qu'une analyse systématique du parti radical sous la troisième République pourrait conduire à une interprétation globale intéressante de ce parti ondoyant et polymorphe.

J'ai parlé aussi de défi, qu'il convient de relever. Il est conforme à la pente naturelle, sinon à l'intention profonde de telles analyses de représenter les systèmes en état d'équilibre permanent. Non qu'elles soient incapables de rendre compte du changement. Bien au contraire. Mais justement les changements *dans le système* interdisent de concevoir le changement *du système lui-même.* C'est ici que l'intervention spécifique de l'historien peut être capital pour mettre au point des modèles qui tiennent compte du développement et pour passer de structures statiques à des structures dynamiques. « Le secteur politique, écrit Georges Balandier, est un de ceux qui portent le plus les marques de l'histoire, un de ceux où se saisissent le mieux les incompatibilités, les contradictions et tensions inhérentes à toute société. En ce sens, un tel niveau de la réalité sociale a une importance stratégique pour une sociologie et une anthropologie qui se voudraient ouvertes à l'histoire, respectueuses du dynamisme des structures et tendues vers la saisie des phénomènes sociaux totaux [41]. »

Le point de vue de l'anthropologue, tel qu'il s'exprime ici, rejoint de façon remarquable celui de l'historien moderne, qui est de s'installer délibérément dans la dialectique de l'immobile et du changeant. Trop longtemps confinée dans l'étude des modifications de détail qui affectent la surface sociale, fascinée et comme éblouie par le miroitement superficiel, Clio avait fini par abandonner à d'autres l'étude géologique de la société; par capituler devant sa tâche principale qui est l'explication du changement en profondeur – du changement *dans les profondeurs*. L'instabilité permanente de la surface avait pour contrepartie l'immobilité quasi définitive des profondeurs. Logés à des étages différents, Héraclite et Parménide ont continué de s'ignorer superbement. Structure/conjoncture : l'opposition est trop facile et n'explique rien. Si l'histoire veut être vraiment la science du devenir des sociétés, il lui faut désormais considérer la vague et la lame, et non plus seulement la houle qu'on lui avait toujours abandonnée. Comment une société passe-t-elle d'une structure à une autre structure, d'un équilibre à un autre équilibre, telle est la question essentielle pour l'historien d'aujourd'hui dans le concert des sciences humaines.

Il arrive aux pays sous-développés de tirer force et

parti de leur retard en se portant d'emblée vers les techniques les plus modernes en négligeant les classiques. Le retard de l'histoire politique la place dans une situation analogue et l'invite non seulement à brûler les étapes, mais à les télescoper. Comme Balandier, nous pensons que l'histoire politique pourrait jouer aujourd'hui un rôle capital : instruite par son long piétinement dans le chaos événementiel, elle pourrait éviter à l'ensemble des historiens la longue traversée du désert systémique, en leur apportant enfin une contribution essentielle à l'interprétation globale du changement.

NOTES

1. Tocqueville, déjà : « On peut m'opposer sans doute des individus; je parle des classes. Elles seules doivent occuper l'histoire » (*L'Ancien Régime et la Révolution*, t. I, Gallimard, 1952, p. 179).

2. *L'histoire traditionnelle et la synthèse historique*, Paris, 1921. Le chapitre II, « Discussion avec un historien historisant », date de 1911.

3. « Politique d'abord! il n'y a qu'un Maurras pour le dire... Nos historiens font plus que de le dire; ils l'appliquent. Et c'est bien un système. » (*Combats pour l'histoire*, Colin, 1953, pp. 71-72.)

4. *Ibid.*, p. 118. On pense à Alain : « Il faut être bien savant pour saisir un fait. »

5. Naguère encore, dans la rubrique des « livres reçus » des *Annales*, il existait une sous-section « histoire politique et historisante », significative de l'amalgame que nous signalons.

6. « Comment l'historien écrit l'épistémologie », à propos du livre de Paul Veyne, *Comment on écrit l'histoire*, Le Seuil, 1971, in *Annales*, novembre-décembre 1971, p. 1350.

7. « La longue durée », *Annales*, octobre-décembre 1958, repris dans *Ecrits sur l'histoire*, Flammarion, 1969, p. 46.

De son côté Marc Bloch notait : « Il y aurait beaucoup à dire sur ce mot de " politique ". Pourquoi en faire, fatalement, le synonyme de superficiel? Une histoire centrée, comme il est parfaitement légitime, sur l'évolution des modes de gouvernement a sa mission, s'attaquer à comprendre par le dedans, les faits qu'elle a choisis comme les objets de ses observations » (*Annales*, 1944, p. 120. Cité dans René Rémond, *La Vie politique en France*, t. I, 1789-1848, Colin, 1965, p. 21).

8. Selon l'expression de Frederic Rauh cité par Lucien Febvre, *op. cit.*, p. 11.

9. « Le paradoxe politique », *Esprit*, mai 1957, p. 722.

10. On pourra sur ce point se reporter aux travaux de Nicos Poulantzas qui s'est efforcé de définir à partir des œuvres de Marx et de ses disciples des instruments d'analyse politique d'une formation sociale. Cf. *Pouvoir politique et classes sociales de l'Etat capitaliste*, Maspero, 1968. Pour une tentative d'application à un cas historique concret, voir du même : *Fascisme et dictature*, Maspero, 1970.

11. Voir sur ce point les remarques de Max Gallo dans *Tombeau pour la Commune*, Laffont, 1971, qui parle d'un « passage du fonctionnement naturel de l'histoire de l'humanité au fonctionnement contrôlé » (p. 154). Cf. aussi les remarques de Benjamin I. Schwartz : « A brief defense of political and intellectual history with particular reference to non-western cultures », *Daedalus*, hiver 1971, pp. 98-112, qui définit histoire politique et histoire intellectuelle comme deux domaines de la vie consciente.

12. Cf. Pierre Nora, « L'événement monstre », in *Communications*, nº 18, 1972, pp. 162-172, repris ici sous forme remaniée.

13. On consultera sur ce point l'introduction à la *Sociologie politique* de Maurice Duverger, P.U.F., qui considère que science politique et sociologie politique sont deux termes synonymes.

14. *La Vie politique en France*, t. I : 1789-1848, Colin, 1965; t. II, 1848-1879, Colin, 1969. Un tome III est à paraître.

15. *Les Communistes français*, essai d'ethnographie politique, Seuil, collection « Politique », 1968, nouvelle édition, 1970.

16. De Raymond Aron, Calmann-Lévy, 1962.

17. « L'œuvre historique la plus exemplaire de notre siècle est celle de Max Weber, qui efface les frontières entre l'histoire traditionnelle, dont elle a les ambitions, et l'histoire comparée dont elle a l'envergure », écrit Paul Veyne (*Comment on écrit l'histoire*, Seuil, 1971, p. 340).

18. *Ibid.*, préface, p. 8.

19. *Fureurs paysannes, les paysans dans les révoltes du XVIIᵉ siècle* (France, Russie, Chine), Calmann-Lévy, 1967, collection « Les Grandes Vagues révolutionnaires ».

20. *Les Primitifs de la révolte dans l'Europe moderne*, d'Eric Hobsbawm, traduit par Reginald Laars, Fayard, 1966.

21. L'étude des millénarismes ne ressortit pas directement à l'histoire politique; mais le recours à la méthode comparative est à rapprocher de notre propos. Cf. *Hérésies et sociétés dans l'Europe*

préindustrielle XIe-XVIIe siècle, sous la direction de Jacques Le Goff, Mouton, 1968.

22. C'est ce que se propose Jean Baechler dans son essai stimulant, *Les Phénomènes révolutionnaires*, P.U.F., 1970. Malheureusement la typologie à laquelle il aboutit est bien arbitraire.

23. Voir sur ce point les analyses d'André Decouflé dans son livre *Sociologie des révolutions*, P.U.F., 1970, qui cite (p. 43) Michelet à propos de la Révolution française : « le temps n'existait plus, le temps avait péri », et encore : « tout [y] était possible, l'avenir [y était] présent... c'est-à-dire, plus de temps, un *éclair d'éternité* ».

24. Mouton, 1960, édition de poche abrégée : Flammarion, 1971.

25. « Evénement et longue durée dans l'histoire sociale : l'exemple chouan », in *Communications*, n° 18, 1972, numéro spécial déjà cité, consacré à l'événement.

26. Cf. son intervention aux « entretiens du samedi », du 10 mars 1969, sur *L'Etat de la science politique en France*. Compte rendu multigraphié de l'Association française de Science politique, p. 22.

27. « La Chambre des députés (1881-1885), analyse factorielle des scrutins », *Revue française de science politique*, vol. XXI, février 1971, pp. 5-50.

28. *Le Monde* du 1er janvier 1972.

29. Aujourd'hui, la revue *Sondages* est devenue une source essentielle pour l'étude de la France contemporaine.

30. Qu'a examinés Jacques Ozouf, « Mesure et démesure : l'étude de l'opinion », *Annales*, mars-avril 1966, pp. 324-345.

31. Cf. son livre *Nous les maîtres d'école*, Julliard-Gallimard, collection « Archives », 1967.

32. On s'en préoccupe aussi bien en France qu'aux Etats-Unis. Cf. l'article cité plus haut de Jacques Ozouf. Le cinéma peut jouer dans ce domaine un rôle important et original. D'ores et déjà, le film *Le Chagrin et la pitié* est un document remarquable pour l'historien de la période de l'occupation.

33. *Sociologie politique*, introduction, P.U.F., collection « Thémis ».

34. *Anthropologie politique*, P.U.F., 1969, pp. 145-146. Jean-William Lapierre (*Essai sur le fondement du pouvoir politique*, publications de la Faculté des lettres et sciences humaines d'Aix, 1968, p. 33) semble adopter une position médiane en refusant d'assimiler purement et simplement la science politique à la sociologie : « La science politique part de l'Etat, des institutions, et cherche comment ils affectent la société; la sociologie politique part de la société et cherche comment elle affecte l'Etat. »

35. « Etat et nation au Moyen Age », *Revue historique*, t. CCXXXVII, janvier-mars 1967, p. 18.

36. Cf. le recueil de textes de Jean Charlot, *Les Partis politiques*, Armand Colin, 1971, et celui de Pierre Birnbaum et François Chazel, *Sociologie politique*, t. II, Colin, 1971.

37. *Op. cit.*

38. Voir par exemple la thèse complémentaire de A.-J. Tudesq : *Les Conseillers généraux au temps de Guizot, 1840-1848*, 2 tomes dactylographiés, 473 pages, et l'étude de L. Girard, A. Prost, R. Gossez, *Les Conseillers généraux en 1870*, P.U.F., 1967, 212 pages.

39. Dont le livre *A systems analysis of political life* sera prochainement traduit en français.

40. « A la recherche d'un cadre théorique pour l'étude du Parti communiste français », *Revue française de science politique*, juin 1968, pp. 445-466.

41. « Réflexions sur le fait politique : le cas des sociétés africaines », in *Cahiers internationaux de sociologie*, XXXVII, 1964. Repris dans *Anthropologie politique, op. cit.*, p. 227. Cf. aussi le numéro spécial des *Annales, Histoire et structure*, mai-août 1971, qui plaide pour un « structuralisme ouvert » permettant une meilleure analyse du changement.

COLLABORATEURS DU VOLUME *

BOUVIER (Jean) : professeur à l'Université de Paris VIII (Vincennes). Auteur de plusieurs ouvrages d'histoire bancaire et économique des XIXᵉ et XXᵉ siècles parmi lesquels : *Le Crédit Lyonnais de 1863 à 1882* (S.E.V.P.E.N., 2 vol., 1961), *Les Rothschild* (Club français du Livre, 1960), *Les Deux Scandales de Panama* (Julliard, coll. « Archives », 1964) et, dernièrement, *Un siècle de banque française* (Hachette, 1973).

BURGUIÈRE (André) : maître assistant à l'Ecole pratique des Hautes Etudes (VIᵉ section). Prépare un ouvrage sur l'institution et la pratique du mariage dans la société française du XVIIᵉ siècle. A publié plusieurs articles d'anthropologie et de sociologie historique. Secrétaire de rédaction des *Annales* (E.S.C.).

CHAUNU (Pierre) : professeur d'histoire moderne à l'Université de Paris-Sorbonne (IV), directeur du Centre de Recherches d'histoire quantitative de Caen. D'une très abondante bibliographie qui compte vingt-cinq volumes et cent vingt articles, on retiendra : les douze volumes de *Séville et l'Atlantique (1504-1650)* (S.E.V.P.E.N., 1955-1960), *Les Philippines et le Pacifique des Ibériques (XVIᵉ-XVIIIᵉ siècle)* (S.E.V.P.E.N., 1960), *L'Amérique et les Amériques* (Armand Colin, coll. « Destins du Monde », 1964), deux volumes de la collection « Les Grandes Civilisations » (Arthaud) : *La Civilisation de l'Europe classique* (1966) et *La Civilisation du siècle des Lumières* (1970), ainsi que *L'Espagne de Charles Quint* (S.E.D.E.I.S., 1973).

DUPRONT (Alphonse) : président de l'Université Paris-Sorbonne (Paris IV). A multiplié les travaux d'anthropologie religieuse et de psychologie collective parmi lesquels on retiendra notamment : « La croix, introduction à l'étude d'un archétype » (*La Table ronde,* nº 120, 1957); « Histoire de la psychologie collective et vie du temps » (in *L'Encyclopédie française,* t. XX, 1959); « Problèmes et méthodes d'une histoire de la psychologie collective » (*Annales* (E.S.C.) 1961, nº 1); « Réflexions sur l'hérésie moderne » (*Archives de sociologie des religions,* nº 14, 1962); *Hérésies et sociétés dans l'Europe préindustrielle XIᵉ-XVIIIᵉ siècle* (Mouton,

---

* Ces indications bio-bibliographiques ont été arrêtées à la date de publication initiale du volume (1974).

1968); « Tourisme et pèlerinage » (*Communications,* nᵒ 10, 1967); « D'une histoire des mentalités » (*Revue roumaine d'histoire,* IX, 3, 1970); « L'Acculturation » (rapport au XIIᵉ Congrès international des sciences historiques, Vienne, 1965); « Langage et histoire » (Rapport au XIIIᵉ Congrès international des sciences historiques, Moscou, 1970); « Vie et création religieuse dans la France moderne (XIVᵉ-XVIIIᵉ siècle) » (in *La France et les Français,* Gallimard, « Encyclopédie de la Pléiade », 1973).

JULIA (Dominique) : chargé de recherches au C.N.R.S. Travaille depuis plusieurs années sur le bas clergé dans la France de l'Ancien Régime et prépare une thèse de doctorat sur les collèges dans la France du XVIIIᵉ siècle.

JULLIARD (Jacques) : maître assistant à l'Université de Paris VIII (Vincennes). Prépare un ouvrage d'ensemble sur le syndicalisme révolutionnaire, qu'il a déjà abordé dans deux ouvrages : *Clemenceau briseur de grèves* (Julliard, coll. « Archives », 1965), *Fernand Pelloutier et les origines du syndicalisme d'action directe* (Seuil, coll. « L'Univers historique », 1971). S'intéresse aussi à l'histoire politique très contemporaine, dans *Naissance et mort de la IVᵉ République* (Calmann-Lévy, 1970).

SCHNAPP (Alain) : assistant d'archéologie grecque à l'Institut d'Art et d'Archéologie de l'Université de Paris I. Auteur d'une thèse de troisième cycle sur la chasse en Grèce archaïque et classique.

SERRES (Michel) : philosophe et mathématicien de formation, professeur d'histoire des sciences à l'Université de Paris I. Auteur d'une thèse sur *Le Système de Leibniz et ses modèles mathématiques* (2 vol., P.U.F., 1965) et de plusieurs recueils d'articles : *Hermès I, la communication; Hermès II, l'interférence; Hermès III, la traduction* (Ed. de Minuit, coll. « Critique », 1966, 1968 et 1972).

STAROBINSKI (Jean) : professeur de littérature française à la Faculté des lettres de l'Université de Genève. Principales publications : *Jean-Jacques Rousseau : la transparence et l'obstacle* (Plon, 1957, réédition suivie de sept études sur J.-J. Rousseau, Gallimard, « Bibliothèque des Idées », 1970), *L'Œil vivant* (Gallimard, coll. « Le Chemin », 1961), *La Relation critique* (*id.,* 1970), *Les Mots sous les mots : les anagrammes de Ferdinand de Saussure* (*id.,* 1971). Les études sur les arts comprennent : *L'Invention de la liberté* (Skira, coll. « Arts-Idées-Histoire », 1964), *Portrait de l'artiste en saltimbanque* (1970), *Les Emblèmes de la raison* (1973).

ZERNER (Henri) : conservateur des estampes au Fogg Museum et professeur d'histoire de l'art à Harvard. Membre du comité de rédaction de la *Revue de l'Art.* Auteur de *L'Ecole de Fontainebleau, gravures* (Arts et Métiers graphiques, 1969).

Plan général de l'ouvrage 7

DEUXIÈME PARTIE
NOUVELLES APPROCHES

DANS LA COLLECTION FOLIO/ESSAIS

DANS LA COLLECTION FOLIO/ACTUEL

COLLECTION FOLIO

*Impression Brodard et Taupin
à La Flèche (Sarthe),
le 3 novembre 1986.
Dépôt légal : novembre 1986.
Numéro d'imprimeur : 6444-5.*
ISBN 2-07-032376-5 / Imprimé en France